Indicio de culpa

Indicio de culpa

Jodi Compton

Traducción de
Montserrat Gurguí
y Hernán Sabaté

Rocaeditorial

Título original: *Sympathy Between Humans*
© 2005 by Jodi Compton

Primera edición: febrero de 2005

© de la traducción: Montserrat Gurguí y Hernán Sabaté
© de esta edición: Roca Editorial de Libros, S.L.
Marquès de l'Argentera, 17. Pral. 1.ª
08003 Barcelona
correo@rocaeditorial.com
www.rocaeditorial.com

Impreso por Puresa, S.A.
Girona, 206
Sabadell (Barcelona)

ISBN: 84-96284-52-2
Depósito legal: B. 1.685-2005

Uno

*E*n la costa atlántica española, sobre el mar, el sol de última hora de la tarde teñía de oro las capas bajas de la atmósfera. En la orilla se alzaba un rompeolas, pero no era una barrera de rocas sino una pared de piedra maciza contra la que chocaba el manso oleaje. Un resquicio en el muro permitía que el agua entrase y alimentase una poza, un rectángulo de aguas oscuras, del tamaño de una piscina, con bancos de piedra sumergidos en todo su contorno.

Podría haber sido la obra de un arquitecto de la antigua Roma, sencilla y decadente a la vez. Era también un recinto igualitario: no había separaciones y los lugareños eran tan bien recibidos como los turistas ricos. Los que tomaban el sol en las cercanías acudían a la piscina a refrescarse y los niños nadaban y alborotaban, yendo y viniendo de un banco a otro al igual que los pájaros que revolotean de percha en percha en un aviario.

Me había llevado hasta allí Genevieve Brown, Gen, la que fuera compañera mía en la Oficina del Sheriff del condado de Hennepin. En el trabajo siempre se había mostrado cauta y comedida, y yo esperaba que en aquel lugar se comportaría igual. Sin embargo, Gen había tomado la iniciativa, había descendido al banco y, de inmediato, había saltado de éste a la poza, encogiendo las rodillas para que el agua envolviese su cuerpo mientras la larga melena oscura, que le llegaba hasta los hombros, formaba una nube en torno a su cabeza.

Nos sentamos en uno de los bancos y ella volvió la cara hacia el sol. Su piel ya había adquirido un bronceado cálido y cremoso. La familia de Genevieve era originaria de la Europa meridional y, aunque nunca había profesado el culto al sol, su piel ya empezaba a broncearse incluso con los débiles rayos de principios de primavera.

—Qué agradable —dije, y también me coloqué de tal modo que recibiera el sol de la tarde. La sal se me había secado en la cara y notaba la piel tirante. Si decidía no lavármela después con agua dulce, pensé, ¿me quedaría un lustre vidriado como el de la sal y brillaría a la luz?

—Necesitabas distraerte un poco —dijo Genevieve—. Este último año ha sido... difícil.

«Difícil» era poco. La primavera anterior, la hija de Genevieve había sido asesinada y, en otoño, mi marido había ingresado en prisión. Al final de aquel año aciago, Genevieve había dejado la Oficina del Sheriff, se había reconciliado con Vincent, su marido, del que llevaba tiempo separada, y se había ido a vivir a París, donde él residía.

En diciembre, en nuestra primera conversación por conferencia transatlántica, ya planeamos que yo iría a visitarla, pero pasaron cinco meses hasta que me decidí. Cinco meses de nieve y temperaturas bajo cero, de arrancar el motor del coche con un alargo eléctrico, de beber café malo en la sala de la brigada y de hacer turnos dobles y trabajos extras para los que me ofrecía voluntaria. Entonces acepté la invitación de Gen. Acordamos encontrarnos en la costa.

—¿Has sabido algo de la investigación sobre Royce Stewart? —preguntó mi ex compañera, como sin darle importancia a la cuestión. Era la primera vez que mencionaba el asunto.

—Hace ya un tiempo recibí alguna noticia —respondí—, pero desde entonces no he sabido nada más. Creo que la investigación está parada.

—¡Qué bien! —replicó—. Me alegro por ti.

No le comenté que me habían interrogado acerca de la muerte de Stewart y mucho menos que alguien me había delatado como sospechosa de su asesinato. Qué curioso. Si no se lo había contado yo, ¿quién lo había hecho? Gen me había asegurado que no se mantenía en contacto con nadie de sus tiempos en Minnesota.

—¿Quién te ha dicho que me consideran sospechosa? —inquirí.

—Nadie —respondió—. Pero es lo más lógico.

—¿Por qué es lo más lógico?

Una gotita de agua que resbaló de un mechón de cabellos me cayó en el hombro.

—Porque lo mataste tú —respondió.

Desvíe la mirada hacia el trío de mujeres que estaban sentadas en el otro extremo de la poza, pero las desconocidas no dieron señal de haberla oído.

—¿Pero qué dices? Será una broma de mal gusto, ¿no? —pregunté en voz baja—. Yo no maté a Royce Stewart. Lo hiciste tú.

—No, Sarah —replicó Genevieve con dulzura—. Fuiste tú, ¿no lo recuerdas? Yo nunca haría una cosa semejante.

Una sombra de lástima y preocupación empañó sus ojos.

—Eso no tiene ni pizca de gracia —repliqué en voz baja, muy tensa.

Sin embargo, yo sabía que no se trataba de una broma pesada por su parte. Su tono de voz no transmitía más que compasión e indicaba que tenía el corazón destrozado por su amiga y compañera.

—Lo siento —dijo—, pero un día, todo el mundo sabrá lo que hiciste.

Sonó una sirena en el horizonte, penetrante y de un tono casi eléctrico, una única nota de implacable ansiedad.

—¿Qué es ese ruido? —preguntó Genevieve.

Υ

Abrí un ojo. Me encontré con las cifras fosforescentes de mi radio despertador, el causante de aquel gemido electrónico, y acallé la alarma mediante un manotazo. Casi atardecía en Mineápolis. Había echado una buena cabezada antes de entrar de servicio en el turno de noche. Tras las ventanas del dormitorio, los olmos del barrio del Nordeste proyectaban sombras verdosas en el suelo de madera combado. En las ramas asomaban las primeras hojas primaverales. Estábamos a principios de mayo y la nueva estación ya era una realidad.

También era una realidad que Genevieve se había marchado a Europa y que mi marido, Shiloh, un poli recién reclutado por el FBI, estaba en prisión. También era cierto que todo ello se debía a lo sucedido en el pueblo de Blue Earth un año antes. Cualquiera que siguiese las crónicas de sucesos habría leído alguna noticia al respecto, aunque en realidad pocos detalles del caso habían llegado al gran público.

Los sucesos de Blue Earth giraban en torno a un hombre llamado Royce Stewart, que había violado y asesinado a Kamareia, hija de Genevieve, y que se había librado de una condena por un defecto de forma en el juicio. Un mes más tarde, Shiloh se había dirigido a Blue Earth con la intención de atropellar a Stewart con una furgoneta robada, pero no se había sentido capaz de matarlo y había sido Genevieve quien, en un encuentro casual, había acabado apuñalando a Stewart en el cuello y finalmente había prendido fuego al pequeño cobertizo donde vivía el tipejo.

Sin embargo, había sido Shiloh quien había terminado en la cárcel por el robo de la furgoneta, mientras que Genevieve, de cuyo crimen no había más testigos que yo, se había marchado a Europa a iniciar una nueva vida. No se lo reprochaba. Mi marido ya estaba entre rejas; no quería que a mi amiga le sucediera lo mismo.

No obstante, cuando Genevieve se encontraba ya en el avión rumbo a Francia, me enteré de que alguien me acusaba de la muerte de Stewart. Por inquietante que resultase, era lógico. Era yo quien había viajado hasta Blue Earth para buscar a mi marido. Era a mí a quien habían visto discutiendo a gritos con Stewart en un bar, muy poco antes de su muerte.

Dos detectives del condado de Faribault se presentaron en las Ciudades Gemelas para interrogarme y grabaron las respuestas evasivas que tan bien había preparado. Lo que les dije no pareció convencerlos.

No le conté a Genevieve nada de lo que estaba ocurriendo porque temía que tomara un avión de vuelta y lo confesara todo para exculparme. Tampoco pedí consejo a Shiloh porque, en la prisión, era más que probable que tuviera intervenido el correo, y me resultaba imposible explicar la situación sin mencionar la responsabilidad de Genevieve.

Luego ocurrió algo extraño. O, mejor dicho, no llegó a ocurrir. Transcurrió un mes, luego otro, y no me arrestaron ni volvieron a interrogarme. La investigación parecía haberse estancado.

Un día, el *Star Tribune* publicó un artículo sobre el caso.

«La muerte del sospechoso», rezaba el titular, con un largo subtitular que decía: «Royce Stewart era sospechoso del asesinato de la hija de una detective del condado de Hennepin. Siete meses después, murió en un confuso incendio de madrugada. Un policía a punto de ingresar en el FBI ha confesado que planeó el asesinato, pero que no lo cometió. Aunque el caso sigue abierto, técnicamente, las llamas parecen haberse tragado las respuestas».

El artículo del *Star Tribune* mencionaba algo que no había aparecido en los otros diarios:

Según una información complementaria, sobre la que no ha habido comentarios, ciertos documentos indican que la esposa de Shiloh, Sarah Pribek, detective del condado de Hennepin, se encontraba en Blue Earth la noche de la muerte de Stewart. Los agentes del condado de Faribault han declinado responder a las preguntas sobre si Pribek es sospechosa de la muerte y del incendio del cobertizo.

Sólo dos frases, pero en ellas se reconocía por fin el rumor que circulaba desde hacía meses entre el mundillo policial de Mineápolis. El lunes siguiente a la aparición del artículo, cuando llegué al trabajo por la mañana, me recibió un silencio muy incómodo.

Sin embargo, lo que más me preocupaba era que, desde que el *Star Tribune* había publicado el reportaje, los policías novatos me miraban de forma extraña: en sus ojos había respeto. Creían que había matado a Royce Stewart y tal convencimiento había incrementado mi prestigio entre ellos.

Me habría resultado más fácil sobrellevar esta carga si mi marido y mi ex compañera hubiesen podido ayudarme. No los culpaba por no estar a mi lado. Genevieve había sido muy prudente marchándose para ponerse a salvo de la nube creciente de sospechas y especulaciones. Y Shiloh no me había dejado por voluntad propia; lo habían encerrado en la cárcel. Sin embargo, no pasaba día que no los echara de menos a los dos. Eran algo más que mi familia. Eran mi historia, allí, en Mineápolis. Shiloh y Genevieve ya se conocían antes de que yo entrara en contacto con ellos y, precisamente por eso, aunque no tuviéramos una relación diaria o ni siquiera semanal, se había tejido entre los tres una red de interconexiones que me proporcionaba cierta sensación de estabilidad. Sin ellos, había perdido algo más profundo que el compañerismo cotidiano, algo que no encontraba en las conversaciones que mantenía con los compañeros de trabajo, que eran unas charlas amables y agradables, pero nada más.

Cuando los dos meses transcurridos se convirtieron en tres, cuatro y cinco, y siguieron sin acusarme de nada, pensé que la investigación se había quedado atascada, tal vez para siempre. Sin embargo, comprendí algo más: que si bien nunca se me acusaría abiertamente de la muerte de Stewart, tampoco se me exoneraría de ella jamás. En el trabajo, debido a los persistentes rumores, captaba un veredicto silencioso: culpable, probablemente. Mi teniente no me asignó otro compañero y los casos de delitos importantes y de personas desaparecidas en los que Gen y yo habíamos participado comenzaron a espaciarse y fueron sustituidos por misiones esporádicas e inconexas. Como la que tenía entre manos esa noche.

—Discúlpeme, ¿ha visto a este chico?

En la avenida donde trabajaba, una mujer de mediana edad enseñaba una foto a los transeúntes, intentando dar con alguien que hubiera visto a un adolescente que se había escapado de casa.

Movida por el interés profesional, me acerqué a interceptarla. Ella advirtió mi aproximación y se volvió a mirarme. Enseguida torció el gesto y se alejó. No había visto en mí a una desconocida amable que pretendía interesarse por su problema, y mucho menos a una policía. Había visto a una furcia.

No lo tomé a mal. Era lo que pretendía parecer.

Por lo general eran las agentes de la policía metropolitana quienes se encargaban de hacerse pasar por prostitutas para detener a los hombres que solicitaban sus servicios, pero para esa labor siempre se necesitan caras nuevas y esa vez me había tocado a mí. Me había apostado en una avenida de mucho tráfico, al sur del centro de Mineápolis, no lejos del barrio financiero, donde las policías en misión encubierta como yo pasaban el aspirador para limpiar la zona no sólo de hombres que estaban de paso en la ciudad y tenían ganas de juerga, sino también de trabajadores locales que salían de los bares después de tomar unas copas al finalizar la jornada laboral.

Un agente de paisano quizá se sorprendería de la sencillez de mi atuendo. Ésta es una de las primeras cosas que aprendes: nada de minifalda, ni de tacones de aguja, ni de medias con costura. Genevieve me lo había explicado años atrás: «Las mujeres que hacen la calle no pueden arriesgarse a que los polis las descubran. Además, creo que muchas de ellas están demasiado cansadas. Psicológicamente, no consideran que esa actividad sea un auténtico trabajo.»

Así que, aquella noche, antes de salir, me había puesto unos vaqueros, unas botas, una camiseta de cuello en pico y una chaqueta barata de piel sintética roja. El maquillaje era más importante que la ropa. Me apliqué un corrector de ojeras, pero no sólo en el lugar indicado, sino por toda la cara, lo que me daba una palidez enfermiza. Después me puse rímel y me perfilé los ojos. «Delinearse los ojos es lo mejor —había dicho Genevieve—. Nada te diferencia más de las mujeres de clase media que conducen Toyotas Camri que el lápiz de ojos.»

Sin embargo, lo que realmente te delata cuando estás en la calle no es la ropa ni el maquillaje, sino la actitud. Es la contenida inclinación de la cintura, propia de las mujeres que comercian con su cuerpo, cuando miran por las ventanillas de los coches. Eso es lo que les dice a los hombres quién eres.

Pero aquella noche no tenía suerte. Los hombres que recorrían la avenida en sus coches o deambulaban por la acera me miraban, algunos, pero ninguno se detuvo y yo no intenté detenerlos. La idea de cometer un delito tiene que partir del arrestado, no del agente, ya que de otro modo sería incitación al delito.

Por lo menos, hacía una noche agradable para estar al aire libre.

En mayo, el tiempo en las Ciudades Gemelas es completamente imprevisible. Lo mismo trae una ola de calor inusitada que una serie de aguaceros que te empapan y te calan hasta los huesos, de esos que empiezan por la mañana y se intensifican conforme avanza el día, hasta que materializan su ira en forma de tornados destructores en las afueras de la ciudad, en los campos de cultivo y en la pradera. Incluso era posible que, a estas alturas del año, llegara a Minnesota una ventisca tardía y descargara varios centímetros de nieve sobre la ciudad.

Los dos últimos días habían sido de chubascos, de unas lluvias intermitentes pero persistentes, a menudo torrenciales, que colmaron las alcantarillas y las cloacas. Esa noche el clima nos daba un agradable respiro; las nubes se habían abierto para dejar a la vista un cielo brillante de atardecer, pero las secuelas de la lluvia seguían notándose por doquier: el asfalto estaba encharcado y el aire olía a limpio y a tierra mojada.

Un autobús se detuvo junto al bordillo y recogió a un adolescente en silla de ruedas. Cuando el vehículo volvió a sumarse al tráfico y se alejó, noté que alguien me miraba. Un coche mediano de último modelo se había arrimado a la acera al otro lado de la calle. Me fijé bien en el conductor: varón, blanco, treinta y tantos años, cabello castaño con algunas canas en las sienes, color de los ojos inconcreto, sin marcas ni señales distintivas en la cara. No veía bien su ropa, a excepción del nudo oscuro de una corbata sobre la camisa blanca.

Y algo más: en sus ojos no había interés sexual, ninguno en absoluto. Sin embargo, no desvió la mirada. «Vamos, necesitas el primer arresto de la noche. Dile que se acerque y detenlo.»

Avancé unos pasos, intentando balancear un poco las caderas. Me volví y lo miré otra vez a los ojos con expresión inquisitiva.

El hombre se incorporó al tráfico y se alejó.

¿De qué iba aquel tío? Seguro que se había puesto nervioso. Mierda.

Seguí paseando cinco minutos más y, por fin, se acercó a la acera de mi lado de la calle un sedán Chevrolet que habría vivido su mejor momento hacía quince años. Me fijé en que llevaba matrícula de Arkansas.

Me aproximé al bordillo y me incliné ligeramente para mirar por la ventanilla, que tenía el cristal bajado. El conductor que me devolvió la mirada era blanco, con una abundante melena que le caía sobre unas gafas rectangulares de montura negra. Era de constitución delgada, a excepción de la tripa incipiente que se adivinaba, y sus grandes manos al volante tenían pecas causadas por la exposición al sol.

Descorazonada, miré hacia el asiento trasero, en el que había un mapa medio desplegado sobre una bolsa de deporte con cremallera y una caña de pescar que había colocado en diagonal apoyada en el suelo de un lado y en la bandeja trasera del otro. Junto a la caña había una gorra muy gastada de los Houston Astros. Reconocí el escudo.

Resultaba difícil imaginar qué habría hecho aquel forastero para perderse tanto y acabar en una de las avenidas más proclives al vicio de Mineápolis, pero allí se encontraba, y yo le explicaría cómo llegar a donde quisiera ir. «Verá, teniente, no he arrestado a ningún pervertido, pero he ayudado a un pueblerino a encontrar su hotel.»

El conductor bajó el cristal de la ventanilla del acompañante sin apartar los ojos de los míos, como si fuera a decir algo, pero no habló. El silencio se prolongó por ambas partes, con mutua expectación, hasta que, finalmente, me dijo:

—Vamos, preciosa, sube. No esperes a que te lo pida.

Aunque viva cien años, nunca llegaré a entender a los hombres.

—¿Por qué no aparcas un momento ahí, al doblar la esquina, y hablamos? —le sugerí, recuperándome de mi desconcierto. Ir a cualquier lado con un posible cliente es peligroso y está estrictamente prohibido.

El sedán dobló la esquina y entró en un pequeño aparcamiento. Yo acudí a pie. El conductor paró el motor y ocupé el asiento del pasajero.

—¿Cómo te va? —preguntó.

Me encogí de hombros y lo estudié tras la palidez de mi maquillaje. Era difícil calcular su edad. Unos treinta y cinco, tal vez. Ya lo leería en su permiso de conducir cuando lo arrestase.

—¿Cómo te llamas? —quiso saber.

—Sarah —respondí.

—Sarah —repitió—. Yo me llamo Gareth, pero puedes llamarme Gary. Casi todo el mundo me llama así.

El acento de Arkansas resultaba encantador, pero yo seguí adelante con mi trabajo.

—¿Y qué planes tienes para esta noche, Gary?

Hizo caso omiso de mi insinuación y respondió:

—Hoy dormiré aquí. Voy hacia el norte, a pescar un poco.

—Sí —dije—. Ya he visto la caña ahí detrás.

—La he diseñado yo —explicó con una débil sonrisa—. Me gano la vida con eso. Bueno, hago un par de cosas. Diseñar cañas de pescar es una de ellas. ¿Quieres un cigarrillo?

—No, gracias —respondí.

—Bien, pues yo voy a fumar uno —dijo.

Por lo general, los hombres son nerviosos y siempre tienen prisa. En cambio, aquel tipo se comportaba como si estuviéramos tomando una copa en una coctelería. Parecía encontrarse muy a gusto, exhalando el humo por la ventanilla con un placer casi sibarítico.

—Sí —prosiguió, meditabundo—, me han contado que ahí arriba, en los lagos, están los mejores cotos de pesca de todo el país. ¿Es verdad?

—No lo sé, yo no pesco —contesté sin convicción. Era la primera vez que tenía que dar palique a un putero y las cosas no estaban saliendo bien.

—Unos amigos me recomendaron que viniera —prosiguió—. Mi mujer murió hace unos años y, desde entonces, nunca me he tomado unas vacaciones.

Bajó la mirada, como si al decir aquella última frase se hubiese sentido avergonzado, y advertí que tenía las pestañas negras, mucho más oscuras de lo que parecía corresponder al resto de su tez. Me pregunté si habría estado con otra mujer durante esos años a los que acababa de aludir, o si por el contrario buscaba una manera de seducirme para que fuese la primera. Y entonces me imaginé, un día no muy lejano, declarando ante un juez y explicándole que, en un mundo lleno de hombres que pegaban a las prostitutas, que se gastaban en sexo el dinero de la leche de sus hijos y que contagiaban enfermedades venéreas a sus esposas, yo había salido a hacer la calle en Hennepin en nombre de la Oficina del Sheriff y había arrestado a un diseñador de cañas de pescar viudo y amable.

—Gary —dije, irguiéndome en el asiento—, ¿vas a pedirme sexo?

El hombre parpadeó, pero me pareció ver un brillo divertido tras sus gruesas gafas.

—¿Aquí en Minnesota siempre tenéis tanta prisa? —inquirió.

—Bueno —respondí—, no puedo hablar por todos y, además, yo vengo del Oeste, pero en mi caso la impaciencia tiene mucho que ver con mi trabajo de detective en la oficina del sheriff del condado de Hennepin; si me propones algún trato que implique dinero a cambio de sexo, tendré que arrestarte y, ya que no te veo muy interesado, preferiría que no lo hicieras. ¿Me equivoco en lo del poco interés?

Gary, a quien estuvo a punto de caérsele el cigarrillo en el regazo, preguntó:

—¿Eres policía?

—Pues sí, al menos en mis días buenos —respondí, al tiempo que abría la puerta del Chevrolet y me apeaba. Antes de marcharme, me volví y añadí—: Una última cosa.

Me disponía a dejarlo con la advertencia de que mientras estuviera en Mineápolis no importunara a las chicas que hacían la calle, pero entonces me fijé en algo que debería haber visto antes. Su mano, apoyada en el volante, tenía el tono bronceado del sol incluso donde no había pecas, a excepción de una franja algo más pálida en el dedo anular. Aquel color bronceado era demasiado reciente para los años que habían transcurrido desde que enviudara. Había llevado la alianza mucho más tiempo. El consejo tópico que iba a soltarle se me secó en la garganta.

—Nada, no importa —dije.

—Sarah.

Me volví hacia él.

—Cuídate —susurró.

Era una gentileza inesperada y me limité a asentir, sin saber qué replicar.

Después de pasear de nuevo en la acera durante cinco minutos recuperé la compostura y hasta un poco el mal genio. Con aquél, ya eran dos los hombres que aquella noche habían eludido mis redes. «Al próximo tío que me mire el culo —pensé—, lo arresto. Lo juro por Dios.»

El siguiente coche que se detuvo era un resplandeciente sedán gris perla. También llevaba la ventanilla abierta y me asomé al interior. Al volante iba un hombre de mediana edad, delgado, con una calva incipiente y aire mediterráneo, que vestía un traje de buena hechura.

—¿Puedo llevarte a algún sitio? —preguntó.

—¿Por qué no paras ahí, al doblar la esquina, y hablamos un minuto? —propuse—. ¿De acuerdo?

A diferencia de Gary, a aquel tipo no le interesaba saber mi nombre, aunque me informó de que podía llamarlo Paul. El interior del coche olía a nuevo y un adhesivo indicaba que pertenecía a una agencia de alquiler de vehículos. Paul también era forastero.

—¿Qué planes tienes para esta noche, Paul? —le pregunté.

—He pensado que tal vez te apetecería que hiciéramos un trato —respondió—. ¿Te gusta la coca?

Lo miré por el rabillo del ojo. Mejor, imposible. Lo podía empapelar por solicitar los servicios de una prostituta y por posesión de narcóticos.

—¿Y a quién no? —repliqué.

—He pensado que por unas cuantas rayas y cincuenta dólares podrías hacerme un completo.

Lo que me faltaba. Un putero tacaño.

—Setenta y cinco —le dije.

—De acuerdo. —Paul no estaba interesado en el regateo.

—Y necesitaría ver el material primero.

—Está ahí detrás, en mi maletín —dijo, señalando el asiento trasero con un leve gesto de la mano—. ¿Tienes... tienes un sitio adonde podamos ir?

Sin hacerle caso, me puse de rodillas en el asiento y me di la vuelta para coger el maletín.

—¿Está abierto? —pregunté, pero no esperé a que me respondiera y apreté el cierre con el pulgar. Emitió un sonoro chasquido y la maleta se abrió. Allí estaba: todo un mundo de problemas para aquel tipo en una bolsa de plástico tan pequeña.

Paul no se inmutó ante mi brusca conducta. Era un hombre de mundo. Sabía que un traje caro a la larga sale barato, que la *bussiness class* de los aviones es un timo y que las putas de setenta y cinco dólares dan problemas a sus clientes. Mientras yo cerraba el portafolios, me repitió la pregunta.

—¿Tienes algún lugar adonde llevar a los hombres, te he dicho?

—Desde luego —respondí alegremente, sacando la placa de la chaqueta de cuero.

Eran más de las cuatro de la madrugada cuando salí del trabajo, pues hube de quedarme a sustituir a una compañera cuyo hijo se había puesto enfermo durante el turno de noche. Sin embargo, cuando me marché de la oficina, me di cuenta de que no estaba cansada, sólo tenía hambre. Pensé que si me acercaba a alguna panadería y llamaba a la puerta trasera, tal vez me venderían una pieza caliente, recién salida del horno.

De camino a este recado, que me llevó a las afueras de la ciudad, me encontré con una mujer que llenaba un expendedor de diarios. Un impulso me llevó a detenerme junto a bordillo. Shiloh se encargaba de pagar nuestra suscripción al *Star Tribune*, pero durante su ausencia había caducado.

Los tiempos del chico de los periódicos, del muchacho en la bici, han quedado atrás. La repartidora era una mujer de unos treinta años, bajita y de rostro delgado, sin maquillaje y con el cabello corto y revuelto. Yo había detenido el Toyota Starlet junto a la acera, con el motor en marcha. Cuando me acerqué, ella me miró con recelo. Debió de pensar que quería llevarme un periódico sin pagar antes de que cerrase el expendedor.

—Adelante —le dije—. Cuando termine, compraré uno.

La mujer puso el ejemplar de muestra en el cristal y cerró con un golpe. Ocupé su lugar en la acera y busqué un par de monedas de cuarto de dólar.

—¿Qué es eso? ¿Un niño, a estas horas? —preguntó la repartidora, detrás de mí.

21

—¿Qué dice de un niño? —repliqué distraídamente mientras metía el dinero en la ranura.

—El que grita de ese modo, ¿no lo oye?

Debía de tener un radar en las orejas. O tal vez tenía hijos pequeños y estaba haciendo gala de una fina intuición maternal.

—Yo no oigo nada —respondí.

—Por allí —dijo.

Miré hacia donde indicaba. Una calle vacía, farolas, comercios cerrados. Una figura de unos diez u once años que corría por la acera. Un niño en la calle a las cuatro y media de la madrugada.

Corrí a interceptarlo.

Reduje la distancia que nos separaba y levanté las manos para que se detuviera. Era un chiquillo delgado y jadeaba como una locomotora de vapor. Su tez era pálida, pero tenía el cabello muy negro y parecía que se lo hubieran cortado con unas tijeras caseras por el método tradicional de la taza. La camisa y los pantalones le quedaban grandes.

—¿Qué ocurre? —le pregunté, arrodillándome a su lado—. ¿Te han hecho daño?

El chiquillo soltó un torrente de palabras, pero todas ellas en un idioma que me sonó a eslavo. Nos miramos, frustrados por no comprendernos. Entonces, se volvió y señaló en la dirección de la que venía.

Junto a aquella pequeña calle industrial discurría un canal de desagüe. Oí su rugido poderoso, debido a las abundantes lluvias que habían caído recientemente. En el punto en que pasaba canalizado bajo la calle, una barandilla formada por tres tubos bordeaba la acera, a la altura de las costillas de un adulto. Apoyadas en ella había unas formas rígidas de metal que, al acercarme más, resultaron ser unas bicicletas. Dos bicicletas. Un chico.

Me acerqué a mirar y el muchacho me siguió. Antes de quedar soterrado bajo la calle, el canal se precipitaba desde una altura considerable a un amplio sifón de paredes de cemento, destinado a evitar que se inundase la vía pública cuando llovía a cántaros, como había sucedido durante los últimos días. De no haber sido así, lo que habríamos visto desde la barandilla, probablemente, habría sido una extensión de hierba y barro por donde discurría un apacible arroyo. Esta vez, no; la madrugada anterior, las lluvias habían formado allí una gran piscina que se agitaba, turbulenta.

—¿Se ha caído alguien? —Para explicarme, con los dedos formé dos piernas que caminaban hacia la barandilla, levanté una como si fuese a saltarla y luego imité una zambullida.

El chico asintió y dijo algo que no comprendí.

—Llame a Emergencias, al 911 —le pedí a la repartidora de periódicos, que seguía detrás de mí, y pasé una pierna por encima de la barandilla—. Dígales que un niño se ha caído al canal. Llévese a éste y procure que se tranquilice.

Sin esperar a que cumpliera la orden, me encaramé hasta quedar sentada en la barra inferior, con los pies por encima del agua.

Desde que el chico señaló el agua y di instrucciones a la repartidora de periódicos hasta que me dispuse a saltar, transcurrieron apenas noventa segundos, pero fue tiempo suficiente para que me acordara del otoño anterior y de Ellie Bernhardt, que por entonces tenía catorce años. Me había tirado al Misisipí a salvarla y aquel acto me había dado cierta fama en el departamento durante un tiempo, sobre todo porque la natación no es mi fuerte.

Me gustaría decir que, cuando me acordé de Ellie Bernhardt, pensé algo irónico, como: «¿Por qué estas cosas siempre me ocurren a mí?». Pero no; mi pensamiento fue: «Dios mío, no permitas que me ahogue». Y, a continuación, salté.

El agua estaba más templada que la del Misisipí, pero seguía estando fría y formaba turbulencias que me arrastraban en varias direcciones, aunque sin mucha fuerza. Las más intensas las notaba abajo, en los pies y las pantorrillas, y me llevaban hacia el conducto subterráneo por el que el agua discurría canalizada por debajo de la calle.

Me sumergí, abrí los ojos y no vi más que una pared marrón grisácea. Extendí la mano en la dirección en que se movía la corriente, hacia la calle. Era lógico pensar que cualquier cosa pesada que hubiese caído al agua habría sido arrastrada hacia allí, pero no alcancé a tocar nada y mis pulmones amenazaban con estallar. En estas situaciones, el aire nunca parece durar lo suficiente, y aún duraba menos porque el corazón me latía a ciento cuarenta pulsaciones por minuto. Me impulsé para subir a la superficie y, al hacerlo, rocé algo con el pie.

Tomé aire a toda prisa y volví a zambullirme, tanteando de nuevo a mi alrededor. En esta ocasión, algo me rozó la mano, pero no se trataba de un objeto sólido. Parecía una prenda de ropa que el agua movía y por eso me había tocado. Cuando la agarré y tiré de ella, noté cierta resistencia. No era una camisa vieja que había terminado en el canal. Alguien la llevaba puesta.

Impulsarme a la superficie no habría resultado muy difícil, pero arrastrar al niño hacia arriba fue mucho más complicado. Era muy delgado, estaba exánime y la ropa mojada y los zapatos encharcados lo lastraban. En la superficie apareció primero su cabello negro, brillante y pegado a la pálida tez. Tiré de él y conseguí que levantara la cara hacia el cielo todavía oscuro.

En los manuales de socorrismo, todo parece muy sencillo y los dibujos resultan muy claros y comprensibles, pero el chico y yo ejemplificábamos lo complicada que es la realidad. Intenté averiguar si respiraba, si las costillas subían y bajaban debajo de mi mano. En teoría, tendría que haberlo percibido, pero fui incapaz de determinar se seguía con vida. Esperanzada, miré hacia la barandilla en busca de la mujer del Toyota, pero no estaba allí; lo único que vi por todos lados fue una pared de cemento de casi dos metros de altura sobre el nivel del agua. No había ningún punto de apoyo, ningún asidero. El peso del chico amenazaba con hundirme y moví las piernas, pedaleando en el agua, en busca de ayuda. No la había.

En aquel preciso momento, una cara asomó por la barandilla. Era un desconocido, pero su presencia me llenó de alivio.

Se trataba de un joven de unos veintitrés o veinticuatro años, asiático, de facciones duras y angulosas y una mirada despierta. Llevaba casi toda la cabeza afeitada, a excepción de una cresta como un cepillo a lo largo del cráneo, al estilo de los indios mohawk. Su aspecto podría haber parecido ridículo, pero no era así. No vi si vestía uniforme o iba de paisano, pero en ese momento esta cuestión carecía de importancia. Hay personas que aparecen en los momentos difíciles y no importa que no las conozcas de nada. Llevan escrito en la cara han acudido a ayudar. Aquel chico era una de ellas.

—¡Eh! ¿Qué tal os va por ahí abajo? —preguntó.

—Bastante mal.

El muchacho asintió sin alterarse.

—Veamos... —dijo, estudiando el agua con tanta atención como si fuera un problema de física en un libro de texto—. Intentaré tiraros una tabla.

Y eso fue lo que hizo. Cuando tuve al muchacho sobre la madera, observé su pecho y su estómago, envueltos en el abrazo mojado de una empapada camiseta roja. Vi que su tórax bajaba y subía de nuevo. Respiraba. Se me pasó la angustia y mi cuerpo notó el alivio de haberse librado del peso del chico en el agua.

Una vez rescatada y a salvo en la calle, vi que el joven llevaba el mono azul de los enfermeros de emergencias sanitarias. Su compañero, aún más joven y rubio, se ocupaba del niño. El enfermero asiático los miró, vio que la situación estaba bajo control, y se sentó en el suelo a mi lado.

—Estoy bien —le dije.

—Ya lo veo —replicó.

Allí estábamos: un joven educado con un corte de pelo posmoderno y una detective del condado medio ahogada.

—Sarah Pribek —me presenté, tendiéndole la mano—. De la Oficina del Sheriff del condado de Hennepin.

—Soy Nate Shigawa —dijo al tiempo que me la estrechaba.

—Encantada de conocerte —añadí.

Oí un grito agudo detrás de él. La repartidora de periódicos había vuelto y no estaba sola. Con ella se encontraban el chico que había dado la voz de alarma y una mujer con un vestido estampado barato y los cabellos largos y negros recogidos bajo un pañuelo. Miró a su alrededor, no al hijo que estaba siendo atendido por el enfermero, sino hacia la parte trasera de la ambulancia, y luego a Shigawa y a mí. Nos habló atropelladamente, en la misma lengua eslava que su hijo.

Al ver que sus insistentes y apremiantes explicaciones sólo despertaban miradas de desconcierto, corrió hacia las bicicletas. Señaló una de ellas y luego al chaval que se hallaba de pie junto al Toyota, seco, sano y salvo. Luego, cogió la segunda bicicleta y señaló al chico tendido en la camilla. Después, tocó la barra de la segunda bicicleta como si quisiera indicar que allí montaba otro niño.

Shigawa y yo intercambiamos una mirada de preocupación. Acabábamos de comprender lo mismo: la mujer tenía tres hijos.

Nos acercamos a la barandilla, miramos el agua arremolinada del canal y no supimos localizar ninguna mano, pie ni objeto ningún tipo. Había transcurrido mucho tiempo, demasiado.

—Yo me meteré —aseguré—. Ya he estado dentro.

—No, no lo haga —me advirtió el compañero de Shigawa, que se había acercado a nosotros. Según su tarjeta de identificación, se llamaba Schiller.

—Alguien tiene que hacerlo —repliqué.

—Dentro de un par de horas entrará el turno de día —dijo Schiller—. El condado puede enviar buzos. Tienen la preparación y el material necesarios.

Estaba claro que Schiller era nuevo en el servicio de emergencias médicas. Yo conocía bien aquella expresión, una mirada dura y obstinada que utilizan los polis novatos cuando quieren disimular que el trabajo todavía no los ha encallecido y que aún no están hartos de la vida.

—No, esto no puede esperar —insistí.

—¿Por qué no? —preguntó Schiller con cara de no comprender.

No me apetecía sumergirme de nuevo en aquella agua sucia y turbia ni quería que volviera a entrarme en las orejas y en los ojos, pero tenía que hacerlo. En mi mente se había formado la imagen del cuerpo de un niño bajo las aguas nauseabundas, arrastrado por la corriente al fondo del canal, arrastrado tal vez contra una barrera natural o contra un muro, con el cabello flotando, rodando quizá como un tronco durante horas. No soportaba imaginar que lo dejaba allí, como un desecho, mientras todo el mundo se marchaba a ponerse ropa seca y a desayunar. Busqué palabras para expresar a Schiller lo que sentía, pero no fui capaz. Por otro lado, tampoco tenía por qué hacerlo.

—Si no entiendes por qué, ella no puede explicártelo —intervino Shigawa.

Schiller apartó los ojos de mí y miró a su compañero, tomando buena nota de aquella pequeña traición.

—Tampoco es necesario que te lo tomes tan a pecho, Nate —dijo antes de alejarse.

De nuevo, pasé una pierna por encima de la barandilla.

—Estaré aquí —dijo Shigawa.

—Lo sé —susurré—. Enseguida vuelvo.

Al final, la unidad de emergencias se completó con la llegada de un coche de bomberos y de una patrulla del Departamento de Policía de Mineápolis, que se sumaron a la ambulancia. Uno de los agentes del Departamento era Roz, una sargento de unos cincuenta años, con los cabellos cortos y canosos, que había sido adiestradora canina y de la que se rumoreaba que tenía en casa no menos de ocho perros. En aquel momento su misión era adiestrar a una agente novata, Lockhart, una chica de aire adolescente con uniforme de policía.

Detrás del personal de emergencia se había formado un semicírculo de vecinos. Tal vez los había despertado el ruido o quizá ya se habían levantado para comenzar la jornada cuando se había producido el suceso. Eran más de las cinco y el cielo empezaba a adquirir cierto tono azul eléctrico.

A las personas que aparecen en los escenarios de los accidentes se las suele calificar de morbosas, pero más de una vez han confirmado mi esperanza de que la intención de la gente, ante todo, es ayudar y ser solidaria. Una mujer, al verme empapada, fue a buscar una camiseta afelpada de manga larga y unos pantalones de su marido. Acepté la ropa agradecida y me cambié en el incómodo espacio de la cabina del coche de bomberos. Una vez vestida, me quedé sentada unos segundos, disfrutando de la calidez de las prendas secas y de su desconocido olor, antes de salir de nuevo a presenciar las secuelas de aquella terrible pequeña tragedia.

Había encontrado el cuerpo donde había imaginado. La intensidad de la lluvia primaveral había creado un tamiz vertical de ramas y tallos ante la boca del conducto por donde discurría bajo la calle. En la barrera había todo tipo de objetos atrapados: latas de cerveza, trozos de alquitrán, los aros de plástico que sujetan los paquetes de seis latas. Y en medio de todo ello, la carne blanda de un niño pequeño.

—Alguien tendría que cuidar de usted —dijo Shigawa, que se me había acercado—. ¿Por qué no viene con nosotros?

—No —dije—. Estoy bien.

—En esos canales, uno puede pillar infecciones —insistió Shigawa—. Tendría que verla un médico.

—No —repliqué con contundencia. No quería discutir con él, pero tampoco podía contarle la razón de mi negativa. Todos tenemos nuestros miedos secretos, y el mío es ir al médico.

—En realidad —intervino una nueva voz—, necesitamos a la detective Pribek para que preste declaración en la comisaría del centro.

Era Roz. No la conocía mucho, pero en aquellos momentos le estuve agradecida.

—Tiene razón —le dije a Shigawa. Y volviéndome a Roz, añadí—: Iré en mi coche. Está aquí cerca y así no tendrá que traerme luego de vuelta.

—De acuerdo —asintió Roz—. Lockhart, ¿por qué no vuelves a comisaría con la detective Pribek?

En realidad no lo necesitaba, pero comprendí que Roz, al mandar a Lockhart conmigo, había querido tener un gesto de consuelo para conmigo después de los acontecimientos de esa madrugada. En comisaría no había nadie que pudiera tomarme declaración en aquel momento, por lo que Lockhart me dejó sentada ante una mesa desocupada y me indicó que esperara. Allí, arrullada por el sonido familiar de la radio de las patrullas y vestida con la ropa que me había dado una desconocida, crucé los brazos, apoyé la cabeza en ellos y me dormí.

Dos

*L*os tres hermanos eran croatas. Llevaban ocho días en América y vivían con sus padres en la atestada casa de sus tíos y primos, que habían llegado a Mineápolis hacía un año. Los chicos todavía no se habían acostumbrado al cambio de horario y a menudo se despertaban cuando su padre y su tío se levantaban para ir al trabajo, en una fábrica de patatas fritas.

Los hermanos se habían quedado prendados de las bicicletas de sus primos y habían aprendido a montar en ellas. Despiertos y aventureros como suelen ser los niños a su edad, aquella madrugada, cuando el padre y el tío se marcharon al trabajo, ellos habían salido a dar una vuelta, aunque les habían prohibido coger las bicis si no iban con un adulto.

El más pequeño, que iba montado en la barra, había caído por encima de la barandilla cuando su hermano perdió el equilibro tras una maniobra brusca de la bicicleta. Ese mismo hermano, el mayor de los tres, había saltado al agua al instante para intentar rescatarlo, y había sobrevivido. El pequeño, demasiado menudo y débil, había sido arrastrado por el remolino y había muerto.

Los padres habían insistido en presentarse en comisaría al día siguiente del accidente para darme las gracias. Los acompañaban sus parientes, que hablaban un inglés rudimentario pero inteligible. A mí me acompañaba la relaciones públicas de nuestro departamento, que parecía tan incómoda como yo. Fue un encuentro lingüísticamente complicado y sumamente triste, hasta el punto que casi hubiese preferido que no se tomasen la molestia.

Hacía un momento que había vuelto a mi sitio cuando mi teniente, que salía, se detuvo a mi altura.

—Detective Pribek —dijo—. Te encuentras bien.

El cincuentón William Prewit hacía preguntas como si afirmase hechos.

—Bien, gracias —respondí—. ¿Y usted?

—Bien —contestó con energía—. Tengo algo para ti. Se trata de una comprobación, una cosita de nada.

—Claro. ¿Y qué es?

—Llevo tiempo oyendo rumores acerca de alguien que tal vez esté practicando la medicina sin licencia —me dijo.

—Pues es algo de lo que tendría que ocuparse el Colegio Estatal de Médicos, ¿no?

—No, no se trata de un problema de licencia, de que el hombre haya olvidado renovar los papeles —me corrigió Prewitt—. Lo que nos tememos es que no sea médico en absoluto, que sea un impostor. También es probable que tenga la consulta en un edificio de viviendas de protección oficial.

—Qué audaz —comenté—. ¿Y ha hecho una chapuza a un paciente y luego lo ha abandonado a la puerta de urgencias de algún hospital?

—Que yo sepa, no —respondió Prewitt—, pero la verdad es que sabemos muy poco. No es más que un rumor sutil y persistente. Es posible que no tenga nada de cierto.

Esta frase podía interpretarse de dos modos. Podía significar: «Es un caso muy dudoso y por eso se lo paso a mi investigadora más joven y novata, la que ya ha levantado una nube de sospechas en el departamento». O bien: «Es un caso difícil, con pocas pistas, un caso que necesita una mano sutil. Demuéstrame lo que vales, Pribek».

31

—¿Y qué quiere que haga? —le pregunté.

—Pregunta por ahí, haz averiguaciones entre tus confidentes —respondió Prewitt.

—Claro —dije—. Lo haré.

Se marchó con un leve movimiento de barbilla que significaba: «Adelante».

Abrí el último cajón del escritorio y busqué un sobre que guardaba en él. Contenía un surtido variopinto de papelitos con los nombres y teléfonos de mis confidentes. Los examiné mientras decidía por dónde empezar. Prewitt no había dado a entender que el caso del médico sin licencia fuese urgente. Tampoco parecía confiar demasiado en que yo descubriese algo. Precisamente por eso, quería empezar a trabajar de inmediato. Encontraría a aquel tipo antes de lo que Prewitt esperaba. Iba a demostrarle lo que valía.

—¿Sarah? —dijo alguien tras un carraspeo.

Delante de mí estaba Tyesha, una de nuestras empleadas de refuerzo, que no pertenecía al cuerpo. Media metro cincuenta y cinco y a los treinta años seguía delgada, pese a haber tenido tres hijos. Era la recepcionista, atendía el teléfono y dirigía el flujo de llamadas.

—¿Qué ocurre? —pregunté.

—Aquí hay una joven que quiere hablar sobre la desaparición de su hermano —respondió Tyesha.

—¿Ha presentado denuncia? —quise saber.

—Dice que sí, pero es un poco más complicado que eso —explicó la secretaria—. Le gustaría hablar del asunto con alguien.

—Muy bien. Hazla pasar.

Tyesha volvió al cabo de un momento con una chica un par de centímetros más baja que ella y de constitución delgada y frágil. Vestía lo que yo consideraba ropa de ejecutiva: una lustrosa camisa violeta de seda, unos pantalones negros y unos zapatos también negros de tacón bajo. Tenía el cabello rubio y largo, los ojos azules y la piel blanca como la leche.

—Ésta es la detective Sarah Pribek —dijo Tyesha—. Sarah, ésta es... —se interrumpió como cuando alguien ha olvidado un nombre o no sabe cómo pronunciarlo—. Lo siento —dijo a la visitante.

—Tranquila —replicó la joven—. Me llamo Marlinchen.

—Encantada de conocerte, Marlinchen —dije—. Siéntate.

La muchacha tomó asiento y Tyesha se marchó.

—¿Podrías deletrearme tu nombre, por favor? —le pedí.

La joven agarró un bloc de etiquetas autoadhesivas de mi mesa y lo volvió hacia ella. Sacó un bolígrafo del bolso, escribió deprisa y arrancó la primera hoja.

Marlinchen Hennessy, decía. Debajo, había añadido un número de teléfono.

—¿Es un nombre sueco? —inquirí.

—Marlinchen es alemán —respondió—. En teoría, se pronuncia «Marlinchín», pero aquí todo el mundo lo americaniza. —Lo dijo como si fuese una letanía que hubiese pronunciado muchas veces—. En cambio, Hennessy, mi apellido, es irlandés, claro. Todos mis hermanos llevan nombres celtas tradicionales. Mi hermano gemelo se llama Aidan. Por él he venido —añadió en voz algo más baja.

—Cuéntame qué pasa —la insté—. ¿Ya has presentado la denuncia?

—Denuncié su desaparición en Georgia —asintió la muchacha—. Ahí es donde ha vivido estos últimos cinco años. Él...

—Espera —dije alzando la mano para que se detuviera—. Vive en Georgia y es allí donde ha desaparecido, ¿pero quieres que el condado de Hennepin investigue el caso?

—Sí. Aidan es de aquí, aquí tiene contactos. Es posible que haya vuelto a Mineápolis y por eso he pensado que podía denunciarlo a la policía del condado de Hennepin.

—¿Es posible que haya vuelto? —repetí, frunciendo el ceño—. Dicho de otro modo, ¿piensas que viaja por voluntad propia?

—Eso es lo que creen en Georgia —respondió Marlinchen.

—De ser así —apunté—, no hay nada que investigar. Los adultos tienen libertad para viajar de un sitio a otro sin avisar a sus familiares.

—Aidan todavía no ha cumplido los dieciocho —susurró.

—Pero si has dicho que era tu hermano gemelo —repliqué.

—Tengo diecisiete años —declaró.

Deseé que mi rostro no delatase la sorpresa. Yo le había echado veinte o veintiuno.

—Muy bien —dije, pensando que aquello daba un matiz totalmente distinto al asunto—. Y tus padres, ¿qué están haciendo al respecto?

—Mi madre murió —respondió.

—Lo siento. —Antes de que ella hablara otra vez, le pregunté—: ¿Hace mucho tiempo?

—Diez años.

—Lo siento —repetí y me di cuenta de que acababa de decirlo.

—Mi padre es Hugh Hennessy, el escritor —prosiguió Marlinchen, y me observó para ver si yo daba muestras de conocerlo—. El autor de *El canal* —añadió.

—Sí, me suena —asentí—, pero vayamos al grano. ¿Dónde está ahora tu padre?

—¿Por qué quiere saberlo?

—Me extraña que haya enviado a su hija de diecisiete años a la Oficina del Sheriff, en vez de presentarse él mismo —expliqué.

—Porque no sabe lo que le ha sucedido a Aidan —se apresuró a explicar la chica—. Está en el norte, en una cabaña que tiene cerca del lago Tait. Se encuentra en un lugar muy apartado y no tiene teléfono.

Reparé en el extraño brillo de sus ojos, de alarma tal vez, pero en ese momento no entendí a qué venía.

—Papá se refugia en la cabaña para escribir —prosiguió—. Cuando no le salen bien las cosas, necesita silencio y soledad, pero no empezó a ir hasta que yo fui mayor y pude cuidar de mis tres hermanos pequeños. Mi padre es muy responsable.

La joven había pasado a defender los métodos educativos de su padre sin que yo supiera por qué. Intenté que no divagase más.

—Pero alguien puede ir a buscarlo, ¿no? —le pregunté—. Un vecino, un guarda forestal, yo que sé... Lo que quiero decir es que el padre de Aidan debería estar enterado de lo que sucede.

Aquel comentario no tuvo el efecto tranquilizador que yo había previsto.

—¡No entiendo a qué viene tanto hablar de mi padre! —estalló Marlinchen—. Mi padre no es policía. Él no podrá encontrar a Aidan. ¡De eso debería ocuparse la policía y, a lo que parece, ustedes no están haciendo nada!

—Si ésta es la colaboración que has prestado a los agentes de Georgia, no me extraña que no se hayan movido. —Di unos golpes en la mesa con el extremo del lápiz.

—No debería haber venido —dijo Marlinchen de repente, poniéndose en pie.

—Espera —dije en un intento de aplacarla, pero la joven ya se marchaba a toda prisa. Todos los que trabajaban a mi alrededor levantaron la cabeza al verla pasar—. ¡Espera! —repetí más fuerte, al tiempo que me levantaba de la silla. Pero la joven ya se había esfumado.

—¡Se escapa del interrogatorio! ¡Se escapa del interrogatorio! —dijo un agente, imitando el acento de Minnesota de Frances McDormand en *Fargo*. Sus compañeros se echaron a reír.

—Gracias —dije—. Y ahora, ya que habéis disfrutado con el espectáculo, mi mono pasará el plato.

Como no tenía preparada una segunda parte para aquel clamoroso éxito, tomé el coche y me dirigí hacia la zona sur de Mineápolis para encontrarme con mi primera confidente y preguntarle por el falso médico de Prewitt.

Cuando lo aceptaron en la academia del FBI y dejó la policía de Mineápolis, Shiloh hizo una especie de liquidación por rebajas y me dio algunos números de teléfono útiles, que abarcaban desde contactos con las agencias federales hasta confidentes de la calle. Era el caso de Lydia Neely, a quien conocía de cuando había trabajado en Narcóticos. A Lydia la habían detenido cruzando la frontera del condado llevando un alijo de marihuana de la Columbia Británica en el maletero del coche. En la detención habían participado varios agentes, como es habitual en Narcóticos, pero fue Shiloh quien se preocupó por la situación de la chica. Averiguó que no tenía antecedentes y que transportaba la droga para su novio, uno de los que suponen que, a las mujeres, los de Narcóticos las paran menos. Y habría estado en lo cierto, si alguien no la hubiese delatado.

Shiloh, con su típica compasión por los desafortunados, hizo cuanto estaba en su mano para interceder por ella y conseguir que no fuese a la cárcel. Lidya había cumplido parte de la condena en trabajos sociales y luego le habían asignado un agente de libertad provisional. También se había convertido en confidente de Shiloh y, cuando éste dejó el departamento, heredé su nombre y su teléfono.

Llevaba tiempo sin ver a Lydia, sobre todo porque ya no era una confidente útil. Había conseguido un buen empleo en un salón de belleza de la zona sur de Mineápolis y tiempo después se había casado. La intervención de Shiloh tenía como objetivo conseguir esta clase de rehabilitación pero, a raíz de ella, Lydia había dejado de relacionarse con delincuentes y ya no poseía ningún tipo de información interesante. Hay una gran verdad que el público prefiere no saber: los ciudadanos honrados no son buenos confidentes, y los buenos confidentes son indispensables para el trabajo policial.

Sin embargo, por algún sitio tenía que empezar en la búsqueda del médico sin licencia que me había encargado Prewitt, y Lydia vivía en la zona.

Me iba de maravilla que trabajase en una peluquería porque allí podía visitarla sin levantar sospechas. Por razones obvias, cuando iba a ver a los confidentes, nunca me identificaba como policía. A la hora de visitar una peluquería de señoras, ser mujer era una evidente ventaja. Y más suerte aún tuve esta vez porque, cuando llegué, la encontré trabajando en la parte del fondo del local, donde se lavaba la cabeza a las clientes antes de pasar al salón. Allí no había nadie que pudiera oírnos.

—Hola, detective Pribek —me saludó Lydia, que estaba lavando unos rulos bajo el chorro de agua a presión, revolviéndolos en la pila.

Sarah —la corregí, imponiéndome al estrépito del agua.

—¿Te apetece una taza de café? —preguntó ella.

—No, gracias. —Su amabilidad me hacía sentir incómoda porque yo no había entablado ninguna relación personal con ella, más bien al contrario. Me dio la impresión de que sólo me toleraba porque Shiloh le caía bien—. No voy a entretenerte mucho rato —proseguí—. Sólo necesito saber si has oído hablar de algo.

Cuando le expuse el motivo de mi visita, noté un fugaz brillo en sus ojos.

—¿Sabes de quién te hablo? —le pregunté.

—Ignoro su nombre —respondió Lydia—, pero sé a quién te refieres. Todo el mundo habla de él.

—¿Y de qué va la cosa? —inquirí—. ¿Es un médico de verdad, un veterinario sin trabajo o qué?

—Lo siento, eso no lo sé —dijo Lydia, sacudiendo la cabeza. Luego, añadió—: Creo que Ghislaine sabe quién es.

—¡Oh! —exclamé sorprendida—. No sabía que la conocieras.

Ghislaine Morris era otra de las confidentes de Shiloh. También me había dado su número, pero no había tenido la oportunidad de tratar con ella.

—Fuimos compañeras de piso —explicó Lydia—, antes de que me pillaran. —Se refería a su detención por tráfico de droga.

—Muy bien. Hablaré con Ghislaine.

Lydia guardó una jofaina de plástico transparente con los rulos en un armario, encima de los lavacabezas, y lo cerró. Me encaminé a la puerta, pero no salí.

—¿Qué tal te sienta la vida de casada? —pregunté.

—Bien —respondió Lydia.

—¿Estás contenta? —inquirí sin mucha convicción. «¡Pero si acaba de decírmelo, serás tonta!», me dije.

—Sí —respondió.

—Bueno, te dejo que sigas trabajando —añadí, al tiempo que me dirigía hacia la puerta.

—Detective Pribek —me llamó, vacilante.

Me volví hacia ella.

—He visto... Me he fijado en que ya no llevas la alianza de casada. No me gustaría que pensases que soy una entrometida...

—¡Oh! —Con timidez, me toqué el dedo anular—. Estoy haciendo un trabajo en la calle que no me permite llevarla.

No mencioné que me hacía pasar por una prostituta, pero probablemente lo imaginó. Tal vez intuyó incluso más cosas.

—Shiloh está bien, ¿verdad? —preguntó.

¿Habría leído la prensa? ¿Se habría enterado de lo ocurrido en Blue Earth? Sus ojos negros eran insondables.

—La próxima vez que lo vea, le diré que has preguntado por él —respondí, evasiva.

«La próxima vez que lo vea...» No había vuelto a Wisconsin desde la corta visita que había hecho poco después de que a Shiloh lo llevaran allí. Nos separaba algo más que la simple distancia física. Blue Earth se interponía entre nosotros, igual que mi viaje al Oeste para conocer a su familia. Eran situaciones tan difíciles que resultaba imposible hablar de ellas. Incluso en los buenos tiempos, Shiloh se mostraba inquietantemente taciturno, y yo, por mi parte, nunca he sido muy hábil en eso de expresar los sentimientos. Supongo que era inevitable que, en los momentos difíciles, hubiésemos retomado nuestras viejas costumbres. Nos habíamos sumido en el silencio.

39

Tres

Aquella noche, una pequeña tormenta cruzó el condado de Hennepin en dirección a Wisconsin. No me enteré de los truenos, pero desperté de repente antes de que amaneciera. Sufrí un breve momento de desorientación («¿dónde está Shiloh?») mientras me ubicaba y entonces advertí que sonaba el teléfono.

—Diga —respondí con la voz pastosa de sueño.

—Soy yo.

—¿Gen? ¿Pero qué...? —Mi voz cobró seguridad, pero también sonó más irritada—. Son las cinco de la...

—Ya sé qué hora es en Mineápolis, pero esto es importante.

Una nota de desaliento en su voz me despertó por completo.

—¿Qué ocurre? —pregunté.

—Mira, esto es lo último que quería que sucediese y...

—Cuéntame, vamos.

—Creo que están investigándote por la muerte de Royce Stewart —explicó Genevieve.

—¿Ah, eso? —Me sentí aliviada—. Ya lo sabía, pero no te preocupes. Creo que el caso no va a ninguna parte. Desde que me interrogaron hace seis meses, no ha venido por aquí nadie de Blue Earth.

—¿Seis meses? —La voz de Gen, muy clara pese a estar en el otro extremo del mundo, sonaba incrédula—. ¿Hace seis meses que lo sabes y no me lo habías comentado?

—No te enfades, pero lo sé desde antes incluso de que te marcharas a Francia —precisé—. Alguien me delató, pero no te conté nada porque sabía que reaccionarías así. De una manera exagerada, quiero decir.

—¿Quién te delató? —La curiosidad diluyó su alarma unos instantes.

—Christian Kilander. Ya lo conoces, se entera de todo.

—¿Y te ha comentado algo, últimamente? —inquirió.

—¿Últimamente? ¿Qué quieres decir?

—Ayer se presentó un hombre en casa de Doug y Deb, haciendo preguntas. Me lo ha contado mi hermana.

—¿Ayer? —Me senté en la cama y las sábanas quedaron arrugadas alrededor de mi cintura.

Después de la muerte de su hija, Gen había vivido con su hermana y el marido de ésta en su granja de Mankato, donde nos habíamos presentado, a altas horas de la noche, después de la muerte de Stewart. Era normal que hubieran despertado el interés de un investigador.

—Le he preguntado a Deb cómo se llama, pero no lo recuerda. —Esperó a que yo dijese algo—. ¿Estás ahí?

—Sí, te escucho —respondí—. Mira, no te preocupes, no sucederá nada. No pueden culparme de la muerte de Stewart. Yo no lo maté.

—Esa clase de lógica no funciona, y tú lo sabes —objetó.

—Deja que yo me ocupe de esto —la tranquilicé—. Prométeme que no te preocuparás.

—Eso no puedo prometerlo. Es que...

—Gen —insistí—, no voy a seguir discutiéndolo.

El silencio al otro lado del hilo daba a entender que mi ex compañera contenía un suspiro o una palabra dura.

—Tienes la voz ronca —señaló finalmente—. ¿No habrás pillado un resfriado?

—Nunca me pongo enferma. Es que acabo de despertarme y... ¡Oh, espera!

De repente me acordé del día anterior, del rato que había pasado temblando en el aire frío de la madrugada, completamente empapada.

—¿Qué? —espetó.

Le conté el desgraciado accidente en el canal y cuando terminé, me regañó.

—¿Pero en qué estabas pensando? Eres como un perro, siempre con ese impulso a lanzarse de cabeza a rescatar a alguien...

Sonreí porque volvía a ser la hermana mayor y la maestra que había sido en nuestros tiempos de patrullar juntas.

—No es cierto —repliqué, adoptando yo también mi papel—. Me tiré de pie.

—Vuelve a dormirte —dijo Gen cariñosamente—. Y llámame cuando tengas un rato libre.

—Lo haré —le aseguré.

Aquella noche hice la calle de una manera muy convincente, pálida y malhumorada. Tenía la garganta irritada y comprendí que Gen había acertado con su diagnóstico sobre mi salud. Sin embargo, mi mal humor tuvo un efecto afrodisíaco en los hombres. Si no hubiera hecho una pausa de media hora para acudir a la cita con Ghislaine Morris, habría batido mi récord de arrestos.

Mientras iba a encontrarme con la muchacha, intenté recordar lo que Shiloh me había contado de ella. Me acordé de que había dudado a la hora de darme su teléfono.

—¿Por qué no? —le había preguntado yo—. ¿Ya no es útil?

—Todo lo contrario, Gish es una esponja —había respondido Shiloh—. Se entera de todo.

—Entonces, ¿qué ocurre?

—Nada —respondió, encogiéndose de hombros—. Hay algo en ella que no me gusta, aunque no sé qué es.

Lo presioné para que se explicara, pero por ahí no conseguí nada. Cuando Shiloh no quiere hablar de algo, todo intento es en vano.

Así pues, al cabo de un par de meses tuve un encuentro cara a cara con Ghislaine. No sé qué esperaba encontrarme, pero la imagen que me había hecho de ella no se correspondía en absoluto con la muchacha que se presentó.

Ghislaine Morris tenía veintidós años. No era delgada, pero tampoco gorda. Tenía la cara redonda y dulce, y unas caderas generosas. Su cabello era rubio y lo llevaba muy corto, como un chico, y sus ojos castaños brillaban amistosamente. Empujaba un carrito con un bebé que a la sazón tenía seis meses, un niño con el cabello castaño y rizado, la piel color canela y unos ojos enormes que absorbían el mundo como cámaras de un documental.

Comimos juntas en un restaurante económico y me contó su vida. Me habló del padre de Shadrick, que ya no estaba «entre nosotros», y de sus padres en Dearborn, Michigan, que la echaron de casa cuando se enteraron de que se había quedado embarazada de un negro. Entonces, Ghislaine se mudó a Minnesota, en casa de una amiga. La habían detenido una vez por robar en una tienda pero le habían concedido la libertad condicional. También me dijo que quería volver a estudiar tan pronto pudiera.

Fue un encuentro que me dejó un tanto perpleja. No tenía ni la más remota idea de por qué había recelado Shiloh de ella. Mi marido era hijo de un predicador y si tenía algún defecto, eran los prejuicios. Tal vez no había superado el puritanismo que lo llevaba a despreciar a una madre soltera tan joven. Por mi parte, su cháchara me pareció tan contagiosa como palpable la devoción que sentía por su hijo. Aunque su ambición de volver a estudiar y «convertirse en una persona de provecho» fuese un tanto abstracta, ¿quién era yo para juzgarla?

En esta ocasión, Ghislaine llegaba tarde a la cita que tenía conmigo en un pequeño y discreto restaurante. Pedí una infusión y tomé una cucharada de jarabe de eucalipto para la tos. Había empezado a dolerme la garganta cuando tragaba saliva.

—¡Joder! —exclamó cuando se presentó por fin. Traía al niño en el cochecito—. ¡Pero si no te había reconocido...!

Se sentó frente a mí, al otro lado del reservado, poniendo unos ojos como platos.

—Conque éste es tu aspecto cuando haces un trabajo encubierto... —Cuando habíamos hablado por teléfono, ya la había advertido de que estaba colaborando con la brigada antivicio.

—Trabajo encubierto son palabras mayores —dije—. Lo que hago es arrestar a hombres que abordan a prostitutas. No es una operación policial complicada.

—¡Caray! —exclamó, al tiempo que abría el menú.

La camarera, que calzaba zapatos de suelas de crepe, dejó una tetera delante de mí.

—¿Ya sabes lo que quieres, guapa? —preguntó a Ghislaine.

—Una hamburguesa con queso y patatas onduladas y un batido de fresa —respondió la chica, mientras cerraba la carta y se la devolvía.

—Tenemos sillitas de bebé, si quieres —dijo la camarera.

—No, gracias.

—Es un niño precioso.

—Sí que lo es —convino Ghislaine.

Como si supiera que hablaban de él, Shad soltó un chillido sorprendentemente penetrante. Ghislaine se inclinó hacia él y le puso las manos en las mejillas.

—Vaya, tienes un buen club de admiradoras, ¿eh? —le dijo, risueña.

La camarera se marchó a la cocina. Carraspeé y Ghislaine se incorporó en la silla.

—Bien, ¿de qué se trata? —preguntó, yendo directamente al grano.

—Lo que te he dicho por teléfono —respondí—. Necesito información.

—¿Ah, sí? —inquirió—. ¿Y por cuánto?

—Veamos primero si puedes ayudarme —señalé—. Nos han llegado rumores de que hay un tipo que ejerce de médico sin tener licencia —expliqué—. En una casa particular, quizá en una de esas viviendas de protección oficial.

—¡Oh, te refieres a él! —Ghislaine parecía irritada—. Sí, Cisco.

Bingo. Qué fácil, pensé. Sólo había tenido que hablar con dos confidentes.

—Cisco, ¿qué? —inquirí.

—No recuerdo el apellido —respondió la chica.

La camarera volvió y dejó en la mesa la hamburguesa con patatas, un vaso largo en forma de tulipán con el batido de fresa y la jarra de la batidora con el resto. Una patata cayó del plato.

—¿Algo más? —preguntó.

—No —dije en nombre de las dos. La camarera se marchó.

—¿Has ido a ver a ese tipo? —le pregunté a Ghislaine—. ¿Por motivos profesionales?

Ghislaine cogió la patata que se había caído y se inclinó para tendérsela a Shadrick.

—¿Por motivos profesionales? ¿Quieres decir si fui a verlo para que me visitara? Sí, fui porque tenía un dolor que no se me pasaba. En el pecho, como una bronquitis.

—¿Y por qué no fuiste a un médico? —Me había picado la curiosidad.

—Porque me habían dicho que era bueno —respondió Ghislaine encogiéndose de hombros.

«Porque me han dicho que es bueno.» Eso era lo que decía la gente de un cirujano que le habían recomendado para

45

una operación complicada, no de alguien que trabajaba sin licencia. No obstante, insistí.

—¿Y te curó la bronquitis?

—No lo sé —contestó la chica—. Desapareció sola, pero ahora no volvería a visitarme con él.

—¿Por qué? ¿Te pareció incompetente?

Ghislaine negó en silencio.

—¿Su conducta fue inapropiada?

—No. No lo sé, no me gustó. —Se encogió de hombros sin aclararme nada.

—¿Por qué?

—Porque no. ¿Vas a detenerlo? —Ghislaine acercó sus carnosos labios a la pajita.

—Si el tipo anda haciendo lo que la gente dice que hace, sí, tendré que arrestarlo —contesté—. ¿Dónde vive?

—Sabes dónde están las torres, ¿verdad?

Mencionó una avenida del sur de Mineápolis. Allí había unos bloques de viviendas de protección oficial que eran las torres a las que se refería.

—Sí, sé dónde están —asentí—. ¿En qué número de apartamento vive?

—No me acuerdo —respondió Ghislaine—. Pero vive en el último piso. Cuando sales del ascensor, es la segunda puerta de ese lado del pasillo.

—El último piso, ¿de qué edificio?

—Del que está más cerca de la calle —respondió.

—¿Estás segura?

Ghislaine asintió.

—¿Y no tengo que pedir hora?

—No, está siempre en casa —aseguró, sacudiendo la cabeza. Bebió un poco más de batido—. El tipo debe de ser agorafóbico o algo por el estilo. Nunca sale a la calle.

—Gracias —le dije. Dejé varios billetes en la mesa—. Con esto bastará para pagar la cuenta... y tu ayuda.

Cuatro

Si bien es cierto que la lujuria nunca duerme, la noche del domingo suele ser tan floja en el comercio del sexo que no merece la pena que una detective se dedique a hacer de señuelo para arrestar a los puteros, porque apenas los hay. Gracias a ello, pude concentrarme en la búsqueda de «Cisco». Tenía incluso una excusa para ir a verlo: mi catarro estaba en su punto álgido. Tosía sin cesar, tenía la nariz congestionada y me lloraban los ojos.

Pero el problema era éste: si Cisco no veía en mí a una poli de paisano, vería a una mujer de clase media que no necesitaba ir a ver a un médico a altas horas de la noche en un edificio de viviendas sociales. Su clientela debía de ser gente con problemas económicos y sin seguros médicos: pobres y marginados, inmigrantes ilegales y, quizá, delincuentes.

Además de las prostitutas, tal vez.

Así fue cómo terminé, un domingo por la noche, vistiéndome una vez más para hacer la calle. En esta ocasión me puse un top sin mangas rosa brillante y unos ajustados pantalones negros hasta la pantorrilla. Después de aplicarme el maquillaje habitual, me miré al espejo, vi mi palidez artificial y un escalofrío de ansiedad me recorrió la espalda.

Durante mis estudios en la Academia de Policía, un veterano de Operaciones Especiales nos enseñó a controlar los nervios en el trabajo. Cuando tengas miedo, intenta determinar su origen, nos aconsejaba. A veces no procede de donde creéis y, si sabéis comprenderlo, seréis capaces de desactivarlo.

¿Tenía yo miedo de Cisco porque, supuestamente, era médico?

Mi fobia a los médicos era muy concreta. Los enfermeros no me aterrorizaban y donaba sangre cada vez que el banco de sangre instalaba su carpa en el centro de la ciudad, en un entorno que, para mi tranquilidad, no se parecía en nada a un hospital. En cambio no soportaba ir al médico y sentir la impotencia que te asalta mientras esperas en la consulta, con la puerta cerrada y la luz del techo reflejándose en el instrumental y en los tétricos carteles de anatomía que cuelgan de las paredes. Y para mí, el peor momento es cuando el pomo de la puerta empieza a girar.

Sin embargo, el apartamento de Cisco, que aún no conocía, no debía de parecerse a una consulta. Según Prewitt, Cisco ni tan siquiera era médico. Para nosotros, sólo se trataba de un sospechoso.

¿A eso se debía mi ansiedad? Iba a ser un trabajo encubierto y esas misiones siempre pueden resultar peligrosas.

Asentí, como si tuviera alguien con quien compartir mi descubrimiento. Había localizado el origen de mis nervios: me asustaba Cisco porque era un desconocido y me daba miedo quedarme a solas con él en su apartamento. Tal vez debería pedir refuerzos.

Recordé que Prewitt sólo me había pedido que hiciese unas cuantas comprobaciones. No sería preciso que me identificara. Me limitaría a presentarme en su casa y ver qué ocurría. ¿Para eso necesitaba ayuda?

Lo que me disponía a llevar a cabo era un paso necesario. Tanto si era un fracasado de los estudios de medicina como si se trataba de un timador que se hacía pasar por médico después de aprender el oficio trabajando de ayudante en una consulta, estaba claro que el tal Cisco había engañado a unas cuantas personas y que tenía una pequeña clientela, lo cual significaba que se aprovechaba de los pobres e incultos sacándoles dinero cuando estaban enfermos y, por tanto, eran más vulnerables. Si todavía no había causado daños permanentes o la muerte de alguien, era sólo cuestión de tiempo que tal cosa sucediese. Había que dejar fuera de juego a aquel tipo y Prewitt había confiado en mí para poner en marcha el proceso. Ahora no podía presentarme ante mi teniente y decirle que necesitaba ayuda para ir a ver a un sospechoso armado sólo con un estetoscopio.

El ascensor de la torre norte tardó mucho en bajar. Sobre la puerta no había números iluminados que indicaran los pisos por los que iba pasando y, mientras esperaba, silbé por lo bajo. Este tipo de conductas es un recurso habitual de los policías para mantener los nervios bajo control.

Se oyó un débil pitido, pero durante un momento no sucedió nada. Fue un momento muy largo. Por fin, la puerta automática se abrió. Entré en la cabina y pulsé el piso número veintiséis, que era el último. Al cabo de un instante, la puerta se cerró y de nuevo se produjo un largo instante de espera.

Volví a pulsar el botón y el aparato se puso en marcha con una sacudida. Procedente de arriba, al otro lado del techo de la cabina, me llegó un extraño sonido, como un gruñido, algo que nunca había oído en un ascensor y, más tenue, el chirrido de los cables: cric, cric, cric. Dentro de la cabina sí que había números iluminados que permitían al pasajero comprobar el avance. El número dos permaneció iluminado un tiempo exageradamente largo. Luego el tres. Más crujidos desde arriba. El cuatro... el cinco... el seis...

Si hubiera sabido que iba a tardar tanto, me habría llevado algo para leer, pensé. Aquella queja mental era una expresión de mi mal humor. En el trabajo tomaba ascensores continuamente, pero éste me estaba irritando.

Al llegar al piso veintiséis, el aparato se detuvo, pero por un momento, no sucedió nada. La puerta permaneció cerrada.

—Vamos —murmuré entre dientes. El funcionamiento deficiente del ascensor no auguraba nada bueno.

La puerta se abrió y salí al descansillo. Caminé hasta el segundo apartamento y llamé.

¿Y si Ghislaine se había confundido?, pensé mientras aguardaba.

La puerta se abrió unos pocos centímetros, lo que daba de sí una cadena de seguridad, y una cara masculina apareció en la ranura, aunque lo hizo unos tres palmos más abajo de donde cabía esperar. Cuando comprendí por qué, me quedé sin habla.

—¿En qué puedo ayudarte? —dijo el hombre al cabo.

—¿Eres...? —Tosí para aclarar la mucosidad que tenía en la garganta—. ¿Eres Cisco? Ghislaine Morris me ha dado tu nombre. Necesitaría que me visitases.

Cisco cerró de un portazo. Al otro lado sonó la cadena y la puerta se abrió de par en par. El hombre se hizo a un lado, retrocediendo en la silla de ruedas para dejarme entrar.

Resultaba difícil calcular su estatura, pero su cuerpo sentado en la silla se veía largo y magro. Vestía una sudadera gris por la que asomaba el cuello de la camiseta que llevaba debajo, la misma camiseta que asomaba en las caderas sobre los pantalones azules de un mono de mecánico. Iba descalzo, tenía la cara delgada y el pelo, negro y desgreñado, le llegaba hasta el hombro.

A decir verdad, no escondía lo que hacía. Detrás de él vi unas estanterías bajas llenas de libros de medicina y de anatomía. En la pared había un diploma enmarcado y donde todo el mundo habría puesto el sofá, él tenía una mesa larga cubierta con una capa de papel desechable. Parecía la camilla de exploración de un médico, pero era más baja, adecuada a la altura desde la que Cisco tenía que afrontar el mundo. Una lámpara colgaba del techo encima de la mesa. A los pies de ésta había una arqueta, como un baúl pequeño y, más atrás, un archivador de dos cajones.

—¿No te encuentras bien? —preguntó Cisco.

—Tengo un resfriado muy malo —respondí—. O la gripe.

—Hummm —gruñó Cisco, evasivo.

—¿Cuánto cobras? —quise saber.

—Luego hablaremos de eso —respondió—. Casi todos los resfriados se curan en una semana —explicó—, incluso sin ningún tratamiento. No entiendo por qué quieres que te visite.

Quizá aquel tipo tenía un radar tan fino que le permitía captar la presencia de un policía mucho mejor que cualquier otra persona de las que yo había conocido y, sin embargo, dadas las circunstancias, resultaba difícil tenerle miedo. A menos que escondiera una pistola debajo de aquella camiseta.

—Nunca me pongo enferma —expliqué, sorbiendo los mocos—. Precisamente por eso, este resfriado me saca de quicio. Me gustaría asegurarme de que no esconde otra enfermedad.

—¿Te ha dicho tu amiga Ghislaine que podría darte algo más fuerte que esos remedios que se venden sin receta? —preguntó Cisco.

—No —respondí, y era verdad.

—Porque no puedo hacerlo —prosiguió Cisco—. Supongo que Ghislaine no te habrá contado lo que le dije cuando vino a visitarse, de modo que te diré lo mismo que le digo a todo el mundo. No sé qué te ha traído hasta aquí en una ciudad como ésta, llena de consultorios médicos. Eso nunca lo pregunto —aseguró Cisco—, pero éste no es el lugar ideal donde obtener cuidados médicos. Si tienes otra opción, deberías considerarla seriamente.

«Si piensa que ese discurso lo pone a salvo de cargos criminales, no sabe lo que le espera.»

—Comprendido. ¿Cuánto me cobrarás? —pregunté con decisión.

—¿Por visitarte? —dijo—. Cuarenta dólares.

«¿Sólo?», pensé. Me sorprendió que se arriesgara a hacer algo ilegal y que cobrase tan poco por ello. Por otro lado, a su clientela probablemente no le sobraba el dinero.

—¿Quieres que te visite? —insistió.

—No he venido hasta aquí para marcharme ahora —repliqué, acordándome de Prewitt.

—Muy bien —asintió Cisco—. Cobro por adelantado. Déjalo ahí, en la estantería; luego quítate la camisa y túmbate en la camilla. Enseguida estaré contigo.

Retrocedió con la silla y se dirigió a la cocina.

El dinero por adelantado. La minuta de Cisco podía ser razonable pero estaba claro que no era un ingenuo. Tal como me había indicado, dejé dos billetes de veinte en la estantería. Oí correr el agua en la cocina. Estaba ante el fregadero, de espaldas a mí.

Fue el primer momento que tuve para recuperar la serenidad. El hecho de que fuera parapléjico me había sorprendido, pero sólo momentáneamente. Era su conducta lo que seguía pareciéndome inusual. Por lo general, los delincuentes, sobre todo los estafadores, se ponen en guardia cuando tratan con desconocidos. Disimulan bien, pero se les nota: es como si irradiase de ellos el zumbido de un tendido eléctrico. Pero Cisco no parecía estar en guardia ni se mostraba cauteloso; parecía muy tranquilo, y aquello no me cuadraba.

Me volví para examinar la sala. No había apenas detalles personales en ningún sitio y me acerqué, como quien no quiere la cosa, a mirar el diploma.

C. Agustín Ruiz, rezaba, debajo de unas letras más grandes en las que se leía Colegio de Médicos y Cirujanos de la Universidad de Columbia.

—¡Joder! —exclamé, incapaz de contenerme. El grosor del papel del diploma denotaba que no era un certificado que uno pudiese agenciarse en casa, con un ordenador y una impresora. Aquel tipo era un médico titulado.

—¿Sucede algo? —preguntó Cisco.

—Es una buena facultad, ¿no?

Se volvió y vio que estaba examinando su diploma.

—Eso dicen —respondió—. ¿No te había pedido que te quitaras la camisa?

Me quité el top rosa brillante por encima de la cabeza y me senté en la mesa, algo cohibida por haberme quedado en sujetador, un sujetador negro de media copa, por más señas. Con las manos en los costados, apoyada en el borde de la mesa de exploración, la toqué con la yema de los dedos bajo el papel desechable para descubrir de qué material estaba hecha. Tenía un tapizado de tela, de formas redondeadas y de color crema.

—¿Esto es una camilla de masaje? —le pregunté a Cisco, que se había acercado y sacaba unos objetos del pequeño baúl colocado a los pies de la mesa.

—Me parece que te has equivocado de dirección en tu camino al hospital —dijo secamente.

«¡Vaya un trato amable de médico a enfermo!», pensé. Pero el tipo tenía razón.

Cisco se aproximó a la mesa de exploración y encendió la luz del techo tirando de un cable interruptor. Llevaba el estetoscopio colgado del cuello y en el regazo tenía el aparato de medir la tensión y una libreta amarilla.

—¿Vas a tomar notas? —le pregunté.

—Todos los médicos lo hacen —respondió—. ¿Cómo te llamas?

Me puse nerviosa y Cisco lo notó.

—Podemos hacerlo como en Alcohólicos Anónimos, si quieres. Me das el nombre de pila y la inicial del primer apellido.

—Sarah P. —dije.

—¿En qué trabajas? —inquirió.

Le lancé una mirada fría con los ojos bien delineados de negro.

—Bien —dijo Cisco, mordiéndose los labios con expresión especulativa—. ¿Te estás medicando, actualmente?

—No —respondí.

—¿Qué tomas?

—¿Cómo que qué tomo? —Sabía a qué se refería, pero decidí ponerle las cosas difíciles, como Sarah P. la prostituta habría hecho.

—¿Drogas?

—No, ninguna.

—¿Cuándo tuviste la última menstruación?

—No me acuerdo —contesté—. Pero soy regular.

—¿Hay alguna posibilidad de que estés embarazada?

—Si lo estuviera, ¿podrías arreglarlo? —inquirí.

—Déjate de rodeos. ¿Crees que puedes estar embarazada?

Dije que no con la cabeza. Al ver que no proseguía, lo confirme de palabra:

—No. Estoy segura de ello.

—Muy bien —masculló Cisco—. Empecemos.

Posó la fría superficie del estetoscopio sobre el esternón y asintió.

—Respira hondo —dijo. Cerré los ojos y obedecí—. Otra vez.

Un sonido como de algo que se rasgara me hizo abrir los ojos. Cisco desenrollaba el manguito del aparato de tomar la tensión.

—Tienes todo el equipo —comenté.

—Ni mucho menos el que me gustaría tener —replicó.

Tendí el brazo, sumisa, y él bombeó aire en el manguito. Abrió la válvula y el aire salió con un silbido mientras él aplicaba el estetoscopio.

—Diez y medio y siete —anotó Cisco—. Muy bien.

Me sorprendió. En mis infrecuentes visitas al médico, siempre me encontraban la tensión alta. Lo llaman hipertensión de la bata blanca, que sólo se produce en los consultorios médicos.

Pero la consulta de Cisco era distinta. Él se comportaba como un doctor y la exploración que estaba realizando era muy profesional pero, para mí, era como estar en una casa particular. En el aire flotaba un leve aroma de comida al fuego, muy distinto del inquietante olor aséptico de las consultas.

Me tomó la temperatura, leyó el termómetro en silencio y sacudió la cabeza. Me exploró los oídos con el otoscopio y me palpó las glándulas del cuello.

—¿Cuándo notaste los primeros síntomas? —inquirió.

—Hace un par de días.

—¿Hay alguna razón para pensar que sufres inmunodepresión?

—No —respondí.

—¿Eres propensa a las infecciones de oído?

—No.

—¿Te molestan los oídos?

—No —repetí.

—Ya puedes ponerte la camisa.

Cisco retrocedió con la silla, concediéndole a aquella pequeña prenda rosa brillante el honor de recibir el nombre de camisa, término que a mí jamás se me habría ocurrido asignarle. Me pasé el top por la cabeza y me ordené el pelo con los dedos.

—Bien —dijo—, pareces una persona sana con un resfriado terrible, pero eso no es el fin del mundo. Toma líquidos en abundancia y descansa. Toma vitamina C y trata los síntomas con los anticatarrales de toda la vida.

—Muy bien.

—Y una cosa más. —Su tono de voz había cambiado y presté atención—. No me gusta nada el aspecto de tu oído izquierdo. Las infecciones de oído son frecuentes en los niños, pero no en los adultos, y si dices que no te molesta, no me preocuparé demasiado por ello. Pero si empieza a dolerte, ve a una clínica. Quizá necesites tomar antibióticos, y yo no puedo recetarlos.

—De acuerdo —asentí.

Retrocedió unos pasos y sacó otro objeto del baúl. Era una hoja de papel de color rojo, un folleto publicitario de una clínica de prevención y tratamiento de enfermedades de transmisión sexual.

—No creas que estoy juzgándote —me aseguró Cisco—, pero, si te dedicas a ofrecer sexo a cambio de dinero o drogas, tendrías que hacerte la prueba del sida y de otras enfermedades de transmisión sexual. Si das negativo, deberías acudir a alguien para que te explicara cómo evitar el contagio.

Noté que me ardían las mejillas, como me ocurre a veces cuando alguien se muestra amable conmigo sin motivo. Cogí el folleto.

—Y por cierto, en respuesta a tu anterior pregunta —añadió—, no practico abortos.

—¿Te he ofendido? —pregunté.

—No —respondió él, sin ofrecer más explicaciones.

Ya podía marcharme pero, ahora que lo más difícil había pasado, la historia de aquel hombre me intrigaba.

—Así que fuiste a la facultad de Medicina y todo eso...

—Sí —dijo, mientras guardaba los instrumentos en la arqueta.

—¿Pero no tienes licencia?

—La tuve —respondió.

—¿Y qué ocurrió?

—Es una historia muy larga y ahora no tenemos tiempo para eso —respondió Cisco, midiendo las palabras. Se había detenido ante el archivador y, tras arrancar la primera hoja del bloc, le buscó un lugar en el cajón inferior.

Dios mío, el tipo tenía un archivo de historiales. Cuando hiciera el informe para Prewitt y obtuviéramos una orden, ni siquiera sería preciso registrar la casa. El hombre archivaba cuidadosamente todo lo necesario para arrestarlo.

Cisco avanzó en la silla para recoger los dos billetes de la estantería. Como vi que no los metía en ningún sitio, deduje que no guardaría el dinero hasta que yo me marchara para que no viese dónde tenía el escondite. Era un tipo prudente.

—¿Sabes una cosa? —le dije—. Cuarenta dólares no me parecen mucho dinero.

—No tengo intención de hacerme rico con esto.

—Entonces, ¿por qué lo haces?

—Cubro una necesidad —respondió Cisco—. Por increíble que pueda parecerte, hay gente que se cae por los resquicios del sistema sanitario. Algunos no pueden costearse el seguro, otros son inmigrantes ilegales. Los hospitales los intimidan, con tanto gentío, las esperas y la tensión. Yo les proporciono un servicio.

—Y ellos te pagan, claro —señalé, haciendo de abogado del diablo.

—Formo parte de lo que el Banco Mundial llama economía sumergida —replicó Cisco—. En muchos países es una práctica aceptada.

—Pero me has dicho que no tienes todo el equipamiento que te gustaría —comenté.

—Te quedarías pasmada si vieras lo que puede comprarse en las tiendas de suministros médicos. Medicamentos, no, por supuesto. Pero he conseguido buena parte de lo que necesito para esta consulta, en la que básicamente trato heridas leves, quemaduras, y cosas por el estilo. También tranquilizo a la gente que tiene pequeños problemas, como en tu caso. Y cuando se presentan enfermedades más graves, soy como un aparato de detección precoz. Cuando viene alguien con síntomas preocupantes o con un trastorno que está más allá de mi capacidad, le recomiendo abiertamente que vaya a una clínica o a un hospital.

—¿Y a cuántos pacientes envías a un médico de verdad? —pregunté.

—Yo soy un médico de verdad. —La cordialidad se desvaneció de sus ojos castaños.

—No era mi intención... —me disculpé.

Pero ya era demasiado tarde. Había dicho lo que no debía.

—Vamos a dejarlo aquí —concluyó Cisco, retrocediendo en la silla para dejar más espacio entre él y yo—. Buenas noches, Sarah.

Shiloh y yo teníamos alquilado el primer piso de una vieja casa de dos plantas. Era más tranquila de lo que cabía imaginar en vista de que por detrás, al otro lado de un alambre de espinos, daba a un campo por el que discurrían las vías del tren sobre un terraplén artificial. Aparqué en la estrecha calzada de acceso y entré en la casa por la puerta trasera. La puerta mosquitera exterior se abrió con un chirrido. Había que engrasarla, pero aún no había podido hacerlo.

Shiloh ya ocupaba la vivienda antes de mi llegada y su personalidad todavía impregnaba aquel interior un tanto andrajoso. Probablemente, más de una mujer habría dejado allí su marca personal, pero yo no era una de ellas. Siempre había sentido una paz especial entre los eclécticos libros de bolsillo de Shiloh y los muebles desvencijados.

Encendí la luz de la cocina y dejé el bolso sobre una desordenada mesa, apartando el correo por leer y un bloc en el que había intentado redactar una carta para mi marido. Para lo poco que había trabajado aquella noche sentía un cansancio extremo, pero sabía a qué se debía. La visita a Cisco había resultado agotadora. Genevieve, una interrogadora veterana, me había contado que mentir pasa factura al cuerpo, ya que acelera los latidos del corazón y el organismo consume más oxígeno.

Fui al baño y abrí el grifo de agua caliente de la bañera. Sobre la marcha, decidí tomar un baño en vez de una ducha. Puse el tapón, me senté en el borde de la bañera y contemplé cómo se llenaba de agua.

El último consejo de mi madre fue que no tomara baños en las habitaciones de los moteles porque nunca sabes quién lo ha hecho antes que tú ni hasta qué punto está limpia la bañera. Un consejo extraño, pero cuando me lo dio estábamos en un motel.

Un cáncer de ovarios se había cobrado la vida de mi madre: rápido, silencioso, insidiosamente indoloro en sus primeras fases. Después de recibir tratamiento en el hospital del pueblo donde vivíamos, una zona rural de Nuevo México, mi madre se puso en manos de los médicos de una clínica universitaria de investigación de Texas. Mi padre había aprobado la idea. Te pondrás bien, había dicho, alegre, negándose a aceptar que mi madre estaba muy mal. Él no fue a Texas pero me pidió que yo la acompañara.

Cuando mi madre acudió a que le realizaran una intervención quirúrgica exploratoria, yo la esperé en el despacho del oncólogo, bebiendo un refresco y hojeando los libros que tenía el doctor Schwartz para los enfermos y sus familiares. Con nueve años, no leía todo lo bien que cabría esperar a mi edad, pero si el libro tenía láminas, hundía la nariz en él y me mostraba concentrada y estudiosa a la vista de los demás.

Era eso precisamente lo que estaba haciendo cuando, al cabo de media hora, regresó el doctor Schwartz.

Vestido aún con la bata y el gorro de cirujano, pasó ante mí y entró en su despacho. Descolgó el teléfono y marcó un número. A mis nueve años, tenía un oído muy fino, como muchos niños, y alcancé a oír las dos voces de la conversación.

—Sandeep, soy yo —dijo el médico—. Si quieres adelantar un poco el horario, puedes hacerlo. Ya he terminado la exploración que tenía a las once y media.

—¡Qué rápido!

—Lamentablemente, sí —dijo el medico de mi madre—. Una metástasis. Cuando he visto lo avanzada que está, he vuelto a cerrar. Por eso he terminado mucho antes de lo que calculábamos.

El doctor Schwartz hizo otra llamada y, en esta ocasión, reconocí la voz que hablaba al otro lado de la línea.

—Tendría que venir hacia aquí —dijo el doctor Schwartz, encendiendo un cigarrillo—. Me gustaría hablar con usted en persona.

—¿Por qué no me lo cuenta ahora? —preguntó mi padre—. ¿Mi mujer no está en condiciones de hacer sola el viaje de vuelta?

—En realidad, tendría usted que quedarse aquí un tiempo —contestó el médico.

—¿Me está diciendo que Rose está en fase terminal?

El doctor alzó los ojos y me vio mirándolo. Apartó el teléfono de la cara y me dijo:

—Sarah, preciosidad, ¿por qué no vas a comprarte un refresco?

—Porque todavía tengo la mitad del que usted me compró antes —respondí, señalando la botella.

—Entonces, ¿por qué no me traes alguna bebida sin calorías? De cola o de limón, me da lo mismo.

Al llegar al vestíbulo, pregunté a un enfermero negro y alto qué significaba «terminal».

—No lo sé, pequeña.

Como sólo tenía nueve años, me lo creí.

Un gorgoteo interrumpió mis cavilaciones. El agua de la bañera ya llegaba a la ranura de desagüe. Cerré el grifo y busqué un frasco de sales debajo del lavabo. Eché un puñado generoso en el agua humeante y me metí en la bañera. Mientras lo hacía, sin ningún motivo aparente, pensé en Marlinchen Hennessy, que me había visitado hacía cuatro días.

La asociación de ideas parecía salir de la nada, algo imposible. ¿Tal vez las sales de baño, frescas y con olor a hierba, tan distintas de las empalagosas esencias florales, me habían recordado la colonia que la chica utilizaba? No, no era eso.

Marlinchen me había contado que su madre había muerto cuando ella era pequeña. Yo había estado pensando en mi madre. Ése era el vínculo. Me había dicho que su madre había muerto hacía diez años; así pues, ella tenía siete cuando la perdió.

Había tratado con torpeza a Marlinchen Hennessy. Supuse que se debía, en parte, a su aspecto. La primera impresión que me había producido era que estaba ante una joven de unos veintiún años y, aun después de decirme que tenía diecisiete, yo no había asumido del todo la idea. Le había hablado con la misma contundencia que habría empleado con un adulto, olvidando además que la franqueza natural de la policía aturde incluso a bastantes adultos.

También era cierto que Marlinchen, con sus evasivas y su actitud defensiva, había contribuido a la aspereza del encuentro. Sin embargo, hace mucho que soy policía y sé que la gente que necesita más ayuda es, a veces, la que menos parece pedirla. En última instancia, Marlinchen había dejado claro que la responsabilidad de encontrar a su hermano recaía en ella y por eso había recurrido a mí. Y yo, en cambio, la había ahuyentado.

Tal vez pudiera hacer algo para remediarlo. Cuando menos, el condado de Hennepin no me pagaba para que hiciese la vista gorda si uno de sus habitantes se comportaba de una manera extraña y se marchaba a toda prisa en vez de contestar a unas preguntas aparentemente inocuas.

Cinco

El agente de Georgia que había recibido la denuncia de la desaparición de Aidan empleó un tono insolente e inquisitivo al atender mi llamada.

—¿Tiene alguna información sobre Aidan Hennessy? —me preguntó con una ligera ronquera de fumador en la voz.

—No, agente Fredericks —respondí—. Esperaba que pudiera dármela usted. Apenas sé nada del caso.

Todavía no me había puesto en contacto con Marlinchen Hennessy. Antes de hacerlo, quería tener cierta información de fondo para saber qué terreno pisaba. Por eso había decidido hacer aquella llamada telefónica antes de atender mis ocupaciones habituales.

—¿Hennessy está en su jurisdicción? —preguntó Fredericks—. ¿Por eso llama?

—Sí. Le contaré... —Hice un rápido repaso de la escasa información que me había facilitado Marlinchen Hennessy—. Cuando le comenté que sería preciso hablar con su padre, se enfureció y se marchó —concluí.

—Si esa chica hubiera podido colgarle el teléfono, seguro que lo habría hecho —comentó Fredericks, el tono humorístico—. Así reaccionó conmigo.

—¿No hay nada que añadir a la historia?

—Casi nada —respondió—. Al muchacho, Aidan, no lo he visto nunca, pero conozco al tipo con el que vive, Pete

Benjamin. Su familia lleva aquí desde siempre y hará unos cinco años que Aidan reside en su casa. En cualquier caso, es evidente que se ha largado voluntariamente.

—¿Cómo está tan seguro? —le pregunté.

—Se llevó sus pertenencias —dijo Fredericks—. Y era un chico corpulento, un metro ochenta, que trabajaba en el campo. No creo que a nadie se le ocurriese meterse con él.

—¿Cuándo denunció Benjamin la desaparición? —inquirí.

—No hubo tal denuncia —explicó el agente—. No me he enterado de este asunto hasta hace poco, cuando Hennessy se puso en contacto conmigo. Lo primero que hice fue preguntarle a Pete por qué no había venido a hablar del asunto con alguien. Comentó que había ido a ver al padre del muchacho tan pronto como se enteró de lo sucedido y que Hugh Hennessy le había asegurado que no debía preocuparse, que el chico aparecería probablemente en casa, en Mineápolis.

—Una actitud bastante indiferente —apunté.

—Bien, supongo que no es la primera vez que lo hace, lo de subirse a un autobús de la Greyhound y hacer el camino de vuelta a Minnesota, intentando regresar a casa.

—Pues si Aidan tomó el autobús, como dice el padre, o incluso si vino en autoestop, ya debería estar aquí —comenté.

—¿Me toma el pelo? —replicó Fredericks.

—¿A qué se refiere?

—Aidan Hennessy se fugó hace seis meses.

—¿Seis meses? —repetí.

—Imagino que la chica no lo mencionó —comentó Fredericks.

—¿Me está diciendo que Hugh Hennessy no ha presentado denuncia ni los ha llamado en todo este tiempo? —pregunté, para asegurarme de que lo había entendido bien.

—Eso es. Nuestro primer contacto con los Hennessy ha sido a través de la chica, hace dos semanas. Y cuando le pedí hablar con el padre, me salió con la misma cantinela que a usted: está en el norte, no se puede hablar con él. Le indiqué que buscara la manera de ponerse en contacto con él. Luego, al cabo de unos días, recibí otra llamada de la chica, para interesarse por si habíamos hecho progresos. Mi respuesta fue preguntarle qué progresos había hecho ella respecto a que su padre nos llamara. Se puso furiosa y colgó.

—¿Y eso es todo hasta la fecha?

—Bueno, redacté un informe y trasmití la foto del chico, pero no ha habido novedades. Debo decir que, para tratarse de un fugitivo adolescente, está resultando muy discreto. Si lo detuvieran, aunque emplease un nombre falso, las huellas dactilares nos dirían que se trata de él.

—¿Tenemos las huellas? —pregunté, frunciendo el entrecejo—. ¿Lo han detenido en alguna ocasión?

—Nada de eso. ¿La hermanita no le contó lo de la mano del chico?

—No.

—Le falta un dedo de la mano izquierda. En la ficha sólo aparecerían nueve huellas.

—No lo sabía —admití—. Claro que no tuvimos lo que se dice una larga charla, precisamente.

—Es curioso, ¿no? —dijo Fredericks—. Supongo que empezó a buscar un detective de las Ciudades Gemelas que escuchara su historia, y la eligió a usted. ¿Le explicó lo de los límites jurisdiccionales?

—Sí —respondí—. ¿Pero sabe qué me interesa más, de todo esto?

—¿El padre? —apuntó Fredericks.

—Sí. Sabía que su hijo había desaparecido y le dijo a un amigo que se ocuparía del asunto; en cambio no hizo absolutamente nada. Y luego, la hermana intenta movilizarnos para que lo encontremos, pero no quiere molestar a su viejo, que está en esa dichosa cabaña. Y cuando la presiono para que lo llame, la idea la perturba tanto que da media vuelta y me deja con la palabra en la boca.

—Qué raro. Si descubre algo que yo deba saber, llámeme.

—Lo haré —le prometí.

El hombre que atendió la llamada en la oficina local del sheriff del condado de Cook, cerca del lago Tait, dijo ser el agente Begans. Por su voz, parecía muy joven.

—¿En qué podemos ayudarla? —preguntó.

—Intento ponerme en contacto con un hombre que tiene una cabaña en esta zona —dije—. Me han informado de que no tiene teléfono y que está encerrado, escribiendo un libro.

—Bonito trabajo, quién lo pillara... —comentó Begans—. ¿Cómo se llama el individuo?

—Hugh Hennessy. Necesito hablar con él por un caso de desaparición. No lo asuste; limítese a pedirle que se ponga en contacto tan pronto le sea factible.

—«Tan pronto le sea factible...» —repitió Begans despacio. Sin duda, estaba anotando las palabras por escrito—. Bien, ¿y dónde queda esa cabaña?

—No lo sé —reconocí.

—¡Vaya, esto va a retrasar las cosas! —dijo el agente, algo pensativo.

—Ya lo sé. Lo lamento —respondí—. No dispongo de más información.

—Mire, tenemos por aquí un agente que está a tres meses de la jubilación —dijo Begans—. Se conoce la zona como la palma de su mano, después de treinta y cinco años. Le preguntaré cuando lo vea.

—Estupendo —asentí.

Cuando nos hubimos despedido, fui a la cocina a preparar un té. Los síntomas del resfriado remitían, como Cisco había apuntado que sucedería. Un día más, pensé, y probablemente me sentiría lo bastante recuperada para que me apeteciera de nuevo el café. La perspectiva me animó.

Estaba apoyada en la encimera, esperando que terminase de calentarse el agua para el té en el microondas, cuando, sin venir a cuento, una lúcida voz interior me dijo: «¿No es posible que estés enviando a Begans, que parece un buen tipo, a buscar una aguja en un pajar inútilmente? ¿No deberías, antes, despejar una incógnita que aún no has resuelto?».

¿Y si Hugh Hennessy estaba en Mineápolis y, sencillamente, se negaba a involucrarse en la situación de su hijo mayor?

Con el té con limón ya sobre la mesa, busqué el número de la casa de Marlinchen Hennessy en la agenda del cajón y marqué.

—¿Diga? —Una voz de muchacho, adolescente.

—¿Está Hugh Hennessy? —pregunté.

—No, lo siento —respondió el chico.

—¿Vendrá más tarde, esta noche?

—No, está fuera. No se ofreció a tomar un mensaje—. Soy Liam, ¿puedo ayudarla en algo?

—No, creo que no —le dije—. Ya llamaré más tarde.

La historia de que Hugh Hennessy estaba fuera de la ciudad se sostenía. Al menos de momento.

Mientras yo estaba al teléfono, hablando con Fredericks o tal vez con Begans, dos jóvenes asaltaban una licorería de Eden Prairie. Atendí la llamada y me dirigí allí con el coche para hablar con el empleado y con el único testigo que había presenciado el golpe. Me dieron detalles inconcretos: los dos jóvenes eran blancos, probablemente, aunque iban enmascarados con medias de nailon que aplastaban y deformaban sus facciones. Tomé notas, dejé mi tarjeta y pedí a los testigos que me llamasen si recordaban algo más.

En el trayecto de vuelta a la ciudad, el sol jugaba al escondite entre unas nubes grandes como galeones, con la panza de un gris oscuro y los bordes blanquísimos. Casi había llegado a la rampa del aparcamiento que usaban los detectives cuando me detuve ante un semáforo en rojo. En aquel instante, dos hombres aparecieron bajo el voladizo de la puerta principal del Centro Gubernamental. Normalmente, no me habría fijado en ellos; la presencia de dos tipos bien trajeados era una visión corriente en aquel barrio. Sin embargo, uno de ellos me resultaba conocido. Con casi dos metros de estatura, destacaba enseguida y su andar también era característico: caminaba con pasos largos y confiados, pero sin apresurarse, como si dijera: «Voy a gobernar el mundo, pero todo a su tiempo».

68

Conocía a Christian Kilander como fiscal del condado y como jugador habitual en partidos de baloncesto informales. Siempre nos habíamos llevado bien, pero sin profundizar, y me había sorprendido cuando se había saltado las normas del sistema al que ambos servíamos para advertirme de que era la principal sospechosa en la investigación de la muerte de Royce Stewart. Tras recibir la llamada de advertencia de Gen, lo primero que se me ocurrió fue ir a ver a Kilander, por si se había enterado de algo. Si al final no lo hice fue porque no me convenía en absoluto que nadie, ni siquiera él, supiera que me preocupaba el caso.

Aunque quizá no estaba siendo sincera conmigo misma. Si no había buscado la ayuda de Kilander era por otra razón más simple. Desde nuestro encuentro junto a la fuente, en diciembre, no habíamos vuelto a hablar, salvo cuatro frases que habíamos cruzado en el contexto de una investigación.

Si nos veíamos casualmente por la ciudad, se limitaba a saludarme con un gesto, cuando antes se habría detenido a cambiar unas palabras, y me producía la incómoda sensación de que procuraba evitar a una colega apestada igual que un hombre remilgado evitaría un charco de barro en la acera.

El acompañante de Kilander se volvió ligeramente y en ese momento me di cuenta de que lo conocía de vista. De treinta y tantos años, medía metro ochenta y tenía el cabello castaño, encanecido en las sienes. Salvo que me equivocara rotundamente, aquél era el hombre al que había visto observarme tras del volante de su coche mientras yo estaba de servicio, haciendo la calle.

El semáforo cambió y el tráfico de final de jornada me forzó a avanzar. Por el retrovisor, Kilander y su nuevo colega cruzaron la calzada y se perdieron de vista.

69

De vuelta en mi despacho, me encontraba escribiendo un breve informe cuando sonó el teléfono. Era Begans.

—Tengo novedades para usted —anunció.

—Bien. Le escucho.

—Verá, Paul sabía dónde está la cabaña de Hugh Hennessy y, por otra parte, teníamos que atender cierto asunto por la zona, unos chicos que disparaban al blanco en un lugar donde no está autorizado hacerlo, de modo que nos acercamos por allí y llamamos a la puerta.

—¿Y? —Daba la impresión de que Begans quería hacerse de rogar.

—Que allí no hay nadie. La cabaña está desocupada desde hace tiempo. Todo estaba cerrado a cal y canto. El agua estaba desconectada.

—¿Seguro? —repliqué.

Pero ya lo venía sospechando: la verdadera incógnita de la ecuación era Hugh Hennessy, y no Aidan.

—Completamente seguro. ¿Era esto lo que necesitaba saber?

—Sí —respondí y me cambié el teléfono de oído; el izquierdo me dolía de la fuerza con la que apretaba el aparato contra él—. Le agradezco que se haya ocupado del asunto tan deprisa. Deséele una buena jubilación a Paul.

—¡Oh, la llevará fatal! —replicó Begans con una risilla—. Dentro de tres semanas estará harto de pescar y vendrá a reclamar su antiguo empleo.

Cuando colgué, reflexioné sobre lo que acababa de saber. Al condado de Hennepin le traía sin cuidado Aidan Hennessy. En cambio, si la persona desaparecida era Hugh, un residente del condado, el caso era claramente de su incumbencia, ¿no?

Podía conseguir sin problema la dirección de los chicos, pero de poco serviría presentarme en la casa. No creía que Hugh estuviera allí y que, sencillamente, se negara a participar en la búsqueda de su hijo. El muchacho, Liam, me había dicho que Hugh no estaba y lo había hecho sin que yo me identificara, lo cual significaba que los chicos Hennessy daban aquella respuesta a cualquiera que llamase.

¿Creían de veras que Hugh estaba en la cabaña, o mentían?

La pieza clave en todo aquello era Marlinchen. Era la única persona involucrada en aquel asunto que había buscado ayuda. Paradójicamente, por esa misma razón no quise volver a llamarla, ni presentarme en la casa en aquellos momentos. Los abogados, por lo menos ante los tribunales, nunca plantean una pregunta cuya respuesta ignoren. En los interrogatorios, resulta muy útil seguir esta máxima. Necesitaba conocer algunas respuestas, al menos, antes de hablar con Marlinchen. De lo contrario, podía colarme la primera mentira que se le ocurriera y no me enteraría.

Después me di cuenta de otra cosa: el oído izquierdo seguía doliéndome. Y no era la oreja, el pabellón externo, ni se debía a que apretara excesivamente el auricular contra ella. Se trataba más bien de un dolor pulsante, más profundo, en el canal auditivo. En realidad, resultaba bastante doloroso.

«No me gusta nada el aspecto de ese oído», había dicho Cisco. ¡Magnífico! ¡Quién habría pensado que aquel tipo resultaría ser un médico titulado y competente!

Tendría que darme prisa en elaborar mi informe sobre él, o empezaría a tenerle lástima. Ignoraba cómo se había metido en la situación desesperada que lo había llevado a recibir pacientes en un gran bloque de viviendas para pobres, pero estaba claro que era un hombre de gran inteligencia. La suficiente para saber que si se le ocurría quebrantar la ley, iría a la cárcel como cualquier otro.

Con todo, me pregunté cuántos años le caerían en la sentencia.

Seis

$\mathcal{A}$l día siguiente, el dolor de oído había empeorado, pero lo mantuve a raya a base de aspirinas. El resfriado se me había pasado, me dije, y lo mismo sucedería con esto. Intenté olvidar que Cisco había sugerido lo contrario y me había prevenido de que tal vez necesitara una receta de antibióticos.

«Deja de preocuparte de sus malditos consejos —me dije—. El dolor desaparecerá solo, como tantas veces. Los médicos no pueden aceptarlo porque, si lo hicieran, se quedarían sin empleo.»

Pero al otro día, el oído aún se resentía de que no le prestara atención. La última aspirina que había tomado por la noche dejó de surtir efecto y, cuando desperté, el tímpano me latía como un doloroso eco del pálpito del corazón. Me incorporé hasta quedar sentada, moviéndome muy despacio pues no quería que la menor subida de tensión sanguínea fuese a empeorar las dolorosas pulsaciones.

Cuando estuve preparada, fui al baño. Mi rostro era un estudio de contrastes, pálido con zonas de color intenso, febril. Engullí las tres últimas aspirinas y arrojé la caja a la basura. Seguramente estaba pasando la fase crítica, me dije. Un día más y empezaría la mejoría.

Me di una ducha de un cuarto de hora con la puerta y la ventana del baño bien cerradas, inhalando vapor. Después de una taza de té y un par de tostadas, empecé a notar el efecto de las aspirinas. Me sentí ligeramente mejor, lo suficiente para vestirme y salir.

Supongo que habrá quien considere extraño que alguien con semejante dolor y con fiebre no decida faltar al trabajo pero, de hecho, llegué temprano a la oficina. No me apetecía quedarme en casa sin nada en qué pensar más que en el dolor de oído y en el tiempo que tardaría en desaparecer si seguía negándome a ir al médico. Quería distraerme con el trabajo y, si faltaban horas para mi turno, Hugh Hennessy podía ayudarme a llenarlas.

—Sarah... —Tyesha alzó la vista de su escritorio con cara de ligera sorpresa—. Estaba a punto de llamarte. Prewitt quería que hoy vinieras un poco antes, pero no tanto. Sobre las tres y media, dijo.

—Está bien. —Me recogí un mechón de pelo detrás de la oreja buena—. ¿Ha dicho qué quería?

—No, lo siento. —Tyesha acompañó su respuesta con un gesto de cabeza.

Nadie más hizo comentarios sobre mi presencia en la oficina tan temprano. No me entretuve a hablar con ningún colega; me limité a tomar un té y a investigar los datos policiales sobre Hugh Hennessy. No constaban arrestos ni denuncias. Había una multa de tráfico de hacía un par de años, un giro prohibido, y Hugh había remitido el importe de la multa por correo sin incidencias. Nada más.

Mi siguiente visita, que también requería de mi presencia en persona, fue a los archivos del servicio de Urgencias Médicas, donde quedaban registradas las salidas efectuadas durante años.

Los Hennessy vivían en los límites occidentales del condado de Hennepin, en la orilla del gran lago Minnetonka. Buen empleo para quien pudiera pillarlo, como había dicho el agente Begans. Gran parte del condado se había llenado de urbanizaciones y casas, pero en las riberas del Minnetonka aún quedaba un rincón de calma, intimidad e historia, al alcance de pocos bolsillos. Algunos de los ciudadanos más ricos del condado vivían en sus ensenadas y radas.

Facilité al empleado del archivo la dirección, con pocas esperanzas de que la indagación diera resultado. Pensé que era posible que algo anduviera mal en casa de los Hennessy, pero no debía de tratarse de nada que llevara a la policía a acercarse a la tranquila casa junto al lago; sería, más bien, una aflicción callada, contenida, de la que ni los vecinos tendrían sospecha.

—Hace cuatro semanas enviamos una ambulancia a esa dirección —me informó el joven empleado.

—¿Ah, sí? —respondí, sorprendida. Nunca debe darse nada por sentado—. ¿Por qué?

—Posible apoplejía —me leyó del breve informe—. Varón, cuarenta y tres años, inconsciente. Conducido al Centro Médico del Condado.

—¿Y después? —pregunté.

—No sé nada más.

—¿Ha encontrado alguna salida más a esa dirección?

—No —respondió el joven—. Sólo ésta.

—Gracias por la ayuda —le dije. Luego, añadí—: ¿Apoplejía? No estoy familiarizada con la terminología...

—En otras palabras, un accidente cerebral.

Un hombre de cabellos blancos atendía el mostrador de información sobre pacientes del Centro Médico del condado de Hennepin. Le di el nombre y tecleó «Hugh Hennessy» en el ordenador.

—No está aquí —declaró el hombre.

—¿Le han dado el alta, o...? —No quise emplear la palabra «morir» —. ¿Cuál fue la resolución de su tratamiento en este centro?

—No dispongo de esta información —me respondió—. Tendría que ir a Registros Médicos.

El ascensor en el que bajé era de gran tamaño, diseñado para transportar sillas de ruedas y camillas. En la oficina del archivo, una joven pelirroja trabajaba en el ordenador. Dejé la placa en el mostrador para que la viese.

—Necesito saber adónde llevaron, desde aquí, a un paciente llamado Hugh Hennessy.

—Lo siento —replicó la mujer—. Con placa o sin ella, no puedo revelarle información de un paciente sin una orden judicial.

—Lo trajeron por un accidente cerebral —insistí—. Si murió aquí, necesito saberlo.

Ella movió la cabeza, disculpándose sin palabras.

Suspiré y lo intenté de nuevo. Notaba como si los pulmones se me hubiesen encogido a un tamaño infantil y no pudiese inspirar profundamente.

La mujer tal vez me vio más exasperada de lo que yo creía estar, o tal vez es que mi aspecto era más patético de lo que imaginaba. Empezó a teclear de nuevo ante la pantalla y tomé su gesto como una despedida —volvía a concentrarse en su trabajo, por lo que yo podía ver—, pero de pronto se volvió para mirarme y, con una sonrisa franca, me dijo:

—El hospital Park Christian es un excelente centro de rehabilitación para pacientes de apoplejía, ¿sabe?

—¿De veras? —Comprendí al instante lo que estaba revelándome—. Se lo agradezco mucho.

El hospital Park Christian quedaba a las afueras de Mineápolis, en un agradable entorno de verdor que debía de resultar reconfortante para los parientes de los frágiles y enfermos.

Tras una doble puerta automática, me recibió una ráfaga de frío del aire acondicionado. Después del calor del día de verano y del largo viaje hasta allí, me entró una tiritona al instante. Sin embargo, el dolor del oído estaba controlado, amortiguado por las aspirinas, y esto era lo importante.

—¿Puedo ayudarla? —preguntó la recepcionista.

—Quisiera ver a Hugh Hennessy —dije. Me di cuenta, demasiado tarde, de que debería haber llevado unas flores, una tarjeta...—. Soy amiga de la familia.

Esperaba una respuesta evasiva, «no consta en la lista de visitantes», o algo parecido, pero la mujer se apresuró a decir:

—Llamaré a Freddy para que la acompañe.

«¿Ah, sí?», estuve a punto de exclamar. Sólo me proponía confirmar dónde estaba Hugh Hennessy, pero ahora tendría que verlo cara a cara y no había preparado ninguna excusa creíble para estar allí.

—¿Seguro que no interrumpo alguna terapia, o algo así? Puedo volver más tarde —me ofrecí.

Se abrió una puerta junto al mostrador y apareció un hombre joven, aunque de aspecto avejentado. De facciones fofas y con ojeras, llevaba el cabello rubio cortado al cepillo, muy corto, en un estilo que pocos jóvenes de veintitantos escogerían. Leí su nombre, Freddy, en la tarjeta que llevaba prendida de la bata.

—¿Usted ha venido a ver a Hugh Hennessy?

—Sí, eso es —reconocí.

El joven señaló una puerta y me indicó que lo siguiera.

—Es una lástima que no haya venido un poco antes —comentó Freddy—. Se habría encontrado con su hija.

—¿Marlinchen ha estado aquí?

—Una chica muy guapa —comentó él, y no noté ninguna segunda intención en su tono de voz—. Viene muy a menudo.

Recorrimos un pasillo y, cruzando un pasaje acristalado entre dos edificios, entramos en otra ala del centro. Detrás de los cristales se divisaba un espacio abierto, extensiones de césped y senderos y, al fondo, un estanque profundo.

—¿El señor Hennessy está consciente? —pregunté—. ¿Puede hablar?

—Consciente, creo que lo está —me informó Freddy—. Lo que se dice hablar, no pronuncia ni una palabra. Tiene afasia expresiva. Significa que creemos que entiende gran parte de lo que sucede a su alrededor pero, cuando intenta hablar, resulta bastante incoherente.

—¿Es el único daño que ha sufrido?

Freddy movió la cabeza en un gesto de negativa.

—De momento, está en una silla de ruedas porque tiene el costado derecho muy debilitado, pero nos estamos ocupando de ello. Y de cierta dejadez.

—¿Dejadez?

—Cuando el paciente, junto con la sensibilidad de un costado del cuerpo, pierde conciencia de una parte del entorno.

—Entiendo. —Por un instante, pensé que Freddy estaba diciéndome que Hugh Hennessy había recibido malos cuidados, en otra parte.

Nos detuvimos ante una puerta.

—Es esta habitación —anunció Freddy.

Dentro reinaba la calma y el silencio. Había dos camas bajas, pero Hugh Hennessy no estaba en ninguna de las dos. Sentado en la silla de ruedas junto a la ventana, tenía la cabeza gacha, la barbilla apoyada en el pecho y los ojos cerrados.

—¿Le sucede algo? —pregunté a mi acompañante, inquieta.

Freddy sonrió al ver mi alarma.

—No pasa nada. Se ha quedado dormido, eso es todo.

De constitución delgada, Hugh Hennessy llevaba el cabello castaño claro cortado en un estilo, con flequillo recto en la frente, que delataba a un hombre que no prestaba atención a su aspecto. Y, dados sus problemas de salud, no me esperaba que pareciese tan joven. El aire acondicionado me provocó otro escalofrío y me pregunté por qué lo tenían tan fuerte en un lugar con tantos enfermos y ancianos.

Freddy ladeó la cabeza y me preguntó si me encontraba bien.

—Sí —respondí—. ¿Por qué?

—La veo un poco pálida.

—Fuera hacía calor —dije, como si aquello lo explicara todo.

Hugh Hennessy movió los párpados y entreabrió los ojos. No pude determinar si estaba consciente o si me veía, pero me asaltó cierto sentimiento de culpa, como si me hubiera sorprendido en su habitación con algún pretexto espurio.

—En realidad —añadí—, no me encuentro demasiado bien. Necesito salir a tomar el aire.

—De acuerdo —respondió Freddy, comprensivo—. Vuelva cuando se sienta mejor.

En los extremos del aparcamiento del hospital, sendas flechas indicaban «Sólo Entrada» y «Sólo Salida». Siguiendo la dirección que marcaban, tuve que hacer un giro a la derecha desde una calzada secundaria para volver a la calle por la que había llegado al hospital. Por eso pude distinguir la figura menuda de Marlinchen Hennessy esperando el autobús, sentada en el banco de la parada.

Detuve el Nova y la llamé por la ventanilla.

—¿Te acuerdas de mí?

Marlinchen levantó la vista, sobresaltada.

—Pasaba por aquí y te he reconocido —continué—. ¿Adónde vas?

—A casa —respondió.

—¿Te llevo?

—Queda muy lejos —replicó ella, muy cautelosa todavía.

—No importa. Hace un día espléndido para dar una vuelta.

Un delincuente, alguien que tuviera experiencia con la policía, habría comprendido que la aparición casual de un detective y el ofrecimiento a llevarla era demasiada coincidencia. Sin embargo, Marlinchen era muy joven y, cuando miré atrás fingiendo que me preocupaba que se acercasen otros coches, se sintió culpable.

—Date prisa, si vas a subir —le urgí.

Recogió la mochila y se acercó corriendo al coche. Montó apresuradamente en el asiento del acompañante y cerró la puerta. Pisé el acelerador y nos pusimos en camino. «Te pillé», me dije. A cien kilómetros por hora, no podría escapar del interrogatorio.

Era lamentable, pensé, que tuviera que complacerme en acorralar a la chica, apenas adolescente, como si fuera un malhechor curtido, pero había que aprovechar las oportunidades.

—Baja el cristal de la ventanilla, si quieres —le propuse. Me daba igual llevarla abierta o cerrada, pues seguían acometiéndome oleadas alternativas de calor y de frío. Marlinchen bajó el cristal a medias.

—¿Vienes de la escuela? —le pregunté—. No sabía que hubiese ninguna en esta zona.

—No. Termino las clases a mediodía. Estoy en último curso y cumplo todos los requisitos para la graduación, de modo que tengo un programa de asignaturas reducido.

—Qué suerte, ¿no?

—Sí, me gusta. —Su tono de voz sonó un poco más rela-jado y confiado.

—¿Y qué te ha traído a este barrio, entonces?

—Vengo del hospital —explicó la chica lacónicamente.

—¿Ah, sí? ¿Cómo es eso?

Le estaba dando una oportunidad. «Vamos, dime la ver-dad», la conminé en silencio. Ella rehuyó mi mirada.

—Trabajo allí de voluntaria, cuando puedo —fue su res-puesta.

«Qué lástima, Marlinchen. Se acabaron las oportunida-des.»

—Muy considerado por tu parte —comenté—. Y muy conveniente, también. Así tienes ocasión de visitar a menu-do a tu padre.

Durante unos momentos, el único sonido que se escuchó fue el ronroneo del motor del Nova. Después, oí que Marlin-chen sollozaba. Con la cabeza apoyada en el marco de la por-tezuela del coche, sacudía los hombros, incapaz de contenerse.

De repente, dejó de parecerme gracioso verme reducida a poner trampas a una adolescente con sus propias evasivas. Había investigado el paradero de Hugh Hennessy como si fuese un mero ejercicio intelectual, sin pensar en los senti-mientos humanos que podía afectar.

Hablé con toda la suavidad posible.

—Tu padre ha sufrido una embolia, tu madre ha muerto, eres la mayor de la familia y tu hermano gemelo ha desapa-recido. Ya tienes bastantes problemas y, en otras circunstan-cias, lo último que desearía es cargarte con más conflictos, pero no podré evitarlo si sigues mintiéndome.

Marlinchen no respondió y continuó llorando un rato, mientras dejábamos la 394 y tomábamos las carreteras se-cundarias que cruzaban los humedales en torno al gran lago, donde las tiendas de artículos de pesca y los merenderos daban paso a las casas, invisibles desde la calzada. En ese momento fui consciente de la distancia que había recorrido la muchacha en autobús para venir a verme a la brigada de investigación.

—Voy a necesitar indicaciones precisas dentro de muy poco —le dije, aliviada por tener algo normal que comentar.

—¡Oh!

Su voz sonó apagada, pero se sentó más erguida y, cuando empezó a darme instrucciones sobre el camino que debíamos tomar, parecía más serena.

Los Hennessy vivían en una pequeña península que se adentraba en el lago, al final de una pista de tierra sin señalizar. Me había figurado que un escritor viviría en un lugar opulento, pero la casa de la familia, aunque grande, carecía de pretensiones. Tenía dos pisos y la fachada de madera deteriorada por la intemperie. Unas matas de lilas todavía floridas adornaban la puerta principal y el serpenteante sendero de losas estaba orlado de lirios de un púrpura intenso que despuntaban aquí y allá, en grupos. Se apreciaba que el césped de la parte delantera no se había segado últimamente. Un edificio más pequeño, tal vez una cochera para carruajes, se alzaba al otro lado de la casa, de principios del siglo XX. Por su lado más alejado, las ramas de un sauce llorón caían en cascada sobre el tejado.

El camino de tierra pasaba junto a la parte frontal de la casa y, cuando detuve el coche, me di cuenta de que la auténtica fachada era la del otro lado, la que daba al lago. Allí había un amplio porche cubierto, con puertas correderas de cristal. En el piso de arriba, un gran ventanal se asomaba a las aguas, rematado por un emparrado hasta el que se encaramaban unas parras ornamentales. Una pendiente suave y abierta, cubierta de hierba, llevaba hasta el lago, en cuya orilla se había construido una barrera de rocas, una albitana, que la protegía de la erosión.

Un árbol solitario se alzaba a medio camino y entre sus hojas brillantes, de un verde intenso, se distinguían varios capullos de un tono crema.

Apagué el motor del Nova. Podía marcharme al momento, pero con ello perjudicaría todo lo que había venido haciendo desde que había invitado a Marlinchen a subir al coche. Su voluntad de mentirme había quedado demostrada; si dejaba la conversación para más adelante, para el día siguiente, le permitiría maquillar los hechos a su gusto, en previsión de nuestro siguiente encuentro.

—¿Y bien? Cuéntame —le dije.

—¿Por dónde empiezo?

—Por la embolia de tu padre —apunté—. Fue hace tres semanas, ¿me equivoco?

Ella asintió.

—¿Por qué lo has ocultado? —quise saber.

—Papá es escritor —respondió ella—. Es famoso. Habría salido en las noticias.

—¿Y qué problema hay? —repliqué—. Está enfermo, de acuerdo, pero eso no es motivo de escándalo.

Marlinchen apretó los labios, pensativa.

—Quería proteger su intimidad —añadió.

—Me contaste que estaba en el norte, terminando una novela —le recordé—. No soy periodista y fuiste tú quien vino a pedirme ayuda. Y, a pesar de ello, me mentiste. Eso es bastante más que proteger la intimidad de tu padre.

—No quiero que mis hermanos terminen en casas de acogida —explicó ella en un susurro, bajando la cabeza—. Dentro de unas semanas cumpliré dieciocho años y ya podré ser su tutora, pero si los Servicios Sociales descubren antes lo de mi padre, nos separarán.

—Creo que eres demasiado suspicaz —le respondí—. Los asistentes sociales no andan buscando familias que disgregar. Toman en cuenta el conjunto de la situación. Es muy probable que si te ocupas bien de tus hermanos pequeños, te permitan tenerlos en custodia provisional hasta que cumplas los dieciocho.

—No es necesario que intervengan.

—No es nada inusual —la tranquilicé—. Podéis vivir con un pariente adulto hasta que tu padre mejore.

—No tenemos a nadie —explicó ella. Al observar mi cara de escepticismo, continuó—: Mi madre tenía una hermana, pero murió. Y todos mis abuelos han muerto, excepto mi abuela materna, que está en una residencia para la tercera edad en Berlín. Prácticamente, sólo habla alemán.

—Bien, queda descartada —asentí e hice una pausa para pensar—. Oye, ¿puedo entrar?

Marlinchen me condujo hasta el porche de atrás, bajando unos peldaños, y entramos por las puertas correderas. La casa de los Hennessy era tan agradable por dentro como por fuera: buena madera de pino, un techo de vigas rústicas y toques eclécticos por todas partes. Estábamos en un salón familiar cuyo mobiliario elegante, que había conocido tiempos mejores, quedaba empañado por la modernidad del televisor de pantalla panorámica. Más allá, distinguí una espaciosa cocina, con las ollas y los cacharros colgados sobre una mesa central de trabajo.

—¿Le apetece beber algo? —me ofreció la muchacha mientras me conducía a la cocina, moviéndose con la seguridad que se adquiere en la casa donde una ha vivido durante mucho tiempo.

—Agua muy fría, por favor.

Marlinchen me sirvió un vaso y sacó té helado para ella. Deambulé por la cocina detrás de ella, mirándolo todo. Mi propuesta de que entráramos en la casa no había sido del todo inocente; había querido observar, como habría hecho un asistente social, en qué condiciones vivían los niños, si la casa estaba limpia y qué comían. A mi juicio, la casa mostraba más orden que la de muchos de mis colegas solteros. La cocina estaba tan limpia como el salón que había visto antes. Un ligero olor a guiso impregnaba el aire y en el desagüe quedaba algún resto de verdura, lo que apuntaba a una alimentación sana. Las plantas repartidas por la casa, bien regadas, estaban verdes y lozanas.

—Detective Pribek, ¿podemos hablar de Aidan? —dijo Marlinchen.

—Claro —accedí—. Pero tu hermano casi tiene dieciocho años y se ha marchado por su propia voluntad. Cuando los cumpla, y según me has dicho sólo faltan un par de semanas para ese día, su paradero será asunto suyo, exclusivamente. Si no quiere que la familia lo conozca, estará en su perfecto derecho, aunque te pese.

—Es mi hermano —musitó Marlinchen —. Tengo que saber dónde está.

Se dejó caer en una silla. Yo continué de pie; no quería verme implicada en aquella situación.

—Lo siento —le dije—. Comprendo que temas por él, pero cuando alguien lleva tanto tiempo desaparecido como Aidan, la policía no puede hacer gran cosa. Está claro que esto es terreno de un investigador privado. Puedo recomendarte algunos, gente competente, que se dedicarán a buscarlo por una tarifa bastante razonable.

—¿Cuánto dinero costaría?

—Depende —respondí—. Uno bueno puede cobrar cien dólares por hora, al menos.

La muchacha torció el gesto.

—Ya sé que parece mucho —continué—, pero yo no buscaría gangas, en este asunto. Si no contratas a un profesional competente, puede llevarte mucho más tiempo encontrar a Aidan. Además, a veces hay detectives poco éticos que establecen tarifas bajas para conseguir clientes, pero luego se eternizan en la investigación. Al final, todavía sale más caro.

—Entiendo. —Marlinchen empezaba a parecer perdida—. ¿Y cuántas horas cree que tardaría en encontrarlo?

—Eso sí que no hay modo de saberlo. Quizá dé con él en tres llamadas de teléfono; en otras ocasiones se tardan semanas.

—Entiendo —repitió la muchacha. Era evidente que mis comentarios no la habían tranquilizado y no costaba adivinar por qué.

—Es el dinero, ¿no? —pregunté.

Los Hennessy vivían en la zona más lujosa del lago y yo había dado por sentado que Marlinchen no sólo era capaz de llevar los asuntos domésticos, sino que, para ello, hacía uso de una holgada suma procedente de los ahorros de su padre. Por lo menos, era lo que había supuesto hasta aquel momento.

—Ya sé que en apariencia no tenemos problemas económicos —comentó Marlinchen—, y es verdad que tengo acceso a la cuenta corriente de mi padre, puesto que me dio el número secreto del cajero automático. Pero para disponer de todo lo demás tendría que ser su administradora, y en consecuencia haber cumplido los dieciocho. Incluso entonces, los trámites podrían retrasarse un tiempo más. Papá padece afasia, un trastorno del habla y de la comprensión. Es preciso que se recupere lo suficiente para que el agente judicial certifique que comprende lo que se le dice y que la autorización que está realizando corresponde realmente a su deseo de nombrarme administradora.

Se había explicado con sorprendente claridad.

—¿Tu padre tiene algún abogado que pueda ayudarte?

—No sé si llamar «el abogado de papá» al señor DeRose, pero lo asistió en algunas cuestiones tras la muerte de mamá y, cuando lo llamé, estaba dispuesto a actuar de administrador provisional y correr con nuestros gastos. Yo le devolvería el dinero cuando tuviera acceso a los fondos.

«Ojalá el tal DeRose sea un hombre recto», me dije; un abogado sin escrúpulos podía convertirse en una máquina tragaperras andante para aquella adolescente dubitativa y apurada con un padre rico. Sin embargo, las siguientes palabras de Marlinchen me llevaron a cambiar de idea respecto a la situación económica del padre.

—Pero, incluso entonces —prosiguió la muchacha—, sólo podré acceder a las cuentas bancarias y a los fondos de ahorro para estudios que tenemos cada uno de los hermanos. En conjunto, no es mucho dinero. La mayor parte de lo que ha ganado mi padre se invirtió en esta propiedad, que está muy bien, pero ni la casa ni la espléndida vista nos dan de comer. —Acompañó el comentario con un gesto, señalando el lago. Después, se corrigió—: Las cosas no están tan mal, todavía, pero desde luego no hay dinero para contratar a un detective privado durante un periodo de tiempo indefinido. Por eso esperaba que alguien de la policía pensase que el caso de Aidan era lo bastante importante como para ocuparse de investigarlo.

Empezaba a sentirme como una de esas aviadoras pioneras que despegaban de Nueva York con rumbo a la Costa Oeste un día nublado, se desorientaban en un banco de niebla y acababan en una comprometida travesía a Europa. Me había propuesto echar una mano a Marlinchen porque pensaba que sería coser y cantar y, al principio, pareció que así iba a ser: había encontrado enseguida a Hugh Hennessy y había comprobado que los motivos de su hija para encubrir su ausencia, aunque equivocados, no eran delictivos. En aquel momento, había creído que podría tranquilizar a Marlinchen fácilmente: le aseguraría que Aidan debía de encontrarse bien, le recomendaría un detective privado competente y daría carpetazo al asunto. Había creído que podría resumir todo el asunto Hennessy en cuatro palabras: no es problema mío.

Para colmo de males, volvía a dolerme el oído. Las aspirinas ya no surtían efecto y la sensación empezaba a pasar del dolor sordo y medicado a las intensas punzadas con las que me había despertado las dos últimas mañanas. El malestar estaba cerrando mi mente a sentimientos más nobles.

—Ojalá fuese una mera cuestión de importancia —respondí—. Pero el condado de Hennepin me paga para que investigue hechos en los que se ha infringido la ley dentro de su circunscripción, y éste no es el caso. Repito, hablaré con los detectives privados que conozco y veré si alguno acepta ayudarte gratis. Tal vez...

Un ruido procedente de la parte delantera de la casa hizo que Marlinchen levantara la mirada. Tres chiquillos cargados con las mochilas escolares irrumpieron en la cocina y su parloteo cesó en seco cuando advirtieron mi presencia junto a su hermana.

Ninguno de los tres era rubio como Marlinchen, sino que habían heredado el cabello castaño de Hugh. El más pequeño iba bastante desgreñado pero, salvo este detalle, se los veía limpios y bien vestidos y, evidentemente, muy sanos. Marlinchen se levantó.

—Chicos, ésta es la detective Sarah Pribek —anunció—. Hablé con ella hace unos días, acerca de Aidan. ¿Recordáis que os dije que iba a la ciudad a eso?

—Yo creía que... —intervino uno de los pequeños, un chico fuerte con una camiseta sin mangas.

—Ya hablaremos luego —lo cortó Marlinchen, y llevó a cabo las presentaciones—. Mire, éste es Liam. Tiene dieciséis años. —El chico, alto y delgado, llevaba el cabello bastante largo y unas gafas con montura metálica—. Y éste, Colm, de catorce —señaló al que acababa de hablar—. El más pequeño es Donal, de once.

Donal era el del cabello revuelto; bajo la pelambrera, sus facciones aún no estaban bien definidas, como suele suceder en los niños de su edad.

—Encantada de conoceros —intervine—, pero ahora tengo que marcharme. Debo ir al trabajo. Haré esas llamadas —dije a Marlinchen—. Me ocuparé esta noche o mañana y te llamaré con la respuesta.

No iba a ser fácil, pensé, pero tal vez encontraría a un sabueso bien dispuesto.

—La acompañaré a la puerta —respondió ella, asintiendo. Una vez en el porche, volvió a hablarme con franqueza—: Detective Pribek, no nos denunciará usted, ¿verdad? A Servicios Sociales, me refiero.

—Mi obligación es informarlos de vuestro caso, Marlinchen. Es la ley.

Noté que mi respuesta la decepcionaba. Encorvó los hombros levísimamente y apartó la mirada, dirigiéndola al lago.

No entendí por qué se sentía así, como si ella y sus hermanos hubieran sido sentenciados a un orfanato del pasado, uno de esos caserones tétricos donde se comían gachas infectas. Pero, de pronto, me vi a través de sus ojos y no me gustó lo que observé. Me había presentado allí y había comprobado que tenía la casa bien arreglada, que cocinaba y que se ocupaba de sus hermanos menores con evidente cariño, pero no, lo siento, con eso no basta y voy a denunciarte a las autoridades y, por cierto, me importa un bledo dónde esté tu hermano. Si quieres encontrarlo, paga.

—Mira —dije, aflojando el paso—, tal vez pueda ayudarte un poco en lo de Aidan.

—¿De verdad?

—Dices que sólo tienes clase hasta mediodía, ¿no? ¿Por qué no paso mañana, alrededor de la una, y hablamos de esto un poco más?

Decir que Marlinchen Hennessy sonrió no haría justicia a su expresión. En el breve tiempo transcurrido desde que nos conocíamos, nunca había esbozado más que una levísima mueca de reconocimiento. Nada me había preparado para esa explosión de felicidad espontánea, brillante como el primer chisporroteo de una cerilla al encenderse. La idea de involucrarme más con aquella familia no acababa de atraerme, pero resultaba conmovedor cuánto significaba para la muchacha mi ofrecimiento de colaboración.

Le di una tarjeta.

—Ahí tienes mi número de móvil y de busca —le dije—. Por si no puedes acudir, o para cualquier cosa...

—Aquí la esperaré —aseguró.

Tan pronto volví al coche, busqué en el bolso la caja de aspirinas. «Está en la papelera del baño, genio, donde la tiraste esta mañana después de tomarte la última. Ibas a comprar más, ¿recuerdas?»

Eran las cuatro menos cuarto en la pantalla del móvil. Aunque no pasara por una farmacia, ya llegaba tarde al trabajo. Hice una maniobra para poner el coche de cara a la salida y aceleré por el largo camino de acceso de la casa. Ya pediría un par de analgésicos a alguien en la oficina.

Siete

—*El* teniente Prewitt anda buscándote —me anunció Tyessa tan pronto entré.

—Sólo llego cinco minutos... ¡Oh, maldita sea! —Había olvidado por completo que Prewitt me había pedido que llegara temprano—. ¿Está en su despacho?

Estaba, pero no nos quedamos allí. No bien hube entrado, él se levantó de su mesa.

—Detective Pribek —dijo—. Bajemos a la sala de reuniones.

—Claro —asentí.

No hizo la menor mención a que llegaba treinta y cinco minutos tarde a la cita, se tratara de lo que se tratase, pero era evidente que lo sabía. Cuando entramos, el hombre que aguardaba sentado a la larga mesa se puso en pie.

La sorpresa me distrajo del dolor de oído. Era el desconocido al que había visto ya dos veces: primero, observándome mientras hacía las calles camuflada de prostituta y, después, caminando con Kilander. De cerca, tenía un rostro enjuto, cansado, pero bastante joven a pesar de las canas que empezaban a poblar sus sienes. Seguí calculándole la misma edad, unos treinta y cinco años.

—Detective Sarah Pribek —dijo Prewitt—, éste es Gray Díaz, de la Fiscalía de Distrito del condado de Faribault.

El condado de Faribault. Blue Earth.

Diaz se separó de la mesa y me tendió la mano.

—Detective Pribek... —dijo.

—Encantada de conocerlo —respondí.

Me soltó la mano y dirigió un gesto de asentimiento a Prewitt.

—Gracias, Will —le dijo. Prewitt se retiró—. Siéntese, por favor —me ofreció Diaz.

Nos sentamos los dos. Esperé, aunque lo dudaba, que mi aspecto fuera mejor que mi ánimo.

—¿Es usted fiscal? —le pregunté.

—Soy investigador de la fiscalía —me explicó Diaz—. Llevo seis semanas en la del condado de Faribault.

—¿Le gusta el sitio?

—Es bastante tranquilo —respondió—. Por eso he empezado a hojear algunos expedientes antiguos.

Una gotita de sudor se deslizó por mi espalda. Diaz colocó una carpeta en la mesa, delante de él.

—Este caso lo mandaron a nuestra oficina hace unos tres meses, antes de que yo me incorporara. Es una investigación conjunta de la Oficina del Sheriff y el Departamento de Bomberos.

—Royce Stewart —apunté. No era necesario que esperase a que él pronunciara el nombre.

—Sí —corroboró él, y noté un ligero tono de sorpresa en su voz al ver que iba al grano de forma tan directa—. El expediente me ha llamado la atención y, dada su familiaridad con las personas y los hechos del caso, querría hablar con usted, naturalmente. —Tamborileó con los dedos sobre el expediente y continuó—: Creo que podríamos empezar por revisar los hechos comprobados. Corríjame si me equivoco en algo.

Diaz abrió la carpeta y repasó la vida de Royce Stewart en los párrafos secos, telegráficos, de un informe oficial:

—Royce Stewart tenía veinticinco años de edad en el momento de su muerte —empezó—. Pasó la mayor parte de su vida en Faribault; detenciones y condenas allí por conducta indecente y exhibicionismo; una detención en edad juvenil por fisgonear por la ventana de la casa de una mujer a altas horas de la noche, con retirada de cargos. A los veinticuatro, se trasladó a las Ciudades Gemelas, donde se le condenó por conducir embriagado y, mucho más significativo, fue detenido y acusado de la violación y asesinato de Kamareia Brown, hija de la detective Genevieve Brown, de la Oficina del Sheriff del condado de Hennepin. La compañera de usted. —Diaz hizo una pausa y tomó un sorbo de agua del vaso que tenía a su lado—. El caso se declaró cerrado por un defecto de forma y Stewart regresó a Blue Earth.

»En octubre, los bomberos tienen que acudir a la propiedad en la que vivía Stewart. El edificio auxiliar en el que habitaba está en llamas y su cuerpo es encontrado allí al día siguiente. —Diaz volvió una hoja, aunque tuve la certeza de que ya tenía perfectamente grabados en la memoria todos los detalles del caso—. Poco más de ocho horas después del incendio, el ex detective del Departamento de Policía Michael Shiloh se entrega a la policía de Mason City, Iowa, y confiesa el asesinato de Stewart. Lo extraño es que Shiloh afirma haberlo matado una semana antes, atropellándolo con una furgoneta robada en la autopista, a las afueras de Blue Earth.

»Una investigación constata que Shiloh robó la furgoneta pero, en lugar de arrollar a Stewart, tuvo un accidente en el que no hubo otros vehículos implicados, debido a unas placas de hielo en la calzada. En el accidente sufrió una lesión importante en la cabeza que le ocasionó pérdida de memoria y limitó su capacidad de razonamiento. Temiendo ser detenido por su "crimen", viajó hacia el sur a pie, evitando el contacto con otras personas, y terminó por entregarse en Mason City, Iowa. El hecho de que creyera haber matado a Stewart, según el psicólogo, se debía en parte al golpe en la cabeza y, en parte, a que previamente había imaginado repetidas veces que llevaba a cabo el crimen. Michael Shiloh no se defendió de la acusación de hurto de vehículo y en la actualidad cumple condena en Wisconsin. —Diaz bebió otro sorbo de agua—. Eso es todo.

—Ha dicho que quería que lo corrigiera si encontraba alguna inexactitud en el informe —apunté—. Falta incluir un par de detalles.

Diaz enarcó una ceja con una mueca de cortesía.

—Por favor...

—Shiloh no vio frustrado su deseo de matar a Shorty: decidió no hacerlo. Aunque fuese en el último momento.

Diaz asintió y pareció tomarse mis palabras muy en serio.

—¿Y cómo lo sabe usted?

—Shiloh me lo dijo.

—Debo indicarle que nadie puede confirmar de forma fehaciente esta declaración. Se basa usted en la palabra de su marido.

No era así. Royce Stewart también me lo había contado momentos antes de morir.

—De todos modos, esto es ajeno al tema que estamos tratando, que es la muerte de Stewart —apuntó Diaz—. A los investigadores les quedaron pocas dudas de que la casa fue incendiada a propósito y de que Stewart ya estaba muerto antes de que el edificio ardiera. El expediente no fue archivado por falta de indicios de que se hubiera cometido un crimen, sino por ausencia de pruebas que apuntaran a algún sospechoso identificable. Tan pronto leí el expediente, pensé que mis colegas se habían dado demasiada prisa en descartar al más obvio de todos.

Me quedé inmóvil.

—Habían descartado a alguien que reconocía haberse presentado en Blue Earth con la intención de matar a la víctima. Que no tenía coartada para la noche en que murió Royce Stewart.

—¿Shiloh es su sospechoso?

—Su marido es, claramente, una persona de interés —dijo Diaz.

Persona de interés es a sospechoso lo que tormenta tropical es a huracán.

—Imposible —repliqué—. Las pruebas lo descartan.

Aunque me constaba perfectamente que Shiloh no había matado a Stewart, también conocía a fondo las pruebas que habían convencido a los investigadores de que no podía haberlo hecho. Las lesiones de Shiloh, la furgoneta averiada, el periodo de siete días entre su intento de matar a Stewart y la muerte real de éste...; todo ello corroboraba que Shiloh no había tenido nada que ver con el asesinato.

—¿Está segura? Existe un periodo de nueve horas entre la muerte de Stewart y la aparición de Shiloh en Mason City. Es tiempo suficiente para viajar ciento cincuenta kilómetros.

—¿A pie?

—No; en coche o camión. Que no se haya presentado nadie a declarar que lo recogió cuando hacía auto estop no significa que no lo hiciera.

—Aunque exista ese periodo de nueve horas —apunté—, también están esos siete días entre el intento de Shiloh de arrollar a Royce Stewart y el momento de su aparición en Mason City. Es difícil basar un caso en...

Callé a media frase. Me había dado cuenta de algo.

—¿Qué decía? —Diaz me instó a continuar. Aquel hombre probaba un juego y yo, aunque debería haber sabido que me convenía abstenerme, empezaba a jugarlo también.

—¿Ha hablado ya con Shiloh, en la cárcel? —le pregunté.

—No estoy dispuesto a compartir todos los detalles de mi investigación, en este momento —fue su respuesta.

—Es decir, que no lo ha visto. Porque no es Shiloh quien le interesa, ¿me equivoco? Me busca a mí. Ha desviado mi atención fingiendo que sospecha de Shiloh. Quiere que salte a defenderlo y discuta los extremos del caso con usted, hasta que revele algún detalle que no podría saber a menos que hubiese matado a Shorty. —Éste era el apodo de Stewart, como constaba en la vanidosa matrícula personalizada de su coche—. Éste es el segundo detalle que ha omitido en la historia: ha evitado cualquier referencia a que yo estuviera en la zona y a que hablara con Stewart la noche de su muerte. Si ha preguntado a los clientes del bar, ya sabrá que estuve allí, lo cual me convierte en la sospechosa perfecta. Pero en lugar de preguntarme directamente, finge que quiere hablar conmigo como «colega investigador».

Era una táctica que a veces funciona con los delincuentes de la calle. Cuando se habla con un sospechoso con antecedentes, el detective le pide que imagine cómo se podía haber cometido un delito, qué habría hecho él de haber participado. Si da resultado, el criminal bajará la guardia y revelará un detalle crítico que no debería conocer.

95

—Permita que responda a la pegunta que se calla —continué—. Yo no maté a Royce Stewart. Estuve allí, en Blue Earth, y fui al bar. Hablé con él. Pero no lo maté.

—Detective Pribek, no he venido a ofenderla —replicó Diaz—. Estoy aquí para cumplir mi deber.

Tenía razón; me había ido de la lengua más de lo que me proponía. El dolor de oído me tenía frenética.

—Lo siento —me disculpé—. Ya lo sé. He pasado un resfriado y ahora mismo me molesta mucho un oído. ¿Me permite un minuto, a ver si encuentro una aspirina?

—En realidad —replicó Diaz—, me gustaría que siguiéramos con esto, ahora que estamos a media conversación.

Otro punto clave en un interrogatorio: una vez empiezan a calentarse las cosas, no des ocasión de recapacitar al sospechoso.

—Hablemos de la noche que fue a Blue Earth. ¿Qué la condujo allí?

—Acababa de enterarme de que Shiloh había robado la furgoneta y había tenido un accidente en la autopista. Entendía sus motivos, que quisiera acabar con Shorty, pero comprobé que no lo había hecho, pues Royce Stewart seguía vivo. De hecho, Royce era el sospechoso del robo de la furgoneta, puesto que las huellas dactilares lo colocaban en la escena del accidente. Lo que no acababa de entender era qué había sido de Shiloh desde ese momento.

—De modo que viajó hasta allí.

—Sí. Para hablar con Shorty. —El oído me latía al ritmo del corazón, un poco más acelerado de lo habitual.

—¿Cómo sabía que lo encontraría en el bar? —preguntó Diaz.

—No lo sabía... ¡Ay!

Esta vez había notado algo nuevo, la sensación de que algo estallaba, seguido de una crepitación o algo parecido a unas interferencias. Había oído hablar a la gente de las sensaciones en los oídos durante el ascenso y el descenso en avión, pero no me pareció que tuviera nada que ver. Imaginé más bien que se me habían formado ampollas como burbujas en el tímpano y que una de ella había reventado.

—¿El oído? —preguntó Diaz.

—Sí —respondí, y me froté la oreja, inútilmente.

—Terminaremos esto cuanto antes —me prometió Diaz—. ¿Qué decía usted?

—Decía que no sabía con certeza si estaría en el bar, pero había oído que pasaba muchas horas allí.

—Y, por suerte para usted, lo encontró en ese local —comentó el hombre—. ¿De qué hablaron?

—Quería que me dijera lo que supiese de la desaparición de Shiloh —le expliqué—. Pero se negó a hablar conmigo.

—¿Qué hizo usted, entonces?

—Volverme por donde había venido. Me dirigí a Mankato, donde vivía mi compañera, Genevieve, con su hermana y su cuñado. Sabía que allí tendría una cama.

En segundo curso habíamos estudiado el oído. Procuré no recordar la ilustración del tímpano, ni imaginarme el mío como un globo rosa intenso, hinchado de líquido, más y más distendido con cada hora que pasaba.

—¿No fue a la casa de Stewart antes de marcharse de Blue Earth?

Allí había una posible trampa. Hasta aquel momento, le había contado a Diaz la verdad, aunque con omisiones. No había sido preciso mentir. Llegados a este punto, no me quedaba más remedio que salirme del carril.

—No —declaré—. No fui.

—De Mineápolis a Blue Earth hay casi tres horas en coche —apuntó Diaz—. ¿Y usted hace todo este camino, encuentra a Stewart en el bar y, cuando se niega a hablar de su marido, se limita a meterse otra vez en el coche y a marcharse? Me parece que se dio por vencida muy fácilmente.

El oído me crepitó otra vez, produciendo un ruido como de interferencias.

—Shorty, cito sus palabras, me dijo que no sabía «una puta mierda». Yo no podía demostrar lo contrario. Después de eso, poco más podía hacer.

—De modo que mantiene su historia: fue en coche a Blue Earth, se vio un momento con Shorty en el bar y continuó hasta Mankato...

—En efecto —asentí. La mayor parte de lo que le había contado era verdad. La mentira era por omisión. Había permitido que Genevieve, que me había seguido a Blue Earth, fuese y viniese a su gusto, sin que nadie la viera, como una sombra malévola.

Diaz movió la cabeza como si estuviera decepcionado con un alumno que no rindiera como esperaba. Revolvió unos papeles de la carpeta y murmuró:

—Creo que esto es todo, por ahora.

Cuando me puse en pie, una pátina rojo grisácea me nubló la vista y el oído me dolió más que nunca.

—¡Ah!, olvidaba una cosa —añadió él—. ¿Sabe de algún motivo por el que alguien pueda afirmar que la vio con su coche delante de la casa de Stewart la noche en cuestión?

Yo me había detenido, tratando de aclarar la visión. La pregunta de Diaz no contribuyó a calmarme. «Domínate —me dije—. Respira.»

—Debe de haber bastantes mujeres parecidas a mí que conducen un Nova de 1970 —aduje. La neblina rojiza se desvaneció y los colores del mundo reaparecieron.

—Ya —comentó Diaz—. Gracias por su ayuda, detective Pribek.

Esta pregunta, la de «¿Sabe de algún motivo...?», es un clásico de los investigadores. Da a entender que existen testigos, pero no llega a afirmarlo abiertamente. Se espera que el sujeto interrogado caiga en la trampa y empiece a ofrecer excusas fáciles y manifiestas falsedades que confirmen lo que el investigador sólo sospechaba.

Pero saber que era una táctica no mermaba su fuerza. Si Diaz disponía de más pruebas, ya las habría sacado, me dije en el baño, donde acababa de engullir dos analgésicos y me había enjugado la cara, con buen cuidado de que no me entrara agua en el oído.

Cuando levanté la cabeza y me miré en el espejo, vi mis pálidas facciones brillantes de sudor y de agua. Me había mojado los mechones de cabello más cercanos a la cara. Salvo por la ropa de trabajo y la pistolera en el hombro, parecía una tísica del siglo XIX salida de una sala de hospital de caridad. Contemplé mi propia imagen y me enfrenté a la peor decisión que tendría que tomar en todo aquel día: debía acudir a la consulta de un médico.

ϒ

Los expertos de aviación insisten en que estás más seguro en el aire que si te quedas en tierra. Las estadísticas lo confirman, pero en cualquier terminal de aeropuerto verás a algún pobre desgraciado sentado en una silla de plástico con los codos en las rodillas, las manos colgando, los pies plantados en el suelo y la cabeza gacha. Es casi una postura de plegaria, como si el tipo se dispusiera a hacer lo más peligroso que se conciba. Y, en la cabeza del que tiene fobia a volar, no cabe duda de que lo es.

Las fobias son así. No importa que el miedo sea irracional. En ocasiones, el instinto del peligro atenaza la mente sin una razón concreta y se niega a sosegarse a pesar de las estadísticas más tranquilizadoras o de las seguridades que pueda ofrecer cualquiera. Para mí, el equivalente de la terminal de aeropuerto es la sala de espera de la consulta de un médico. A las cinco menos cinco entré en la recepción de la clínica, di mis datos y asumí la postura que antes describía. Notaba los brazos y las piernas pesados y sin fuerzas, como si tuviera agua en el depósito de carburante. A mi izquierda, un hombre corpulento vestido con un mono de trabajo y que llevaba un móvil salpicado de pintura en el cinturón contemplaba el tráfico por la ventana.

La puerta que conducía a las consultas se abrió y apareció una enfermera.

—¿Washington? —preguntó.

El pintor se puso en pie y avanzó hacia la puerta. Suspiré de alivio, como si me hubieran concedido un aplazamiento de la condena.

Miré por la ventana. En los boletines de noticias de la radio anunciaban un tiempo cargado y tras los cristales ya se apreciaban las nubes amarillentas en el horizonte. Todavía estaban lejos.

Volvió a abrirse la puerta.

—¿Pribek? —preguntó la enfermera.

No levanté la cabeza. Me limité a observarla tras la cortina de cabellos que me ocultaba el rostro y la mujer no estuvo segura de si la miraba o no.

«Por el amor de Dios, ¿qué estás haciendo? Levántate.»

—¿Sarah Pribek? —repitió la enfermera.

Me levanté. Las piernas apenas me sostenían cuando, sin llegar a cruzar una mirada con ella, me volví hacia la puerta de salida, la que llevaba al mundo exterior. Pisé el rodapié de goma y la puerta se abrió automáticamente. Creí que las rodillas iban a fallarme en cualquier momento y casi esperé que se produjera algún intento de retenerme: que la enfermera se pusiera a gritar, «¡por ahí va!», y que apareciesen refuerzos para reducirme y devolverme a la consulta.

Sin embargo, no sucedió nada de eso y pronto me encontré de nuevo bajo los rayos del sol de media tarde. Mis piernas recuperaron cierta firmeza y empecé a caminar más deprisa, hasta llegar al coche.

Pasé dos horas en casa, calentando toallas en la secadora y aplicándomelas en el oído.

Entonces, se me ocurrió una idea.

Ocho

—¡*Q*ué aspecto tan distinto traes! —exclamó Cisco.

Me había puesto los vaqueros más viejos, unos que de tan gastados parecían casi terciopelo, el jersey de rayas azul y naranja de Shiloh y unas zapatillas de baloncesto con calcetines gruesos. Cisco me estudiaba desde el otro lado de la puerta, abierta sólo lo que la cadena daba de sí, y tan pronto hubo hablado, advirtió que tal vez la situación no era para tomarla a la ligera.

—¿Te encuentras bien? —preguntó.

—No —respondí—. ¿Puedo entrar?

Lo mismo que la vez anterior: Cisco cerró la puerta, desenganchó la cadena y retrocedió con la silla de ruedas para que entrase. Entonces preguntó:

¿Qué te ocurre?

—El oído me está matando —le expliqué—. Dijiste que a lo mejor empezaría a dolerme y así ha sido, hace un par de días. Lo que ocurre es que no estoy segura de que sólo se deba al resfriado, porque la semana pasada me metí en un canal de desagüe. Sumergí la cabeza, quiero decir. Era agua sucia.

Me extendí en explicaciones porque tenía mucho miedo de que me despachase sin visitarme y quería ofrecerle todo tipo de información que pudiera serle útil.

—¿Podrías echarle un vistazo? —concluí.

—Vamos, siéntate en la mesa de exploración.

Lo hice mientras él buscaba mi historial en el archivador, se lavaba las manos y sacaba el equipo. No comprendía por qué en el apartamento de Cisco no pasaba tanto miedo como en una clínica, pero allí, aunque no estaba del todo relajada, al menos controlaba los nervios.

Cisco me tomó la tensión como la vez anterior y dijo:

—La tienes un poco alta. —Me puso un dedo en la muñeca, buscando el pulso radial, y anotó algo en su bloc amarillo. Después, sacó el otoscopio de la arqueta—. ¿Qué oído? —preguntó.

—El izquierdo —respondí.

Cuando introdujo la pequeña punta roma del instrumento en la oreja, di un pequeño respingo.

—Tranquila —dijo.

Cerré los ojos y traté de relajarme. El aliento de Cisco movía las mechas sueltas de cabello que me caían en el hombro.

Cisco retiró el instrumento, retrocedió un poco y vi que su expresión había cambiado.

—Si mal no recuerdo, te dije que si empezaba a molestarte debías ir a que te viera un médico.

—Lo sé.

—¿Por qué no lo has hecho?

—Pensaba que se me pasaría solo —respondí sin convicción.

—Pues ya has visto que no —replicó Cisco—. Llegado este punto, hay que hacer una punción en el tímpano.

—Y eso puedes hacerlo aquí, ¿verdad? —Me dolía tanto que no asimilé la idea de que fuera a pincharme el oído con una aguja.

—Sé hacerlo, pero no dispongo del material adecuado.

—Aquí tienes trescientos dólares —dije, hurgando en el bolso—. De camino, he pasado por un cajero automático.

Dejé el dinero en la estantería donde había puesto los cuarenta dólares la última vez.

—No es cuestión de dinero —replicó—. Para eso debes ir a una clínica.

—No puedo —repliqué.

—¿Por qué no, maldita sea? —Cisco tamborileó impacientemente con los dedos en la silla de ruedas.

—No me gustan esos sitios. Me... me dan miedo.

—¿Por qué?

—No lo sé —repliqué. El miedo me impedía explicarme mejor—. Ayúdame, por favor. No puedo ir a ningún otro sitio.

Pensé que iba a negarse. Cisco tenía sus principios, ya me lo había contado la primera vez. Sin embargo, en sus ojos había un brillo que no había visto hasta entonces. Tal vez fuese compasión.

—Te dolerá mucho —advirtió Cisco.

—Vengo preparada. —Hurgué en el bolso y saqué una botella de whisky que había comprado en el camino.

—¡Jesús! —Cisco agachó la cabeza, se frotó el puente de la nariz con dos dedos y suspiró—. ¿Quieres un vaso?

—No —respondí.

—Bien, pues dale un buen trago —indicó Cisco—. Voy a disponerlo todo.

Se alejó en la silla de ruedas y bebí. Cerré los ojos y oí sus movimientos mientras se preparaba para la intervención. Me pareció oír un perro que ladraba al otro lado de la pared. Por la intensidad del sonido, debía tratarse de un perro grande, pero aquello resultaba extraño. ¿Qué hacía un perro allí?

—Bien —indicó Cisco, de espaldas a mí—. Mientras esperamos, podrías contarme por qué decidiste tirarte a un canal de desagüe.

—Lo hice para sacar a unos niños que se habían caído al agua.

—Pensaba que la furcia con el corazón de oro sólo existía en las películas.

103

—No soy una furcia.

Supongo que para mí fue importante hacer aquella distinción porque, de ese modo, le revelaría a Cisco mi verdadera personalidad. No me gustaba la idea de quedarme atrapada entre identidades distintas, a mitad de camino entre una y otra.

—No lo soy —repetí al ver que él no reaccionaba.

—Tomo debida nota —dijo, risueño. No sé si me creyó.

Cuando hube bebido lo suficiente, me tumbé en la mesa de masaje. La cabeza me daba vueltas y cerré los ojos. Los abrí de nuevo y me descubrí mirando otra vez el título de medicina de Cisco. C. Agustin Ruiz. No una F, de Francisco, como habría cabido esperar. Qué extraño...

Cisco se acercó a mí. Se había atado un pañuelo azul a la cabeza y llevaba el resto del pelo recogido en una pequeña coleta en la nuca, como haría un cirujano metiéndose el pelo dentro del gorro. Traía una toalla en las manos.

—¿Cómo estás?

—Preoperatoria —respondí.

Cisco soltó una carcajada, un sonido grave y agradable.

—Pues me parece que todavía pronuncias las erres con demasiada claridad. Bebe un poco más.

Obediente como una niña, bebí agarrando la botella con las dos manos.

—¿Qué ocurrió con los críos a los que sacaste del canal? —inquirió.

—No te crees lo que te he contado, ¿verdad? —Cada vez me resultaba más fácil decir lo que pensaba, sin el retraso habitual de dos segundos entre los pensamientos y las palabras—. Bueno, no me importa que te burles de mí. Lo que ocurrió fue que el hermano mayor sobrevivió y el pequeño, no.

—Algo he oído en la radio. —Cisco se había puesto serio. Me creía.

—¿Tu nombre completo es Cisco? —pregunté sin pensar lo que decía.

—No.

—¿Cuál es, entonces?

—Cicero —dijo—. Un nombre bien sencillo, pero a mucha gente le cuesta pronunciar esa sílaba de más.

—Pues a mí me gusta —comenté.

—Mi padre era un enamorado de los clásicos. Mi hermano se llama Ulises. —Hizo una pausa—. Bien, creo que ya estás a punto. No, relájate. Primero tengo que limpiarte el oído.

El proceso de limpieza no fue doloroso, pero di un respingo al notar una presión húmeda en un punto desacostumbrado. Para distraerme, Cisco recurrió al típico monólogo de los médicos.

—En cierto modo —comentó—, has tenido mucha suerte. Hace diez años, sólo un otorrino habría podido tratar esto. Comenzaron a enseñarlo de nuevo en las facultades en los años noventa, cuando los virus y las bacterias empezaron a volverse resistentes a los antibióticos. Cada vez veíamos más niños con infecciones que no respondían al tratamiento antimicrobiano.

En su voz había algo que hacía mucho tiempo que no percibía, una tranquila ponderación que me recordó a los abuelos de los niños indios con los que me relacionaba de pequeña en Nuevo México.

Cicero se apartó. Noté frío y humedad en el oído.

—Vamos, túmbate otra vez —indicó. Me recosté con el oído izquierdo hacia arriba.

—Cierra los ojos. Voy a encender otra luz. —Tiró del cuello articulado de una lámpara y me la acercó a la cabeza. Debía de tener una bombilla de muchos vatios, halógena tal vez, porque noté calor en la mejilla y en el cuello. Cicero me sujetó la cara con sus largos dedos.

—Levanta la cabeza —ordenó. Obedecí y extendió una toalla debajo. Volví a apoyarla en la mesa. Por el rabillo del ojo vi que cogía algo. Una aguja. Irradiaba un brillo siniestro bajo la luz y era muy larga.

—Dos cosas —dijo Cisco—. No tengo aspirador, de modo que, una vez acabe, tendrás que volver la cabeza de lado para que los fluidos drenen en la toalla. Segundo: va a dolerte.

—Eso ya lo has dicho —apunté con una voz que, al menos a mí, me pareció de borracha—. No tienes por qué recrearte en ello.

—Es que necesito que estés callada mientras lo hago —explicó—. No quiero que venga la policía.

«Demasiado tarde», pensé y la carcajada que intenté reprimir se convirtió en un sonido agudo y frívolo. Cicero me miró, intrigado, y yo traté de controlarme sin conseguirlo.

—No —dije, muerta de risa—. Me parece que eso no puedo prometerlo.

—Pues si no lo tienes claro, todavía estamos a tiempo de que acudas a urgencias en cualquier hospital.

Ante aquella perspectiva, la risa se me cortó en la garganta.

—Muy bien —asintió Cicero—. Vuelve un poco la cabeza.

Hice lo que me decía y cerré los ojos.

—Ahora tienes que estar muy quieta —advirtió, poniéndome la mano libre sobre la boca.

Cuando sentí la aguja, me alegré de no haberle prometido que no chillaría. El dolor atravesó la neblina del alcohol. Noté que las manos de Cicero me volvían la cabeza, porque se me olvidó seguir sus indicaciones previas. Entonces manó de la oreja un líquido caliente que se derramó poco a poco en la toalla.

—Dios mío —murmuré con los ojos todavía cerrados—. Dios mío.

Estaba tumbada de lado y encogí las rodillas hacia el pecho en un intento de adoptar la posición fetal.

—No levantes la cabeza —dijo Cicero, tomándome de la mano.

—Voy a marearme.

—Respira hondo.

Intenté obedecerlo. Respiré hondo una vez, y luego otra.

—Quiero sentarme —pedí, pensando que así aliviaría las náuseas.

Me soltó la mano y tan pronto me incorporé, el mareo disminuyó. Repetí las inspiraciones unas cuantas veces más y me alivió descubrir que había controlado las arcadas.

—¿Estás mejor? —me preguntó.

—Sí —contesté.

—¿Quieres ir al baño?

—Sí, gracias.

Esperaba encontrar un baño pequeño, tipo armario, y las dimensiones del cuarto me sorprendieron. Como era de esperar, estaba adaptado a la silla de ruedas de Cicero. Tenía una barandilla de metal a lo largo de una de las paredes y también en el interior de la ducha, donde había un asiento de baldosas. No di la luz porque creí que me resultaría cegadora y me lavé con la escasa que entraba desde el pasillo.

Junto al lavamanos había colgada una sola toalla y no vi ninguna manopla. Abrí el grifo y dejé que un hilillo de agua llenara la pileta. Metí los dedos y luego me los pasé por la cara y el cuello. Después los froté con la pastilla de jabón y me los llevé de nuevo al cuello, donde se formó una pequeña capa de espuma. Volví a poner los dedos bajo el grifo y me aclaré lo mejor que pude, aunque no conseguí evitar que un reguero de agua me resbalara por el cuello. Presioné el grueso tejido de la camisa contra la piel para secarme.

Cuando salí, Cicero limpiaba la mesa de exploración. Lo miré sin saber bien qué decir.

—Me siento bastante mejor —mentí.

Sin embargo, él me observó con expresión inquisitiva, de un modo que me llamó la atención.

—¿Qué ocurre? —pregunté.

—Que no estás en condiciones de coger el coche —respondió.

—Ya lo sé —me apresuré a replicar. Parecía que con el dolor había remitido la borrachera, pero era una percepción equivocada. Llevaba una buena cogorza.

—Tendrías que echarte a dormir —señaló Cicero.

—¿Dónde? ¿En la mesa de exploración? —pregunté.

Cicero suspiró, se quitó el pañuelo de la cabeza y se soltó la coleta.

—No —respondió al cabo.

—¿Dónde, entonces?

—Mira —dijo—, éste es un ofrecimiento que no suelo hacer, pero te dejaré dormir en mi cuarto.

—¿De veras? —Advertí que la idea lo incomodaba un poco, y para ser sincera a mí también, pero sabía que tenía razón. No podía conducir hasta que se me pasara la borrachera.

Se dirigió hacia su cuarto y yo lo seguí. Abrió la puerta y encendió la luz.

Vi una estrecha cama individual cubierta con una colcha marrón canela y, en la pared, una foto del Yosemite en blanco y negro, de Ansel Adams. Medio escondido bajo la cama, guardaba un juego de pesas de mano de ocho kilos cada una. Junto a la pared había una mesa baja y estrecha, casi un estante, llena de fotos de familia. Algunas eran bastante antiguas, en blanco y negro.

—¡Qué bonito! —comenté.

—Lo de ahí fuera es mi despacho —explicó Cisco— y ésta es toda la casa.

Lo seguí. A nuestra derecha había un armario con puertas correderas de espejo, en el cual se reflejaron una policía borracha perdida y un delincuente altruista. Sobresaltada, aparté la mirada.

—¿Por qué no enciendes la luz del escritorio? —sugirió Cicero—. Es muy tenue y no te molestará para dormir. Y si después quieres cerrarla, podrás hacerlo desde la cama, en cambio la del techo, no.

Me acerqué a la mesa e hice lo que me había recomendado. Cicero apagó la brillante luz del techo y la habitación adquirió un tono suave y dorado.

—Si quieres, también puedes cerrar la persiana, pero estamos en el piso veintiséis y aquí nadie te ve. Yo siempre duermo con la persiana abierta —explicó.

Cuando empezaba a marcharse, me volví y pregunté.

—¿Y tú?

—Yo, ¿qué?

—No irás a dormir en la mesa de exploración, ¿verdad?

—No, no te preocupes —respondió Cisco tras una carcajada—. Siempre me acuesto muy tarde.

—Pero...

—Si al final tengo ganas de acostarme, te despertaré y te echaré de la cama de una patada. No soy la madre Teresa.

Cuando hubo salido, me quité el jersey y los pantalones y me quedé en camiseta y ropa interior. Me pregunté si era correcto que me metiese en la cama o sería mejor que me tumbase encima. Una cama era algo muy personal, pero no quería despertarme al cabo de una hora muerta de frío.

Decidí, a modo de experimento, meterme entre la colcha y la manta, un punto intermedio que a mi mente embotada por el alcohol y el cansancio le pareció sensato, y apagué la luz.

Al cabo de un tiempo indeterminado, me desperté en la oscuridad. ¿Dónde demonios estaba? Oí voces masculinas adultas al otro lado de la pared y el sonido me llenó de un pánico que no comprendí. El ritmo del corazón, lento debido al sueño, se aceleró.

Entonces, entendí dos palabras, *pecho* y *fiebre**. Reconocí la voz de Cicero Ruiz y oí la tos ronca de un niño. Cerré
los ojos y me volví a dormir.

Cuando alcé de nuevo la cabeza, tuve la sensación de que
habían transcurrido muchas horas. Sin embargo, algo me
había despertado y miré a mi alrededor. Allí estaba la silueta de Cicero bajo una luz muy tenue y vacilante. Lo vi colocar una vela encendida en el estante de las fotos de familia, y ya había otra vela en la mesa, con la llama quieta y
estable.

—¿Qué...? —empecé a decir.

—Ha habido tormenta —explicó— y se ha ido la luz. Temía que te despertaras a oscuras en un sitio desconocido y
no encontraras el camino.

—¡Oh! —exclamé sentándome en la cama. Me froté la
cara—. ¿Qué hora es?

—Casi las dos —respondió.

—Lo siento —me disculpé—. Tendrías que haberme despertado.

—Bueno, pues ya estás despierta. ¿Has dormido suficiente?

—Sí —asentí—. Me encuentro mucho mejor. ¿Puedo
utilizar otra vez el baño?

Cicero me acercó la vela. Aparté la colcha y salté de la
cama. Cuando se me ocurrió sentir cierta timidez por el hecho de ir medio desnuda, ya era un poco tarde; por otro lado,
Cicero había visto de todo, que para eso era médico. Tomé la
vela que me ofrecía.

Ya en el baño, abrí el armario y encontré dentífrico. Me
puse un poco sobre la lengua y me froté los dientes y las en-

(*) Nota de los traductores: en español en el original.

cías con dos dedos. Luego la escupí y me enjugué la boca. Acto seguido, me mojé la cara. Aquel ritual me permitió sentirme de nuevo como un ser humano normal, gracias también a que el oído me dolía mucho menos. Me molestaba todavía, pero era una sensación mucho más soportable que el dolor agudo, las crepitaciones y los pinchazos del mediodía. Me aventuré a examinarme en el espejo. Esperaba descubrir unos ojos inyectados en sangre, pero me encontré con una mirada sorprendentemente clara.

Agarré la vela y volví a la habitación. La manera en que Cicero me miraba me resultó familiar.

—Me estás haciendo la prueba visual de la alcoholemia, ¿verdad?

—Quiero asegurarme de que estás en condiciones de conducir —respondió—. Siéntate y hablaremos un momento. Tengo que decirte dos cosas importantes.

Me senté en el borde de la cama y él se acercó.

—Primero: dentro de cuarenta y ocho horas quiero verte de nuevo para explorarte el oído y asegurarme de que se está curando bien.

Yo asentí.

—Segundo —prosiguió, cogiendo una hoja de papel—. Aquí tienes una receta de antibióticos. Es posible que tu cuerpo pueda superar esto sin penicilina, pero así lo hará más deprisa.

—Creía que tú no hacías recetas —comenté.

—Una paciente me ha traído el talonario —explicó Cicero—. Prefiero no saber de dónde lo ha sacado y no pienso utilizarlo, pero contigo haré una excepción. —Se detuvo un momento como para indicar que aquél era un asunto serio—. Te daré la receta, pero te impondré unas condiciones. Primera: no le dirás a nadie que aquí tengo un talonario. Yo nunca se lo cuento a nadie.

—No lo haré.

—Segunda: una receta de antibióticos no tiene por qué despertar las sospechas del farmacéutico. Las recetas fraudulentas no se utilizan para comprar antibióticos.

—¿Quieres decir que hay probabilidades de que me arresten si voy a comprarlos con tu receta?

—Las probabilidades son muy escasas. Por lo general, a la gente que falsifica recetas se la descubre enseguida porque no sabe llenarlas. Los médicos y los farmacéuticos se comunican entre sí con un lenguaje propio. No resulta fácil falsificarlo y, desde luego, ésta la he llenado correctamente, a excepción de un detalle: el número de colegiado no es válido —explicó—. Si el farmacéutico sospecha, entrará en la trastienda, llamará a la poli y te entretendrá hasta que llegue.

Menuda historieta sórdida sería: una detective del condado de Hennepin detenida por intentar comprar medicamentos con una receta ilegal.

—Así que, si tardan más de diez minutos en encontrar la medicina y te dicen que esperes, márchate —me aconsejó Cicero—. Y, ahora, la última condición: si te pescan, a mí no tiene que ocurrirme nada. —Hizo amago de quedarse la receta, como si estuviera regateando—. Ya tengo bastantes problemas; sólo faltaría que me arrestaran. Si me das tu palabra de que no me delatarás, la receta es tuya.

—Te doy mi palabra —prometí.

Me entregó el papel y lo cogí.

—Pero dime una cosa —murmuré—. ¿Por qué confías en mí?

—No lo sé —respondió—, pero el caso es que me fío.

Nos sumimos en el silencio. La luz titubeante de la vela junto a las fotos de familia daba al estante el aspecto de un altar consagrado a los espíritus de sus antepasados, aunque una de las imágenes era reciente. Allí aparecía Cicero en la que debía de ser su fiesta de graduación de la facultad. Su sonrisa se veía auténtica, no la especie de rictus forzado que adoptan muchas personas cuando se les pide que posen ante la cámara. Sacaba media cabeza como mínimo a la gente que lo rodeaba.

Media cabeza. Aparecía de pie. Su cuerpo no estaba impedido.

—¿Cuánto medías? —pregunté sin pensar.

—¿Media? —repitió.

—Lo siento —dije, y noté que se me encendía el rostro—. Lo que quería decir es que...

—No pasa nada.

El sonrojo empezó a remitir, pero agaché la cabeza y me fijé en que iba descalza.

—Tendría que marcharme.

—Sarah —dijo—, ¿te da miedo tocarme?

Era cierto. Estábamos sentados muy cerca el uno del otro y yo había evitado que nuestras extremidades se rozaran.

—Pues claro que no, por Dios —respondí—. Si acabas de explorarme...

—Pero ahí he sido yo el que te tocaba, y no al revés —objetó—. No es lo mismo. ¿Te molesta que sea paralítico?

—Estoy casada —susurré.

—Comprendo —asintió Cicero—. No llevas anillo de boda y tienes libertad para llegar a casa de madrugada pero, cuando me insinúo, de repente sales con que estás casada.

—Mi marido está en la cárcel —expliqué.

No me creyó, era evidente.

—Lo condenaron por el robo de un vehículo —añadí—. Está en prisión, en Wisconsin.

Su expresión no cambió pero, al cabo de unos instantes, dijo:

—Entonces, supongo que debes irte.

—No se trata de que seas paralítico —susurré. No sé por qué, pero quería dejarle claro aquel punto, así que apoyé una mano en su muslo. Fue una estupidez, un intento ridículo de corregir las cosas.

—No noto tu mano —dijo Cicero—, y no es preciso que hagas nada para demostrarme que eres una chica de mentalidad abierta, aunque si vas a tocarme, hazlo en algún sitio donde lo sienta. —Me agarró por la muñeca—. Voy a enseñarte algo.

Se levantó la camisa con la otra mano y dijo:

—Mucha gente piensa que el cuerpo de un parapléjico está dividido por una línea que separa la zona donde hay sensaciones de la zona donde no las hay, como la línea que divide la luz y la oscuridad en la luna, pero es más como el crepúsculo cayendo sobre la tierra.

Me llevó la mano a sus costillas.

—Aquí tengo sensibilidad normal —dijo. Deslizó su mano y la mía más abajo y añadió—: Aquí sólo noto la temperatura, pero no la presión. Y aquí... —continuó, llevando mi mano más abajo todavía—. Aquí, oscuridad total.

Sin dejar de mirarlo a los ojos, alcé la mano izquierda hasta el otro costado de su caja torácica y él me agarró de las caderas, atrayéndome hacia sí. No había más sitio adonde ir que la silla de ruedas y, con cuidado, puse mis rodillas a cada lado de sus muslos, en el borde de la silla, hasta quedar sentada a horcajadas encima de él.

Tener que alzar la cabeza para besar a una mujer no le creaba inseguridad y, cuando lo hizo, se sumergió en mi boca casi inmediatamente, explorándola con la lengua. Me sorprendió. Aquel beso profundo, invasor, procedente de alguien que era prácticamente un desconocido, resultaba inquietante y excitante a la vez, y sentí que algo se me arremolinaba en lo más hondo del estómago, como si fueran nervios, aunque en realidad se trataba de algo más cálido.

Nuestro tenue reflejo en el espejo del armario mostraba a un hombre, una mujer y una silla: un retablo sexual del que nunca había esperado formar parte. Hasta entonces, los hombres me habían llevado a su casa y a su cama, pero al subir a la silla de ruedas de Cicero me encontré en el mismísimo centro de su vida, casi de su cuerpo, y la situación me suscitó la pregunta de si Cicero tenía una percepción especial de lo que se sentía al ser penetrado.

La tercera vez que desperté, las llamas de las velas se habían hundido casi por completo en unos profundos pozos de cera. Ya no importaba. Al otro lado de la ventana, el cielo empezaba a encenderse con las luces que preceden al amanecer. Cicero dormía tan pegado a mí que sentía el calor de su piel. Fue una sensación reconfortante hasta que vi el viejo jersey de Shiloh colgado del respaldo de la silla de ruedas. Entonces sentí frío en el estómago, como si estuviera examinando un mapa en el que nada me resultase familiar.

115

Me deslicé de la cama despacio y me vestí en silencio. Guardé la receta e hice girar el pomo de la puerta despacio, como hace la gente que entra o sale a hurtadillas de un dormitorio.

Cuando habló, Cicero ni siquiera abrió los ojos. Tenía la voz pastosa de sueño.

—No ha sido más que un poco de compasión entre humanos, Sarah —dijo—. No permitas que te estropee la semana.

Nueve

*D*espués de ocho horas ininterrumpidas de sueño en casa, me desperté en mi dormitorio, caluroso y sofocante, deseando varias cosas a la vez: agua helada, una ducha muy caliente y algo de comer, aunque no sabía exactamente qué. Tras satisfacer mis dos primeras necesidades recreándome en la ducha, me sorprendió descubrir que tenía el oído mucho mejor. Ni siquiera me dolía. Sentía en él esa pesadez vacía que a veces sustituye al dolor, como cuando una jaqueca particularmente terrible se diluye y te libera por fin de la opresión a la que te tenía sometida.

Como hacía calor, me puse unos pantalones con las perneras cortadas por los muslos y una camiseta sin mangas, y fui a la cocina a echar un vistazo al mal aprovisionado frigorífico y a los armarios. No me apeteció nada de lo que vi. Fuera lo que fuese aquel extraño anhelo, no se trataba de los habituales antojos de café, azúcar, sal o carne roja. Salí al jardín por la puerta trasera.

La tormenta de la noche anterior había dejado el cielo limpio, a excepción de unas pocas nubes blancas hacia el oeste. El sol estaba ya muy alto, pero los olmos tamizaban la luz y sólo dejaban pasar unos pocos rayos. El gato siamés desnutrido del vecino recorría el césped, excesivamente crecido, de nuestro pequeño y descuidado patio trasero. Se detuvo, comprobó que yo no constituía ninguna amenaza y continuó su camino. Yo también seguí el mío hasta la puerta del sótano y descendí a la oscura estancia llena de telarañas.

Allí abajo, Shiloh guardaba lo que llamaba «las provisiones para el Juicio Final»: comida enlatada para ser consumida en caso de catástrofe natural, disturbios, ley marcial o ataque nuclear. Yo siempre había pensado que la comida que se conserva bien para casos de emergencia —los platos preparados, las sopas bajas en sodio, la leche en polvo y la fruta en almíbar— eran algo demasiado deprimente para tomarlo mientras el mundo se desmoronaba. Sin embargo, por extraño que resultase, fue allí donde encontré algo que calmó mi antojo: un frasco de compota de manzana y una lata de peras.

Cuando salía, en la penumbra, estuve a punto de tropezar con algo. Era una caja de trastos vieja y destartalada. Contenía las herramientas que, a diferencia de la llave inglesa o los alicates, no se utilizaban con asiduidad. No necesitaba abrirla para saber que contenía algo más: una pistola del calibre 25 sin registrar, chapada en plata barata.

Me la había entregado Deb, la hermana de Genevieve, hacía tanto tiempo que parecía que habían transcurrido cien años. Deb me había dado una explicación de lo más inocente: la pistola era una reliquia de la época que había vivido en un barrio conflictivo del este de Sant Louis. Hacía mucho que quería librarse del arma y yo le había prometido que me ocuparía de ello pero, inmediatamente después, la desaparición de Shiloh y nuestros problemas subsiguientes habían borrado de mi mente la promesa. Había escondido el arma en el sótano y allí se había quedado. En vista de las sospechas que había despertado en el caso de Royce Stewart, pensé que no podía llevarla al trabajo y entregársela a los técnicos de pruebas para que la destruyeran, y mucho menos ahora que Gray Díaz estaba en la ciudad.

Aparté la caja con el pie y decidí que debía ocuparme de la pistola cuanto antes, pero no ese día.

117

De vuelta en la cocina, me comí toda la lata de peras con un poco de queso rallado encima. Ya había empezado la compota de manzana cuando oí que llamaban a la puerta.

Los visillos de la mitad superior de la puerta eran muy finos y a través de ellos divisé un ancho torso masculino. Los aparté un poco y vi que se trataba del detective Van Noord, a quien había pedido disculpas el día anterior al marcharme apresuradamente del trabajo.

—¿Qué sucede? —pregunté, abriendo la puerta.

—Me ha enviado Prewitt para ver si estabas aquí —respondió—. No podíamos contactar contigo.

—Es mi día libre —repliqué—. ¿Ocurre algo?

Me refería a alguna emergencia o peligro para la seguridad pública, situaciones en las que se necesita a todos los agentes, pero era una tarde tranquila y no se oían sirenas en la distancia.

—No, nada de eso —respondió Van Noord—, pero ayer te fuiste tan de repente, a medio turno, que Prewitt se quedó preocupado. Me ha pedido que comprobara que estás bien.

—Estaba enferma —expliqué lisa y llanamente—. Ayer te lo conté.

—Sí, ya lo sé, y yo se lo he dicho a él, pero de todos modos me ha pedido que me pusiera en contacto contigo. Como no te localizaba, ni en el móvil ni en el busca...

—¿Y por qué no has llamado al teléfono de casa? —me extrañé.

—Lo hice, pero comunicabas.

—Lo tengo descolgado. —Recordé la decisión que había tomado al volver a casa de madrugada—. Lo siento, no era mi intención preocupar a nadie.

De todos modos, seguía pareciéndome absurdo que Prewitt hubiese mandado a Van Noord a casa.

—¿Os falta gente? —pregunté de nuevo—. Ya me siento mucho mejor que ayer. Si me necesitáis...

—No, no —aseguró, rechazando mi ofrecimiento con un ademán—. Tú te quedas en casa y cuidas bien ese oído. Pero podrías conectar el móvil... Por si te necesitamos.

—Cuenta con ello —asentí.

Cuando se marchó, fui a la cocina y colgué el teléfono. Luego me serví agua y tomé la primera dosis de antibiótico. Los había comprado al salir de casa de Cicero, en una farmacia de esas que están abiertas las veinticuatro horas, ante cuyo mostrador había esperado con un aire de despreocupación tan forzado que cualquiera que hubiese prestado atención se habría dado cuenta de mi paranoia.

El mundo se había vuelto loco, pensé. Yo iba a comprar antibióticos con una receta falsa y el teniente Prewitt mandaba a sus detectives a controlar al personal enfermo. La persona más cuerda con la que había tratado en las últimas cuarenta y ocho horas era Cicero Ruiz.

Cicero. Éste sí que era un problema.

En el breve tiempo que hacía que lo conocía, no sólo lo había visto realizar un reconocimiento y ofrecer consejos médicos, sino también llevar a cabo algo que podía calificarse de cirugía menor. Luego, me había confiado que tenía un bloc de recetas y me había extendido una. Yo sólo contaba con su palabra de que lo mío era una excepción. Cicero se había inculpado completamente y por su propia voluntad, como si yo le hubiera escrito un guión y él se hubiese limitado a seguirlo. Pero no podía delatarlo, al menos de momento, porque había dado mi palabra de que no lo haría.

Él había conseguido arrancarme aquella palabra sólo con respecto a la receta ilegal y a la posibilidad de que me pillasen con ella pero, en principio, mi promesa había sido más amplia. «A mí no tiene que ocurrirme nada», había dicho Cicero. Y yo le había prometido que no tendría problemas con la ley por mi culpa.

Aun en el caso de que no hubiera hecho esa promesa, ¿me encontraría ahora en terreno más firme? El quid de la cuestión era mi propia conducta. Yo no había fingido la infección de oído; había acudido a Cicero para que me curara y había aceptado los cuidados médicos que me había dispensado, lo cual, éticamente, equivalía a comprar mercancía robada a un perista o hacer apuestas con un corredor ilegal. Además, había participado en un fraude de recetas. Y por si fuera poco, había mantenido relaciones sexuales con un sospechoso.

La cuestión era que ahora no podía delatarlo. Me había saltado demasiadas normas.

Diez

—*L*o siento mucho —dije.

Me encontraba a la puerta de los Hennessy. Más menuda de lo que la recordaba, Marlinchen había acudido a abrirme con unos vaqueros descoloridos y una especie de camiseta infantil que llevaba un corazón dibujado en el centro. Con circunspecta paciencia, había escuchado mis excusas por haberme retrasado veinticuatro horas en nuestra cita, a causa de la afección del oído.

No había vuelto a acordarme de mi promesa de ir a verla y hablar con ella hasta la tarde anterior a última hora. Lo que me hacía sentir peor era que, cuando había mirado los mensajes en el móvil, no había encontrado ninguno de ella. Sin duda, me había tomado por uno de tantos adultos para los que ella y sus problemas eran insignificantes.

—Creía que había cambiado de idea —adujo Marlinchen—. Como insistió tanto en que el caso de Aidan no es de su jurisdicción...

—Sí, pero no iba a darte el esquinazo. ¿Puedo pasar, o he llegado en un mal momento?

—Pase —dijo Marlinchen, haciéndose un lado para que entrase en el recibidor—. Pero pensaba que trabajaba por la tarde y por la noche.

—Sí, pero hoy es mi día libre —expliqué—. En cualquier caso, pronto volveré a hacer turnos de día.

Marlinchen me acompañó a la cocina y a la sala familiar

donde habíamos estado antes. No se oía ruido de actividad en ningún rincón de la casa pero, por la vitalidad que se respiraba en el aire, los niños debían de rondar por allí.

La cocina estaba ocupada, pero no por una persona que estuviera cocinando o comiendo. A quien vi allí fue a Donal, sentado en una silla bajo cuyas patas había sendos tomos de enciclopedia y envuelto en una toalla de playa que le cubría el pecho y los hombros. En la mesa cercana había unas tijeras y en el suelo, alrededor de las patas de la silla, se veía una pequeña corona de cabellos castaño claro.

—Donal, te acuerdas de la detective Pribek, ¿verdad? —dijo Marlinchen, cogiendo las tijeras.

—Hola —me saludó Donal.

—Hola, ¿qué tal? —respondí yo. Al estudiarlo más de cerca, vi que no aparentaba los once años que tenía y que su rostro todavía poseía la piel suave y rosada de la infancia.

—Tal vez debería esperar a que terminaras de cortarle el pelo —sugerí, volviéndome hacia Marlinchen—, antes de comentar lo que hablamos el otro día.

—Todos mis hermanos están al corriente de la situación —replicó—. Podemos hablar ahora.

—Muy bien —asentí—. Empecemos con una pregunta general: ¿por qué Aidan no vivía en esta casa?

—Papá es viudo. —Marlinchen peinó con los dedos los cabellos de Donal hasta que encontró un mechón que sobresalía y lo cortó—. Criaba a cinco niños pequeños. Eran demasiados —añadió—. Aidan era el mayor y el mejor preparado para adaptarse al mundo exterior.

—Creía que Aidan y tú erais gemelos —comenté.

—Siempre cometo el error de decir que Aidan es el mayor —comentó Marlinchen con una sonrisa—. No sé por qué, ya que sólo nació cincuenta y siete minutos antes que yo. —Alisó el pelo de Donal encima de la oreja, cogió otro mechón grueso y lo cortó—. Además, es irónico, porque

Aidan tuvo que repetir cuarto curso y, desde entonces, mucha gente pensaba que era menor que yo.

Aquello no me decía nada e intenté volver a mi pregunta.

—¿Y ésa fue la única razón de que lo mandaran lejos de casa? —reiteré—. ¿Que tu padre tenía demasiados hijos que mantener?

—¿Tiene usted hijos, detective Pribek? —preguntó Marlinchen. En su voz se advertía el leve tono condescendiente que utilizan las madres cuando formulan aquella pregunta a sus amigas solteras.

—No —reconocí.

—Claro. Yo tampoco, pero sé que es muy difícil criar a cinco niños si estás solo. Papá lo intentó, pero no podía con todo: sus clases, su carrera literaria... A veces también sufría unos dolores muy intensos, una hernia discal. Tenía episodios que lo dejaban casi incapacitado. —Cayó otro mechón de cabello—. Después padeció una úlcera, supongo que de la tensión de tener que trabajar y cuidar de la familia.

—Ya... —dije, evasiva—. ¿Cuándo fue la última vez que recibisteis noticias de Aidan?

—En realidad, nunca las hemos tenido —respondió Marlinchen. Tenía los ojos clavados en su trabajo—. La última vez que lo vi fue cuando se marchó a Illinois.

Otra mecha fina de pelo castaño cayó suavemente al suelo.

—¿Illinois? —inquirí.

—Antes de irse a Georgia, vivió con nuestra tía Brigitte en una casa a las afueras de Rockford, Illinois —explicó Marlinchen—. Se habría quedado allí, pero tía Brigitte murió al cabo de cinco meses y entonces fue cuando Pete Benjamin se ofreció para acoger a Aidan en su granja.

—¿De qué murió tu tía?

—Tuvo un accidente de coche.

—Y tu padre y Pete Benjamin, ¿de qué se conocen? —pregunté.

123

—Se criaron juntos en Atlanta —contestó—. Pete heredó muchas tierras y se dedicó a trabajarlas. Papá fue a la universidad y el resto ya lo conoce. —Hizo una pausa para concentrarse y siguió cortando mechones—. Creo que papá pensó que Aidan aprendería mucho viviendo en una granja. Papá dejó la universidad a los veinte años y tuvo muchos trabajos distintos, muchos de ellos manuales y algunos en el campo. Dijo que había aprendido más sobre la vida trabajando por ahí que en la universidad.

Marlinchen peinó a Donal con raya en medio y estudió cómo quedaba el corte.

—¿Lo ve igualado, detective Pribek?

—Sí. Creo que sí.

—Venga, cariño, ya está. —Marlinchen le quitó la toalla de playa.

—Por fin —dijo Donal—. ¿Puedo comerme un polo?

—Sí, supongo que sí —respondió su hermana.

Mientras Donal asaltaba el frigorífico y se marchaba, pregunté a Marlinchen:

—¿Sabes algo de los amigos de Aidan en Georgia, o de sus aficiones? ¿Dónde puede haber ido?

—Ya me gustaría —dijo Marlinchen sacudiendo la cabeza—. Quizá el señor Benjamin pueda ayudarla en eso.

—Buena idea. Necesitaré su teléfono. Y también me convendría tener una foto de Aidan.

Arriba, la primera puerta del pasillo daba a la habitación de Marlinchen. Una vez dentro, la muchacha se sentó en el suelo con las piernas cruzadas y, deslizando la mano debajo de la cama, sacó una caja de madera cubierta de polvo y abrió la tapa.

—Sólo tardaré un momento —aseguró.

Mientras Marlinchen rebuscaba en el interior de la caja, yo estudié su alcoba. Estaba limpia y ordenada; no esperaba encontrarla de otra manera. La cama estaba perfectamente hecha y cubierta con una colcha de ganchillo de color crema. El escritorio, pintado del mismo color, estaba orientado hacia la ventana y en él destacaba un juego de escritorio listo para usar, decorado con una pluma de avestruz al estilo antiguo. Era bonito pero, sin duda, en realidad trabajaba con el ordenador portátil, que, por su aspecto moderno, rompía con la estética de la mesa.

—¿Te dedicas a escribir? —pregunté—. Aparte de los trabajos de clase, quiero decir.

—No —respondió Marlinchen, sacudiendo la cabeza y sin levantar la vista de la caja—. Es Liam quien escribe.

Sobre la cómoda había dos fotos enmarcadas. Una de ellas era una instantánea de Marlinchen entre sus compañeros de clase en lo que parecía una excursión escolar a un partido de los Twins, y en la otra aparecía con sus tres hermanos menores junto a un arroyo. Para tratarse del dormitorio de una adolescente de clase media, el número de recuerdos de valor sentimental era sorprendentemente reducido. Debido a mi trabajo en Personas Desaparecidas, había estado en unos cuantos dormitorios de chicas adolescentes y había visto exposiciones que me habían hecho desear ser accionista de la Kodak: ligues, fiestas de final de curso, excursiones escolares o fines de semana en casas de amigas, todo grabado para la posteridad en instantáneas.

La voz de Marlinchen interrumpió mis cavilaciones.

—Aquí hay una de Aidan.

La foto Polaroid mostraba a un niño de unos once años, de pie, junto a un columpio que colgaba del sauce que yo había visto en el otro extremo del jardín. Era obvio que el muchacho de la foto iba a ser muy alto, más alto que Hugh Hennessy, pensé. Y aunque era un detalle que no saltaba a la vista, si te fijabas, veías un pequeño nudo de carne rosada en el lugar donde tendría que haber estado el dedo meñique.

Por lo demás, Aidan Hennessy era guapo, rubio, con los ojos azules como su hermana, y posaba con expresión seria.

—Oye —le dije—, ¿y no tienes una foto más reciente de tu hermano?

—No. ¿Es un inconveniente?

—Sí. Entre los doce y los diecisiete años, los jóvenes cambian mucho. Se les oscurece el cabello y, al perder la grasa infantil, la forma de la cara también varía. A veces engordan, y además, se decoloran el pelo, se lo tiñen y se hacen *piercings*.

—No creo que Aidan haya hecho nada de eso —replicó su hermana—. Y además, es muy fácil identificarlo. No hay más que mirarle la mano.

—Sí, supongo que tienes razón —convine—. Por cierto, ¿qué sucedió?

—Le mordió un perro —respondió Marlinchen.

—¡Huy! —exclamé—. ¿Cuántos años tenía?

—Tres, quizá cuatro —respondió Marlinchen—. No recuerdo gran cosa del incidente, salvo que estuvo mucho tiempo en el hospital y que, cuando volvió, su mano me daba miedo. Me echaba a llorar y no quería jugar con él.

—¿De veras? —me extrañé. Sin embargo, tal vez no fuera tan raro que una niñita reaccionara así ante la terrible lesión de su hermano—. Dime una cosa más: ¿cómo descubriste que Aidan había escapado de la granja de Georgia?

—Ah, eso —asintió Marlinchen—. Por correo electrónico. Después de que papá tuviera el ataque, durante unos días pasé mucho tiempo aquí, revisando sus papeles, los informes financieros y demás. Leí los mensajes de su ordenador y entre los que guardaba en la carpeta había unos que se enviaron hace un año. Ya sabes, esos que se quedan sin borrar.

—¿Y tienes su contraseña?

—No, la contraseña aparece automáticamente en el momento en que te conectas, en forma de asteriscos. Sabes a qué me refiero, ¿no?

—Sí —asentí.

—Lo único que tienes que hacer es darle a la tecla de «aceptar» —Marlinchen extendió la pierna que tenía cruzada bajo el otro muslo—. No es que leyera todos los mensajes, pero el asunto de éste, «Aidan», me llamó la atención. Lo abrí y vi que era una respuesta de Pete a papá, y que debajo estaba el mensaje original de mi padre.

¿Un granjero con correo electrónico? Bueno, ¿y por qué no?

—Los mensajes trataban sobre la fuga de Aidan. Me parece que hubo un malentendido con respecto a quién debía informar a la policía y, temiendo que ninguno de los dos lo hubiera hecho, me decidí a llamar al agente Fredericks, de Georgia.

Por lo que me había contado Fredericks, la comunicación entre Pete Benjamin y Hugh Hennessy no dejaba lugar a malentendidos: quedaba muy claro que Hugh se haría cargo del asunto de la fuga de su hijo. Sin embargo, no quise sacar el asunto a colación.

—Marlinchen —apunté, en cambio—, el agente Fredericks me dijo que Aidan ya había huido en otra ocasión y había regresado a Minnesota.

La chica asintió.

—Y tu padre lo mandó de vuelta, ¿verdad?

Marlinchen asintió de nuevo, con la vista fija en el suelo.

—¿Sabes si se fugó por algún motivo concreto? —quise saber.

Respondió que no con la cabeza.

—¿Estás segura? —la presioné.

—Supongo que nos echaba de menos. Se presentó en casa y papá lo envió de vuelta a Georgia, eso es todo. —Se mordió el labio inferior—. Detective Pribek, antes le he dicho que no sé nada de la vida que lleva Aidan y que no tengo noticias suyas... Soy consciente de que tal vez le parezca extraño que a Aidan lo enviaran lejos de casa y que hayamos tenido tan poco contacto con él, pero después de la muerte de mamá... Cambian tantas cosas en una familia después de que suceda algo así... A la gente le cuesta comprenderlo y creo que yo no consigo explicarme muy bien.

—No, no es tan difícil de comprender como crees —comenté—. Mi madre murió cuando yo era pequeña y después, al cumplir los trece años, mi padre me envió a Minnesota a casa de una tía abuela a la que no había visto nunca. Quizá suene muy triste, pero al final a mí me fue bien.

—Entonces, lo comprende —concluyó Marlinchen con un tono casi de alivio en la voz—. Veo que tenía razón cuando decidí que podía confiar en que usted me ayudaría.

—No estoy en condiciones de hacer gran cosa —advertí—. Me limitaré a buscar por teléfono y por ordenador una información que tú tardarías mucho más tiempo que yo en encontrar. No puedo ir a Illinois o a Georgia.

—Lo sé —se apresuró a decir Marlinchen—. Haga lo que haga, por poco que sea, se lo agradeceré.

—Entonces necesito hablar con tus hermanos.

El chico que estaba viendo la televisión en la sala era Colm. Cuando volví, allí seguía, tumbado en el sofá, vestido con un pantalón de deporte y una camiseta.

—Hola —dijo sin mirarme a los ojos.

La gran pantalla del televisor mostraba unos ejercicios de tiro al aire libre con un telón de fondo de frondosa vegetación que bien podía corresponder a la Costa Este. Hombres y mujeres jóvenes con camisa azul rodaban por el suelo, alzaban las armas y disparaban rápidamente a unos objetivos en forma de silueta negra.

—Es un especial sobre Quantico —explicó Colm—. Ahí es donde se preparan los agentes del FBI.

—Lo sé —repliqué, mirando la pantalla. Durante un instante, toda la juventud, corrección y promesa que los futuros agentes parecían encarnar, en un momento en que lo mejor de sus vidas profesionales estaba a punto de comenzar, me dejó paralizada y, durante unos segundos, se me encogió el ánimo ante aquellas imágenes.

Sacudí la cabeza para ahuyentarlas, me volví hacia Colm y le dije:

—¿Podrías apagar la tele un par de minutos? Me gustaría hacerte algunas preguntas sobre tu hermano.

Colm rodó del sofá al suelo para apagar el televisor con el mando a distancia y yo me senté y abrí el bloc de notas.

—¿Cuándo fue la última vez que viste a Aidan?

—Cuando se marchó —respondió, sentándose en el otro extremo del sofá.

—¿Y desde entonces? ¿Alguna carta, alguna llamada telefónica?

Colm negó en silencio y se mordisqueó una uña.

—Por lo que sabes de él, ¿dónde crees que puede haber ido después de escapar?

Colm sacudió la cabeza de nuevo.

—¿Podrías decirme por qué lo envió tu padre a otra casa, en vez de mandar a los dos hermanos gemelos o a uno de los pequeños?

—No lo sé —respondió Colm tras encogerse de hombros.

—¿Nunca te lo has preguntado?

—Entonces yo tenía nueve años —contestó—. Nadie me contó nada.

—Gracias —dije, cerrando el bloc de notas.

—¿Eso es todo? —se sorprendió.

—Sí. —Me puse en pie.

—Pero si no ha apuntado nada —objetó Colm.

—Este tipo de cosas como «no lo sé» o «tenía nueve años» no las anoto.

Colm parecía un tanto avergonzado.

—Si no has hablado con él ni has tenido noticias suyas, poco puedes contarme nada que yo no sepa —expliqué.

El chico encendió de nuevo el televisor. En la pantalla, los futuros agentes estaban aprendiendo a desmontar y limpiar sus armas. Me pregunté si a Colm Hennessy le llamaba la atención el trabajo policial, como ocurría con muchos chicos de su edad.

—Allí, en Quantico, sen especialistas en el adiestramiento con las armas —le conté.

—Y usted, ¿qué pistola usa? —Apartó de la tele sus ojos azul claro y me miró.

—Una Smith & Wesson del calibre cuarenta.

—¿Y no es demasiada pistola para una mujer? —comentó.

—¿Cómo dices? —pregunté, aunque lo había oído perfectamente.

—Es una pistola muy grande —se limitó a decir, encogiéndose de hombros.

Estuve a punto de contarle que había sido la segunda mejor tiradora de mi promoción en la Academia. Sin embargo, que una detective del condado se enzarzara en una confrontación verbal con un chico al que debía de doblar en edad no haría sino rebajar su dignidad, por lo que me mordí la lengua y pregunté:

—¿Te interesa el tiro?

—En realidad, no —respondió Colm—. Papá detesta las armas. En casa no tiene ninguna, ni siquiera para cazar. —Volvió a encogerse de hombros—. No importa. A mí me interesa más la lucha cuerpo a cuerpo.

Su tono despectivo me resultó irritante y me hizo saltar:

—¿Con qué? ¿Con el mando a distancia del televisor?

Colm me miró en serio por primera vez, como si le hubiera mordido algún bicho que él había creído que no tenía boca. Desconcertado, apretó los labios y respondió:

—No, pero tengo un saco de boxeo. Y también unas pesas, en el garaje del fondo.

Encontré a Liam Hennesy en el piso de arriba, sentado ante el ordenador del estudio de su padre. Obtuve las mismas respuestas que me había dado Colm, sólo que con más palabras. Liam tampoco había tenido noticias de Aidan ni le había escrito desde que su hermano se marchó a Illinois, y también creía que lo habían enviado fuera de casa porque su padre no podía ocuparse de sus cinco hijos.

—Me parece raro que Aidan no venga en verano —señalé—, o por Navidad.

Liam miró fijamente la pantalla del ordenador, como si la respuesta estuviera allí. La luz azulada se reflejaba en sus gafas.

—En una granja, en verano es cuando hay más trabajo —adujo—, y no creo que Pete pueda prescindir de él. En cuanto a las Navidades, supongo que papá creía que Aidan necesitaba adaptarse a la granja de Pete y hacerse a la idea de que ese era su hogar.

—¿Durante cinco años? No dejarlo venir de visita durante tanto tiempo me parece casi cruel.

Liam asintió despacio. Era obvio que se sentía incómodo.

—Me gustaría poder contarle más —añadió—, pero yo era muy pequeño cuando ocurrió todo. En realidad, nunca me lo han explicado con detalle.

—De acuerdo, pero si se te ocurre algo...

—Se lo haré saber —se apresuró a concluir.

Me puse en pie y Liam llevó de nuevo las manos al teclado, como si estuviera ansioso por refugiarse en lo que estaba escribiendo cuando lo interrumpí. Me di cuenta de que tal vez no eran los deberes escolares lo que lo tenía tan absorto. Marlinchen había dicho que, de los hermanos, Liam era el aspirante a escritor.

Cuando ya me iba, me detuve en el umbral de la puerta. Me fijé en que el borde de la moqueta, el que se unía con la del pasillo, formaba una línea irregular y estaba deshilachado, como si quien la había instalado la hubiera cortado sin mucho cuidado con una navaja multiusos.

—¿Qué le ha ocurrido a la moqueta, aquí?

—Lo hizo papá. Fue él quien la instaló. Si se fija, todos los bordes están igual —respondió con una expresión divertida—. Ya nos hemos acostumbrado.

—No te lo tomes a mal, pero ¿había bebido cuando se dedicó a hacer estas reformas en la casa?

No era una pregunta tan intrascendente como mi tono de voz daba a entender. Cuando en una familia hay problemas, es bueno saber si el alcohol está presente.

Liam sonrió. Mi pregunta no lo había inquietado.

—No lo sé —dijo—. Me refiero a que puso esa moqueta hace muchísimo tiempo, antes de que yo naciera. Pero lo que sí sé es que nunca ha bebido mucho y que lo dejó por completo hace unos años. Sólo por motivos de salud, no porque fuera un problema.

—¿Le han ayudado los chicos? —preguntó Marlinchen mientras me acompañaba hasta el coche.

—Sí, han colaborado —respondí. A decir verdad, no me habían contado nada útil, pero tampoco habían parecido deliberadamente reacios. Para no dejarme a nadie, antes de irme había hablado también con Donal, pero él apenas recordaba a su hermano mayor y en tres minutos terminé con él.

Un gato blanco salió de entre la hierba, se acercó a Marlinchen y se puso a trazar figuras en forma de ocho en torno a sus tobillos al tiempo que presionaba su cabeza trapezoidal contra las piernas de la muchacha.

—¿Es amigo tuyo? —pregunté.

—Es *Bola de Nieve* —asintió—, nuestra gata. Ahora, de día, apenas la veo. Se va por ahí.

Se agachó para pasar una mano por el lomo arqueado de la gata y se incorporó otra vez.

—Pues aquí tiene mucho espacio —comenté, mirando a mi alrededor. Entre la casa de los Hennessy y la de sus vecinos había una gran parcela de campo abierto.

También me fijé en la construcción, separada de la casa, que al principio había tomado por una cochera del siglo XIX. Debía de ser lo que Colm, cuando había hablado del lugar donde guardaba su equipo deportivo, había llamado el «garaje del fondo». Marlinchen y yo nos hallábamos cerca del árbol que se alzaba solitario a orillas del lago. En esta zona crecían por doquier los arces, además de unos abetos más pequeños y unos fuertes y resistentes pinos de corta altura, y las lilas, muchas de ellas todavía en flor, eran los arbustos más lucidos. Aquel árbol, sin embargo, era muy distinto. Perteneciente a una especie ornamental, era evidente que había sido plantado a propósito en aquel lugar solitario. No recordaba haber visto ninguno parecido, aunque sus flores de color crema, similares a las orquídeas, me resultaron vagamente familiares.

—¿Qué árbol es ése? —inquirí.

—Un magnolio —respondió Marlinchen.

—¿De veras? No sabía que crecieran tan al norte —comenté.

—Cuando los de la agencia inmobiliaria enseñaron la casa a mis padres, ya estaba aquí. —Marlinchen se había vuelto hacia el árbol—. Fue lo que convenció a mi madre de que ésta era «la» casa. —Oí una sonrisa en la voz de Marlinchen—. Mis padres se conocieron en Georgia. Mamá pensó que era cosa del destino.

133

Once

«*P*equeño. Era pequeño. Era demasiado pequeño para acordarme.»

Éste era el estribillo que obtenía de los niños Hennessy y, para ser justa, probablemente era cierto. Ya era hora de conocer el punto de vista de algún adulto sobre la situación de los Hennessy pero, dado que Hugh estaba incapacitado y la madre había muerto, no encontraba ninguno.

Hugh Hennessy, sin embargo, no era un ciudadano corriente. Era un escritor famoso. Por lo menos, tenían que existir crónicas de su vida a las que yo pudiera acceder. Para eso, lo mejor era dirigirme a la biblioteca de la Universidad de Minnesota.

Empecé haciendo una búsqueda de su nombre en Internet. Descubrí que había escrito tres libros y que habían transcurrido varios años entre sus respectivas publicaciones. Se consideraba que los tres eran, en buena parte, autobiográficos. El primero, *Crepúsculo*, era una denuncia del matrimonio de sus padres, una pareja que se había marchitado lentamente en un barrio periférico de Atlanta. El segundo, *El canal*, era la historia de sus antepasados en Nueva Orleans y se llamaba así en honor del barrio del Canal Irlandés de la ciudad. Cuando Marlinchen lo había mencionado, el título me había sonado vagamente familiar y por fin averigüé por qué: había sido su libro más famoso, alabado por muchos críticos por ser romántico sin caer en sentimentalismos y porque afrontaba decididamente los prejuicios americanos sin caer en la autocompasión.

El tercer libro de Hennessy, *Un arco iris en la noche*, fue considerado por muchos una recreación narrativa de su propio matrimonio, que había terminado con la muerte de su esposa a la edad de treinta y un años. El título procedía de un pensamiento del protagonista, que expresaba hacia el final del libro, y decía que en otro tiempo había tenido «un sueño de amor muy hermoso pero, en última instancia, imposible, como un arco iris en la noche».

En una de las reseñas que encontré en la red había una foto. En ella vi una imagen más joven del inválido que había encontrado durmiendo en el hospital Park Christian. Mostraba a un hombre delgado con un fino cabello color arena y los ojos azul muy pálido. Si bien no parecía tenso, se notaba que no estaba cómodo. En el sitio web de su editorial también encontré su biografía, sacada de la solapa de *Un arco iris*.

Con su primera novela, *Crepúsculo*, publicada a los veinticinco años, Hugh Hennessy brinda a los americanos un relato admonitorio sobre los peligros de la asimilación y de la movilidad en la escala social, ambientado en un barrio a las afueras de su Atlanta natal. Su novela siguiente, cuyos protagonistas son sus antepasados irlandeses, recibió elogios de la crítica, tuvo millones de lectores entusiastas y fue adaptada al cine. Hennessy ha sido profesor invitado y escritor residente de varias universidades americanas. Vive con sus cuatro hijos en Mineápolis, Minnesota.

Sin embargo, me equivocaba al suponer que, entre los documentos que obtuve tras la búsqueda, encontraría entrevistas. Una frase frecuente en los reportajes y reseñas decía poco más o menos: «Hennesy, que prefiere que su literatura hable por él...» Aquí y allá aparecían referencias a «una entrevista de 1987» o a «una entrevista de 1989». Según toda la información que consulté, Hugh había concedido su última entrevista en 1990. Descubrí, sin embargo, referencias a artículos en revistas y éstas las encontré en los estantes.

El artículo más largo, «Un arco iris en la penumbra», lo había escrito un antiguo periodista de la Pioneer Press, llamado Patrick Healy, para el dominical del *New York Times* coincidiendo con la publicación de *Un arco iris en la noche*. Empecé por aquí y luego leí otros dos artículos aparecidos en revistas de difusión nacional.

He aquí la historia que hilé con todo aquello:

Hugh Hennessy nació en 1960 en un barrio acomodado de Atlanta. Su padre era un cardiocirujano que había jugado a fútbol americano en la universidad y cuyas aficiones de adulto habían sido la caza y la pesca. Su madre nunca trabajó fuera de casa. Si el matrimonio pasaba por dificultades, como Hugh dio a entender más tarde en *Crepúsculo*, no se trataba del tipo de problemas que implican una visita de la policía. Durante su juventud, Hugh tampoco fue conflictivo, al menos no tenía antecedentes policiales ni constaba nada al respecto en su expediente académico. Hugh destacó en todos sus estudios. Aunque su constitución delgada no le permitió formar parte del equipo de fútbol, fue un luchador agresivo que logró buenas marcas en su categoría de peso.

A pesar de la posición acomodada de sus padres, el Emory College le concedió una beca académica parcial. Fue en el Emory donde Hugh Hennessy conoció a los que se convertirían en sus más fieles compañeros. Uno era J. D. Campion, un muchacho medio indio lakota de Dakota del Sur y también estudiante de literatura. La otra era Elisabeth Baumann, alemana de nacimiento, que estudiaba antropología y folclore.

Durante los dos primeros cursos formaron un terceto inseparable. Después, Campion y Hennessy dejaron los estudios, para consternación de los padres de Hugh, y ambos decidieron recorrer el país, como habían hecho los jóvenes literatos de la generación anterior.

La víspera de su partida, Hennessy se casó con Elisabeth Baumann. Ambos tenían diecinueve años y aquellas prisas dieron origen a una serie de rumores acerca de que ella estaba embarazada, unas habladurías que con el tiempo se demostraron infundadas. Al parecer, la prisa de la boda se debía a motivos emocionales, no físicos. Ella continuó asistiendo a clase, con una sencilla alianza de plata en el dedo y sin que le creciera la tripa, mientras Hennessy se embarcaba en un viaje de descubrimiento de sí mismo en compañía de Campion.

Refinaron taconita en las montañas de Minnesota; cosecharon trigo en Dakota del Sur; trabajaron en los astilleros de Duluth, otrora ciudad fronteriza sin ley; viajaron al sur para conocer Nueva Orleans, donde los bisabuelos de Hennessy se habían establecido al llegar a América, y trabajaron en los muelles. Allí, fueron arrestados en una pelea que estalló en un bar de clase obrera. Juzgándolos con benevolencia, se habría dicho que se dedicaban a recoger material para sus futuros libros, pero si se contemplaba la situación con algo más de cinismo, lo que hacían era crearse una leyenda.

En el reportaje de Healy había fotos tamaño carnet de su estancia en Nueva Orleans. Campion, moreno y delgado, aparecía resignado y huraño, pero Hennessy sonreía.

Aquella sonrisa me tuvo intrigada un minuto pero, de repente, comprendí: a Hugh Hennessy, chico de clase media bien educado, le habían dicho toda su vida que sonriese cuando le tomaran una fotografía y el gesto le salía automáticamente.

En algún momento de ese período, Hennessy comenzó a trabajar en *Crepúsculo*, para el que se inspiró en el tipo de vida que, como miembros de la clase media, llevaban sus padres en Atlanta. Al cabo de un tiempo, se sintió tan seguro de las posibilidades de la novela que regresó a su ciudad para terminarla e intentar publicarla. Elisabeth, que ya se había graduado, mantuvo económicamente a su marido mientras éste concluía su primera obra en pleno frenesí creativo y la mandaba a distintos agentes. Por entonces tenía veinticuatro años. Al cabo de un tiempo, le compraron los derechos de publicación y *Crepúsculo* se presentó en las librerías, siendo aclamado por los críticos como una «obra singular».

Como recordaban los amigos de los padres de Hennessy (cuando Healy hizo el reportaje ambos habían muerto ya), el libro propició que las relaciones entre éstos y el hijo se enfriaran por completo. No fue ninguna sorpresa. Lo que sí sorprendió a Hennessy fue la acogida que tuvo la novela en su ciudad natal.

«*Crepúsculo* fue interpretado, o tal vez malinterpretado, como una condena sin paliativos de las costumbres y prioridades del nuevo Sur —escribió Healy—. Las reseñas del libro fueron claramente mas frías en la prensa del Sur. Es fácil imaginar cómo encajaron la novela los amigos y vecinos de Hennessy en Atlanta y, haciendo bueno el dicho de "nadie es profeta en su tierra", se fue a vivir lo más al norte que pudo, a Minnesota.»

Mineápolis constituyó un nuevo capítulo en la vida de los Hennessy. Cuando el dinero de las ventas de *Crepúsculo* empezó a llegar, Elisabeth dejó de trabajar y volvió a la universidad para completar los estudios de licenciatura. La pareja compró una casa en el lago Minnetonka y Hugh comenzó a trabajar en su segundo libro.

En él utilizó de nuevo personajes de ficción, aunque se inspiró en su árbol genealógico. Los protagonistas de *El canal* «tienen una vida sucesivamente alegre y tormentosa, mientras que la atmósfera de *Crepúsculo* es asfixiante». Los inmigrantes Aidan y Maeve Hennessy tuvieron varios hijos y el escritor se entretuvo con la vida de todos, aunque los dos personajes de la familia que más le atrajeron fueron dos tíos abuelos que, en su tiempo, fueron elementos destacados del hampa de la ciudad. El mejor —o peor— momento de este par llegó cuando participaron en una audaz serie de asaltos a camiones por los que nunca llegaron a detenerlos. Si Hugh se cuestionó moralmente alguna vez tal estilo de vida o si se planteó que podían haber encontrado alternativas a aquella existencia de robos y violencia, en *El canal* no aparecen dichas reflexiones. Dejándose llevar por la atracción que sienten los escritores hacia los objetos del mundo de la ficción, compró dos revólveres restaurados como los que sus tíos abuelos habían utilizado. En una foto del estudio de Hugh publicada en uno de los reportajes aparecían esas armas.

El canal consolidó su fama de escritor de prestigio. Fue una de esas raras obras de la narrativa actual aplaudida por los mejores críticos y leída en los metros y en las playas. Llegó al número uno en la lista de ventas y se mantuvo en el puesto varias semanas.

Si hubiese que elegir un calificativo para el mundo de los Hennessy en esa época, el más adecuado sería «fecundo». Su familia, su riqueza y su celebridad crecían y prosperaban en las tierras septentrionales de Minnesota. Hugh y Elisabeth eran famosos en la ciudad que los había adoptado y, en las entrevistas, él afirmaba que nunca se marcharían de allí. Había encontrado lo que siempre quiso: un poco de tierra donde echar raíces y la gran familia en la que le habría gustado crecer.

La esfera familiar funcionaba a pedir de boca. Elisabeth iba a dar a luz a su cuarto hijo en cinco años. Ya tenían unos gemelos de tres años y un bebé, Liam. El dinero no era problema. Si *Crepúsculo* le había aportado unos beneficios considerables, con *El canal* ganó aún más, y a Hugh lo invitaban a dar conferencias en las escuelas de las Ciudades Gemelas. Elisabeth y él organizaban fiestas con frecuencia y uno de los invitados asiduos a su casa era J. D. Campion. Dado que escribía poesía, no había tenido tanto éxito comercial como su amigo, pero su tercera colección de poemas, *Camino de las sombras*, había cosechado algunos premios. Se trataba de unos poemas muy líricos y a veces intensamente eróticos y, durante un tiempo, fue el libro perfecto para los universitarios que querían ligar. Sólo tenían que sacarlo de la mochila en un café y hundir la nariz en él. Los críticos se ocuparon mucho de aquella amistad literaria: el inquieto poeta desarraigado y el hombre familiar y tradicional, felizmente casado, se complementaban a la perfección a los ojos del público.

Entonces, poco después del nacimiento de Colm, las fiestas cesaron, al igual que las entrevistas. De un modo un tanto repentino, los Hennessy cerraron las puertas de su casa a la vida pública.

Para el mundo exterior fue como si, sencillamente, hubieran decidido concentrarse por completo en la crianza de los hijos. Sin embargo, si éste era su propósito, los Hennessy llevaron su decisión hasta el exceso. También Campion quedó proscrito de su vida y no volvió a Minnesota en mucho tiempo.

Corrieron comentarios de que entre Hugh y J. D. habían surgido desavenencias, rumores de que finalmente había estallado una rivalidad que venía de lejos por el afecto de Elisabeth, hasta el punto de que la amistad que los unía había quedado irreparablemente destruida. En el reportaje de Healy había una sola frase dedicada a la breve relación de Campion y Brigitte, la hermana menor de Elisabeth, pero el periodista dejaba que fuese el lector quien sacara la conclusión de que, en el corazón de Campion, Brigitte había sido un fallido sucedáneo de la hermana mayor.

Otros sugerían que aquella perniciosa rivalidad era de carácter profesional, ya que Campion no había alcanzado cotas de fama tan altas como su amigo, pero las especulaciones no pasaron de tales. El periodista no había podido ponerse en contacto con Campion para entrevistarlo, pues siempre andaba de viaje; y Hennessy no había querido responder a sus preguntas, por lo que no había declaraciones públicas de ninguna de las dos partes.

Si Hennessy había querido intimidad, la tuvo. Pasaron años sin que otra novela siguiera a *El canal* y el mundo siguió su curso. Incluso los medios de comunicación de las Ciudades Gemelas se olvidaron de él, hasta el día en que se produjo la noticia de que habían encontrado el cadáver de Elisabeth en las aguas del lago Minnetonka. Dejaba cinco hijos, el más pequeño de los cuales tenía sólo once meses.

Elisabeth había pasado los años previos a su muerte recluida en casa. El marido impartía clases en los centros universitarios de la zona, pero Elisabeth no salía ni se veía con las amigas. Tal vez se debía a que tenía cinco niños menores de diez años. Si detrás de aquella reclusión se escondía algo más oscuro, una depresión posparto, por ejemplo, la prensa no se hizo eco de ello ni se especuló sobre tal posibilidad. Los medios se concentraron por entero en la tragedia que había golpeado a uno de los escritores americanos más respetados, cuyas obras trataban de los lazos familiares, el amor y la lealtad.

Transcurridos cinco años, Hugh Hennessy publicó su tercera novela, tanto tiempo esperada. *Un arco iris en la noche* era la historia de dos jóvenes apasionados que deciden apartarse de las directrices del mundo actual para casarse muy jóvenes y tener hijos. Era una crónica de las alegrías y las penas de esa joven unión, y de la lucha del narrador por encontrar algún sentido a la pérdida inesperada de su compañera del alma. El libro fue acogido con buenas críticas y los medios volvieron a hablar de Hugh Hennessy durante un breve periodo. Luego, se esfumó otra vez.

Los reportajes, por buenos que sean, siempre dejan preguntas sin respuesta. Una de las relaciones literarias mas famosas del país, ¿había sido durante mucho tiempo un triángulo amoroso que había acabado por envenenar a sus integrantes? ¿Habían tenido demasiados hijos en poco tiempo y él había pasado por alto las primeras señales de una depresión posparto en su mujer? Eran cuestiones que Healy y los demás periodistas no podían abordar de una manera explícita porque nadie respondía a sus preguntas. Hennessy se había encerrado en el mutismo, Campion se hallaba en paradero desconocido y Elisabeth había muerto.

Camino de casa, al salir de la universidad, caí en la cuenta de que habían transcurrido cuarenta y ocho horas desde la punción en el oído. Cicero había dicho que debía examinar su estado y que pasara a verlo. Tuve la tentación de saltarme la visita. El oído no me dolía en absoluto y lo que menos me apetecía en el mundo era prolongar mi relación con Cicero Ruiz, al que había visto por última vez mientras intentaba largarme de su cuarto sin que me oyera.

Sin embargo, también recordé cuánto me había ayudado cuando lo había necesitado desesperadamente. Lo mínimo que podía hacer era respetar su criterio profesional. A buen seguro, tenía tan pocas ganas como yo de hablar de lo ocurrido en mi última visita. Ninguno de los dos lo mencionaría y todo iría bien.

Cuando había acudido a que me hiciera la punción, me dolía tanto el oído que me había pasado por alto el largo trayecto hasta el apartamento en el viejo y decrépito ascensor. En esta ocasión, sí que me fijé: el cable que chirriaba al otro lado del techo, la luz vacilante, la lentitud con la que iban cambiando los números iluminados que indicaban los pisos... Me obligué a quitarme de la cabeza la paranoia; el aparato era lento, pero eso no significaba que fuera a...

Oí un crujido en el exterior y la cabina se detuvo bruscamente. El número catorce se iluminó largo rato, quizá un minuto. Quería creer que alguien en esa planta había llamado el ascensor, pero sabía que no era así. Según mis estimaciones, me encontraba entre los pisos decimocuarto y decimoquinto y, de momento, parecía que no iba a moverme de allí.

—Perfecto —suspiré.

Cuando llegué por fin al piso veintiséis, enseguida vi a Cicero sentado en la silla ante la puerta abierta de su apartamento, hablando con una joven negra que estaba en la puerta del apartamento de enfrente. Era una veinteañera impresionante, con un conjunto bronce y dorado, una camisa sin mangas y unos pantalones anchos de los que asomaban unas botas de tacón bajo. Sostenía las llaves en una mano y en la otra una bolsa de comida para llevar, como si hubiera salido tarde de la oficina y la hubiese comprado por el camino. Cuando me acerqué, me miró expectante.

—Sarah, ésta es Soleil, mi vecina —nos presentó Cicero—. Soleil, ésta es Sarah.

—Hola —saludé.

—Encantada —dijo Soleil. Puso la llave en el cerrojo y, volviéndose a Cicero, añadió—: Será mejor que entre.

Cicero impulsó hacia atrás las ruedas de la silla y retrocedió cruzando el umbral pero, mientras lo hacía y Soleil entraba en su apartamento, oí un extraño ruido a mi espalda. Parecían unas garras arañando el suelo. Me volví y vi un perrazo negro y marrón, con un cuerpo como una boca de riego, que había salido corriendo a recibir a Soleil. La muchacha se había agachado para acariciarlo y el perro le lamía la cara con un frenesí por el reencuentro como el que sólo experimentan los perros.

—Éste es mi chico —dijo la joven, con acento caribeño.

Cicero cerró la puerta dejando fuera el espectáculo.

—Eso sí que es un perro —comenté.

—Sí que lo es.

—Y no uno cualquiera —dije—. Es un rottweiler.

—Exacto. Se llama *Fidelio*. —Cicero se dirigió al centro de la sala.

—¿Está permitido tener perros en este edificio? —inquirí.

—No —respondió—. ¿Te molesta?

—No, no —me apresuré a decir—. Me gustan los perros. Lo que me sorprende es que no la descubran. Me parece difícil esconder un animal tan grande. Tendrá que sacarlo a pasear y todo eso...

—Sí —asintió Cicero—. Y un día la pescarán, pero no por mi culpa, ni por la de ningún vecino de esta planta. *Fidelio* es un perro bien educado y la gente del bloque vive y deja vivir —explicó Cicero—. Lo único que he tenido que decirle es que en mi casa no puede entrar.

—¿Por qué no?

—Por razones sanitarias. En una consulta médica no pueden entrar los perros.

—Claro —asentí. Por unos instantes reinó el silencio. Saqué el billetero y dije—: Bien, ¿y cuánto te debo por la visita de esta noche?

—Cuarenta —respondió Cicero—. Ahora mismo estoy contigo.

Se dirigió al fregadero de la cocina y yo deje dos billetes de veinte en la estantería. Me incomodaba su casa porque había tan pocos efectos personales que no podía fingir que los observaba. Cicero lo estaba haciendo muy bien en cuanto a no dar señales de recordar que hacía dos noches habíamos dormido juntos. A mí me costaba un poco más. Ojos que no ven, corazón que no siente, me dije, pensando en Shiloh, pero era una excusa barata que no me proporcionaba ningún consuelo.

Respiré hondo para serenarme. Cicero, que se lavaba las manos en el fregadero, me malinterpretó.

—No te pongas nerviosa —dijo por encima del sonido del chorro del agua—. Espero que lo que voy a hacerte no te duela.

—Todos los médicos dicen lo mismo —repliqué.

—No, lo que dicen es que no dolerá en absoluto —me corrigió.

—Por cierto —me reí—, siento haberme retrasado. Me he quedado colgada en el ascensor.

Me proponía entretenerlo contándole que el timbre de alarma no funcionaba y que dos adolescentes habían tenido que rescatarme forzando la puerta con una palanca hasta abrir un espacio del tamaño de la puerta de la caseta de un perro, y cómo había tenido que estrujarme para pasar y salir al descansillo del piso decimocuarto. Sin embargo, Cicero se volvió tan de repente que me quedé con la palabra en la boca.

—¿De veras? —preguntó.

—Sí, ¿qué ocurre?

Cicero sacudió la cabeza y volvió a la sala.

—Ese ascensor es un peligro, maldita sea —dijo con vehemencia—. Por lo que sé, eres la tercera persona que se ha quedado colgada. —Rebuscó en la arqueta, sacó un termómetro y lo sacudió—. Bien, póntelo debajo de la lengua.

—No tengo fiebre.

—Sarah, no hagas mi trabajo. —En su voz había cierta ironía y obedecí con expresión sumisa.

Cicero procedió a explorarme el oído con calma. Luego me sacó el termómetro de la boca y lo leyó en silencio. Cuando habló, fue para preguntarme por los síntomas que había experimentado en las últimas cuarenta y ocho horas. ¿Me había sentido mareada? ¿Me había dolido o había tenido dificultades para oír? Respondí que no a todas las preguntas. Y sí, había tomado los antibióticos.

Guardó el termómetro y el otoscopio.

—Bueno, estás a treinta y siete, el oído tiene muy buen aspecto y me parece que te encuentras bien —dijo—. Te recuperas muy deprisa.

Sacó el bloc y escribió algo.

—¿Qué apuntas? —quise saber.

—Nada, tomo unas notas —explicó—. Aunque dices que nunca estás enferma, quizá tengas que venir a verme otra vez, dada tu aversión a los médicos tradicionales.

—Espero que no —dije—. Y no te lo tomes a mal.

—De todos modos, si no te importa, te haré unas cuantas preguntas para el historial médico, por si hemos de vernos en otra ocasión.

En aquella petición había algo que me ponía nerviosa y Cicero lo notó.

—Son notas para mi uso privado —aseguró—. Nadie más las verá.

Que demonios, pensé. Si iba a hacerme el historial médico, en mi salud no había habido acontecimientos destacables de ningún tipo. Y tenía razón: quizá algún día volvería a necesitar que me visitase.

—Muy bien —accedí.

Las primeras preguntas fueron fáciles.

—¿Apellido?

—Pribek. —Se lo deletreé.

—¿Edad?

—Veintinueve.

—¿Alergias conocidas?

—Ninguna —respondí.

—¿Viven tus padres?

Sacudí la cabeza.

—¿De qué murieron? —quiso saber.

—Mi padre sufrió un infarto hace unos años. Mi madre...
—tragué saliva—. Mi madre murió de un cáncer de ovarios.

—¿Eras pequeña?

—Sí, lo fui. Como todo el mundo —repliqué, intentando un chiste fácil.

—Quiero decir si eras pequeña cuando tu madre murió. —No estaba dispuesto a permitir evasivas.

—Tenía nueve años.

Noté un nudo en la garganta, aunque no entendía por qué. No era la primera vez que contaba aquello.

—¿Hermanos? —preguntó Cicero en voz baja.

—Un hermano. Murió —dije, y me apresuré a añadir—: De un accidente, nada relacionado con problemas de salud.

Buddy había muerto en el Ejército, en un helicóptero que se había estrellado, y la verdad era que no quería responder a más preguntas sobre él.

—¿Y tu marido? ¿Cuánto tiempo lleva en prisión?

—Cinco meses —respondí, agachando la cabeza—. Disculpa, creo que me ha entrado algo en el ojo —dije frotándomelo para que no me viera llorar.

—¿Y estás en contacto con él?

—No —respondí.

Apoyé la cabeza entre las manos. Ambos seguíamos fingiendo: él simulaba que tomaba notas para el historial médico, yo ocultaba que lloraba.

—Pero tienes muchos amigos en las Ciudades Gemelas con los que hablar, ¿no?

No respondí.

—¡Oh! —dijo Cicero.

—Has hecho un historial médico muy interesante —dije entre lágrimas.

A las personas que están en silla de ruedas les resul-

147

ta muy difícil abrazar a alguien; Cicero alargó la mano, me frotó la espalda entre los omóplatos y me acarició los cabellos.

—Tranquila —me consoló—. Tranquila.

Me gustaría decir que fue él quien inició las caricias. Pero fui yo.

Rara vez lloro y me parece de mala educación hacerlo delante de un desconocido, pero con Cicero fue distinto. Me había visto enferma, fóbica, irracional, borracha y presa del dolor. Ya no quedaban muchas barreras por derribar. Entonces, cuando el breve ataque de tristeza pasó, quise hacer el amor con él.

—Lo siento mucho —dije en voz alta, encajada en su cama individual, con la mejilla pegada a su hombro desnudo.

—¿El qué?

—Ser tan inútil. Cada vez que nos hemos visto, te he agobiado con un problema distinto. No entiendo cómo te gusto.

—¿Y cómo sabes que me gustas? —me preguntó Cicero, risueño.

—Porque no creo que te acuestes con alguien que no te guste —le dije muy seria—. ¿Me equivoco?

—No —respondió—. No te equivocas.

—¿Por qué no tienes novia? ¿Porque eres agorafóbico?

Cicero se incorporó apoyándose en los codos y me miró con curiosidad.

—¿De donde has sacado que soy agorafóbico?

—Me lo dijo Ghislaine —respondí. Todo lo que había visto en él me lo confirmaba.

—Ghislaine —repitió—. Claro.

—No te cae bien, ¿verdad? —dije al tiempo que me sentaba—. ¿Ocurre algo? Quiero que sepas que no es amiga mía. Apenas la conozco.

—Ni yo —replicó Cicero—. Y ella tampoco me conoce mucho. No soy agorafóbico pero, en respuesta a tu pregunta, te diré que fue Ghislaine quien me trajo el talonario de recetas.

Me quedé sorprendida, pero sólo un momento. La primera vez que me había hablado de aquel talonario, se había referido a la persona que se lo había dado en femenino; una paciente, había dicho.

—Vino a verme —prosiguió Cicero—. Trajo consigo a ese niño tan guapo que tiene y me contó lo difícil que le resultaba criarlo ella sola. El padre ya no corre por aquí, me dijo, y los padres de ella, que están en Derborn, tampoco la ayudan.

—Todo eso lo sé —murmuré.

—Ghislaine me dijo que no soportaba ir al hospital público y que la trataran como a una ciudadana de segunda categoría. Por eso vino aquí. Yo le dije que me alegraba de poder ayudarla y le pregunté qué le ocurría. Entonces me contó que tenía un bulto en el pecho y me preguntó si podía visitarla. Se quitó la camisa y la exploré. No noté nada y así se lo hice saber. Y le dije que era muy joven y que, a su edad, el riesgo de cáncer de pecho no es muy elevado, pero que continuase examinándoselo cada mes y se mantuviera alerta.

—¿Y te quedaste tranquilo con eso? ¿No la enviaste a una clínica para que le hicieran pruebas?

—Soy médico —me recordó—. Y soy tan competente aquí como lo sería en una consulta. Cualquier médico le habría dicho lo mismo. Sobre todo en esta época, con la de mutuas médicas que existen, ni un médico entre cien la habría enviado a hacerse una mamografía con los síntomas que expuso y la exploración que le realicé.

—Lo siento —me disculpé.

—No pasa nada. Además, aún no lo has oído todo. Ghislaine se animó y dijo que probablemente su preocupación era excesiva. Entonces se puso la camisa y me dijo que tenía algo para mí.

—El talonario de recetas.

—Exacto. Se puso dulce como la sacarina y me dijo que quería que me lo quedase porque sabía que haría mucho bien a mis pacientes con estas recetas. Luego, me pidió que le hiciera una de Valium.

—¿Me tomas el pelo? —le pregunté, aunque sabía que no era así.

—Era lo más lógico. Ella sabía que no tenía un bulto en el pecho, pero pensó que si me ablandaba mostrándome sus encantos, yo haría lo que me pidiera. Ignoro si el Valium era para ella, o si tiene un novio que se dedica a venderlo. Tampoco se lo pregunté.

—Y le dijiste que no, por supuesto —comenté. Por fin entendía el motivo del gesto de irritación de Ghislaine durante nuestro encuentro en el restaurante, cuando yo había sacado a relucir por primera vez el nombre de «Cisco».

—Le respondí que no, que no pensaba meterme en un lío por falsificación de recetas, ni siquiera para ayudar a mis pacientes. Entonces me pidió que le devolviera el talonario. Y me negué. Yo no pensaba utilizarlo, pero no veía ninguna razón para dárselo. —Cicero hizo una pausa, recordando—. A continuación, me preguntó qué ocurriría si me delataba a la poli. Le respondí que lo mismo que si yo les contaba que ella había robado un talonario de recetas; por lo tanto, sería mejor que ambos fingiéramos que aquel episodio no había ocurrido nunca. Se puso en pie y dijo que muy bien, que me lo quedase. A mí seguía preocupándome que me delatara y le dije que volviera a coger los cuarenta dólares. Lo hizo y se marchó.

—Caray —dije.

—Cuando cogió el dinero, me preguntó si siempre había sido parapléjico. Le respondí que no. Y entonces dijo: «Supongo que por eso puedes dejar escapar cuarenta dólares. Como el aparato no te funciona, ya no necesitas dar dinero a cambio de sexo».

Me sobresalté. Cuando alguien es capaz de repetir textualmente unas palabras como había hecho Cicero, es que han rebotado en su interior como los fragmentos de una bala de punta hueca.

—Eh, no pongas esa cara —me tranquilizó Cicero—. Esa chica es una ignorante.

La verdad es que yo había sido casi tan ingenua como Ghislaine y me había quedado pasmada cuando Cicero había guiado mi mano por su cuerpo hasta que noté que el pene se le ponía duro al contacto con ella. Después me había explicado qué eran las erecciones reflejas.

—La ignorancia puede disculparse —observé—, pero el resentimiento es distinto.

—Lo más probable es que esa chica no se sienta muy a gusto consigo misma —comentó Cicero—. A las personas crueles suele ocurrirles.

—Qué generoso eres... —murmuré.

—¿Y qué tiene eso de malo? —inquirió.

—Vivimos en un mundo en el que la benevolencia ya no tiene recompensa —respondí, contemplando desde la ventana la ciudad a nuestros pies—, si es que alguna vez la ha tenido.

Doce

*L*a primera jornada que volví a trabajar en el turno de día convencional fue tan improductiva como cabía esperar. Me presenté en comisaría con unas ojeras considerables y, con la ayuda del café, conseguí que mi reloj interno se adaptara un poco al cambio de horario. En la pausa para el almuerzo, acudí a Servicios Sociales a informar de la situación de riesgo en que se hallaban los hermanos Hennessy, menores de edad. Al principio, me sentí como si estuviera traicionando a Marlinchen, pero enseguida superé la sensación. Para eso estaba el sistema, para ayudar a personas como ella, y mi informe formaba parte de esa ayuda.

El trabajo más importante del día fue un robo. Acudí a la llamada e interrogué a los testigos. Los detalles me resultaron familiares: dos chicos blancos con medias de nailon en la cara que habían atracado una tienda a punta de pistola. El *modus operandi* era bastante similar al del caso que había investigado la semana anterior. «Nos encantan las pautas repetitivas —dije imaginariamente a dos atracadores anónimos mientras archivaba las dos denuncias en la misma carpeta—. Seguid adelante, no cambiéis. Algún día nos encontraremos.»

Sonó el teléfono y lo cogí, sin dejar de pensar en los jóvenes ladrones.

—¿Señora Pribek? —Era obvio que la voz me llegaba a través de una conferencia de larga distancia—. Soy Pete Benjamin.

—Señor Benjamin —dije. Era el amigo de Hugh Hennessy que había acogido a Aidan—. Gracias por devolverme la llamada.

—Ya he hablado con las autoridades, señora Pribek —contó Benjamin—. Me encantará explicarle lo que le dije al señor Fredericks. Aidan no ha desaparecido. Se marchó por voluntad propia, lo cual es triste pero no insólito. Es larga la lista de muchachos que se fugan cuando se hartan del estilo de vida que les brinda el campo, y Aidan, a diferencia de muchos chicos, ni siquiera tiene vínculos familiares que lo aten a este lugar.

Al ver que no continuaba hablando, le pregunté:

—Pero, ¿qué piensa que lo impulsó a marchar, concretamente?

—Bueno, como ya le he dicho, a los jóvenes, la vida de campo no los satisface.

—Aparte de eso, quiero decir —insistí.

—No comprendo por qué tiene que haber algo más —murmuró tras unos instantes de silencio.

—Se lo plantearé de otra manera: ¿había hablado usted con Aidan de los temas que le preocupaban?

—Aidan y yo hablábamos cada día —contestó Benjamin.

Dejé que el silencio pusiera de relieve el carácter evasivo de su respuesta.

—Yo no era su padre, pero si el chico hubiese tenido algún problema, creo que lo habría sabido —añadió Benjamin.

—Si me permite la pregunta —proseguí—, ¿por qué accedió a hacerse cargo del hijo mayor de Hugh Hennessy? Es una gran responsabilidad, incluso para un amigo de la familia.

—Bueno —dijo Benjamin—, Hugh y yo somos amigos desde hace mucho tiempo. Nuestras familias se conocían y crecimos juntos en el mismo barrio de Atlanta. —Hizo una pausa—. Siempre he sido muy aficionado a la literatura, de

153

manera que, aparte de ser un amigo de la infancia, también podría decirse que soy un admirador de su obra.

—¿Visitaba con frecuencia la casa de Hugh? ¿Era usted para Aidan una figura familiar?

—En realidad, no —respondió, después de un nuevo silencio—. Hugh y yo estuvimos muy unidos durante la juventud, pero luego se marchó a vivir al norte y yo heredé las tierras y me dediqué a trabajarlas. De adultos apenas nos hemos visto. —Anticipó mi siguiente pregunta y prosiguió—: Supongo que si Hugh pensó en mí para que me hiciera cargo de Aidan fue sobre todo porque tengo una granja grande que atiendo sin ayuda de nadie. A Hugh se le hacía muy cuesta arriba criar él solo a los cinco pequeños y yo, en cambio, no tengo hijos. Era un desequilibrio de fácil arreglo y, además, Hugh me mandaba dinero para las necesidades de Aidan, como el uniforme escolar y demás.

154

—¿También le pagaba la manutención? —quise saber.

—No. Pensé que, como Aidan me ayudaba en la granja, no era necesario —Benjamin carraspeó—. Tengo que aclarar que los trabajos que le encomendaba al chico no eran excesivos y que siempre procuré que tuviera tiempo para hacer los deberes y para que se relacionara con otra gente, aunque nunca se mostró muy sociable.

—Bien. ¿Y qué cree que impulsó a Hugh a enviar al chico a la granja?

—Estaba solo y le resultaba muy difícil criar cinco hijos —repitió—. ¿Sabe una cosa? Cuando hablé con el agente Fredericks, no se interesó por esos detalles tan personales.

—Cada cual aborda el trabajo a su manera —repliqué, empezando a dibujar en mi bloc de notas—. Aidan ya se había escapado otra vez. Hábleme de ello.

—Eso ocurrió muy al principio —dijo Benjamin tras un leve carraspeo—. Creo que no es infrecuente que los niños a quienes se manda lejos de casa reaccionen así. Escapan porque no tienen previsión de futuro. Creen que si llegan físicamente a su casa, todo saldrá bien. «Si me presento en casa, me dejarán quedar», eso es lo que Aidan debió de pensar.

—Pero lo mandaron de vuelta a la granja, ¿no?

—Sí.

—¿Intentó escaparse otra vez? —inquirí.

—No —respondió Benjamin—. Cuando regresó de Minnesota, pareció acostumbrarse a la granja. Nuestra relación no era íntima, pero sí cordial. Si me ha llamado con la esperanza de que le contara alguna pelea o conflicto que motivaran su fuga, no los hubo.

Mi dibujo se había convertido en una sinuosa carretera. Cuando colgué el teléfono, dando por terminada la conversación con Pete Benjamin, añadí la figura de un caminante en la distancia, en un cruce de caminos, pero, aparte de eso, no supe qué más poner. ¿Un horizonte urbano de altos edificios? ¿Un océano y una puesta de sol? ¿Una cárcel?

A través de las bases de datos a las que tenía acceso, comprobé que Aidan Hennessy no había sido arrestado nunca. Ni tan siquiera constaba que hubiera cometido ninguna de las típicas faltas de desacato a la autoridad propias de los jóvenes, como andar por la calle en horas no permitidas a un menor, que no están penadas con cárcel pero que lo habrían calificado de «problemático» y lo habrían puesto al cargo de los servicios sociales juveniles.

Aquello podía significar dos cosas. Una: que Aidan Hennessy era de esos escasos chicos fugados que trabajaba y podía mantenerse sin necesidad de transgredir la ley. Dos: que se mantenía gracias a los pequeños delitos callejeros que cometen los chicos que se escapan de casa, pero que era listo y había tenido la suerte de que todavía no lo hubiesen arrestado. O tres: que vivía a costa de una mujer.

O cuatro: que estaba muerto. Por el bien de Marlinchen, ésta última era una posibilidad que no quise tomar en consideración.

155

Υ

Aquel día, antes de marcharme, fui a ver a Prewitt. Me había llevado un buen rato pero, finalmente, había entendido por qué Van Noord me había dicho el día anterior que tuviera conectados el móvil y el busca para que supieran dónde encontrarme.

Cuando llegué, Prewitt estaba charlando con un agente de Pesca y Parques Naturales, pero me aposté ante su puerta y me vio.

—Entre, detective Pribek —indicó mientras el agente salía. Cuando estuvimos a solas, volvió a tutearme como hacía en privado—. No esperaba verte hoy. ¿Qué te ha traído hasta aquí?

—Quería disculparme por lo del otro día, por haber tenido el teléfono descolgado... —dije, cruzando el umbral—. Tuve una infección de oído. Lo sabía, ¿verdad?

—Claro —respondió—. Espero que hoy estés mejor.

—Sí, gracias —dije. Luego, un tanto incómoda, añadí—: Teniente, eso de enviar al detective Van Noord a mi casa, ¿fue por lo de Gray Diaz?

Esperaba que Prewitt se mostrase perplejo y que lo negara rotundamente.

—Sí —respondió.

Mi gozo en un pozo.

—No he consultado tu expediente personal, pero sé que eres de las que nunca coge una baja por enfermedad —dijo Prewitt—. Entonces llega Gray Diaz para hablar contigo sobre tu implicación en la muerte de Royce Stewart y sales de la entrevista pálida como la cera y le dices a Van Noord que estás enferma y que te marchas. Al día siguiente, no podemos contactar contigo. —Hizo una pausa para sus palabras calaran—. La cosa no pintaba bien, ¿lo entiendes, verdad?

156

—¿Y de veras llegó a pensar que me había marchado de la ciudad? —pregunté.

—Lo único que quería era confirmar tu paradero —dijo en tono conciliador—. La cuestión es que no se te acusa de nada y, mientras eso no ocurra, tu situación aquí seguirá siendo la misma de siempre. Nadie ha sugerido que debas ser apartada del servicio.

—Eso ya lo sé.

—Lo que quiero decir es que si aquí nadie habla de la investigación de Gray Diaz, quizá no sería conveniente que fueses tú la primera en sacar el tema a relucir.

—No lo he hecho.

—¿Cómo que no? Acabas de entrar en mi oficina y ya lo has mencionado. No he sido yo quien ha ido a verte —explicó— y, por lo que respecta a mi decisión de enviar a Van Noord a tu casa, debo decirte que lo sucedido me tenía algo preocupado y obré en consecuencia. Mi curiosidad quedó satisfecha y, por mi parte, ahí se acabó todo.

—No es que ponga en tela de juicio sus decisiones, teniente, pero tenga una cosa por segura: no voy a escaparme de la ciudad en plena noche. No, lo que intentaba decir es otra cosa. —Tragué saliva—. Yo no maté a Royce Stewart.

—No sabes lo mucho que me alegra oírlo —dijo Prewitt en tono amable—. ¿Algo más?

—No —respondí. Notaba un pequeño temblor en el pecho a causa de la contundencia con que me había expresado.

—Bien, entonces te veré mañana.

Cuando ya había llegado a la puerta, hice una pausa y me volví.

—Otra cuestión —dije—. Ese médico sin licencia sobre el que me pidió que investigara... He hablado con mis confidentes y no me han proporcionado ninguna pista —añadí, fingiendo despreocupación—. Me parece que esos rumores son del todo infundados.

Trece

Un año atrás, después del accidente en Blue Earth, mi marido estuvo en paradero desconocido durante siete días. En mis esfuerzos por dar con él, llegué hasta el fondo de mis conocimientos profesionales sobre la labor de búsqueda de personas desaparecidas. Fui a ver a su familia y hablé con ellos. Además, por ser su esposa, tuve acceso a todas las cuentas de Shiloh, a sus documentos y a su domicilio. Todo fue inútil. Era como si la tierra se lo hubiese tragado.

En el caso de Aidan Hennessy, me encontraba en la situación opuesta. Debería haber sido muy fácil encontrarlo. Aidan era un menor fugado de casa, no un fugitivo de la justicia. Cuanto más tiempo pasara en la calle, más probabilidades había de que lo detuvieran por vagancia o por pequeños hurtos. En resumen, no debería haber resultado tan difícil localizarlo.

Sin embargo, había dedicado tres días de trabajo a buscar en las diversas bases de datos de los cuerpos de seguridad a las que tenía acceso, sin el menor resultado. El agente Fredericks me había enviado por ordenador la foto del muchacho del anuario escolar del curso anterior, pero esto no podía considerarse un progreso. A menos que Aidan Hennessy cayera a un canal de desagüe cerca de donde yo estuviese casualmente, no creía que fuese a encontrarlo.

Fue esta frustración lo que me llevó, mi siguiente día libre, a la escuela elemental donde todos los chicos Hennessy habían recibido su educación primaria, y a la que todavía asistía Donal.

En una breve conversación telefónica que habíamos mantenido aquella misma mañana, Marlinchen había mencionado a su maestra de quinto curso, la señora Hansen. Ésta había dado clases también a Aidan, aunque no el mismo año, pues el chico había tenido que repetir cuarto curso. Según mis cálculos, debía de haber sido la última maestra de Aidan Hennessy en Minnesota y seguramente lo recordaría.

La escuela no impresionaba, teniendo en cuenta la relativa riqueza del barrio en el que se encontraba. Era un conjunto de edificios de ladrillo rojo de una planta. Los chiquillos se arremolinaban en torno a los columpios del patio; era la hora del almuerzo.

Durante la pausa, la señora Hansen se dedicaba a corregir exámenes en el aula. Entré en la clase y, de inmediato, me sentí una giganta mientras avanzaba entre los minúsculos pupitres hasta llegar a la mesa, más grande, tras la que estaba sentada la maestra. Ésta tenía unos pechos abundantes para su constitución, frágil por lo demás —calculé que apenas llegaba al metro sesenta—, y llevaba unas gafas que colgaban de una cadena de oro sobre un suéter sin mangas de un blanco mate. La melena rubia, que le llegaba a los hombros, enmarcaba su rostro con un corte muy favorecedor. Sólo si se la observaba con detenimiento se apreciaba que rondaba los cincuenta.

—¿Puedo ayudarla? —me preguntó.

—Eso espero —respondí—. Me llamo Sarah Pribek, soy detective y querría hablar con usted de un muchacho desaparecido al que estoy buscando.

Dejé sobre la mesa la vieja foto de Aidan que me había dado Marlinchen. Hansen la tomó y arqueó las cejas; después, las juntó en un gesto de inspección algo exagerado.

—¡Oh, cielo santo, sí! —exclamó—. Aidan Hennessy. El año pasado estuve a punto de tener en clase a su hermano

pequeño, Donal, pero al final fue a la de la señora Campbell.
—La maestra frunció de nuevo el entrecejo—. Aidan tenía
una hermana, también. Le di clases el año antes. Eran...

Llegada a este punto, se interrumpió.

—Debería haberlos tenido como alumnos el mismo año
—terminé la frase por ella—. Eran gemelos, sí, pero él tuvo
que repetir curso. La familia ya me lo ha contado.

—Así fue —asintió la señora Hansen—. ¿Cómo se llamaba la chica...? Un nombre raro...

—Marlinchen —apunté.

—Los dos deben de estar en el instituto, ¿no?

—La chica, sí —le informé—. Él falta de su casa desde
hace seis meses.

—¡Oh, vaya! ¡Qué lástima! —Hansen exageraba sus
expresiones faciales como suelen hacer los adultos que tratan con jóvenes, pero el sentimiento que se adivinaba parecía auténtico.

—¿Le caía bien?

—Sí. Era un chico muy dulce. No tenía una gran confianza en sí mismo. Nunca levantaba la mano ni hacía preguntas. —Tras esto, dio la impresión de que se ponía más
alerta al otro lado de la mesa, como si se preparara para un
intercambio formal de preguntas y respuestas—. No sé si
podré ayudarla mucho. Lo tuve de alumno hace bastante
tiempo. Cinco años.

No tenía dónde sentarme. En casi cualquier otra situación, la persona sentada tras una mesa dispone de un asiento al otro lado para ofrecerlo a las visitas; los maestros de
escuela, no. Me apoyé en el pupitre más cercano e, inmediatamente, me lo pensé mejor, ya que empezó a ceder bajo mi
peso.

—Ha vivido fuera del estado durante estos cinco años
—le conté—. Usted es la última maestra de este distrito que
le dio clases. Me gustaría saber qué recuerda de él.

La señora Hansen puso una expresión de disculpa.

—No gran cosa. Recuerdo a Aidan sobre todo por ese dedo que le faltaba. Me fijaba en ello cada vez que lo veía escribir, sentado en su pupitre, y siempre me producía cierto desasosiego.

—Seguro que recuerda algo más —la animé a seguir—. Ha dicho que le caía bien.

La maestra se puso a jugar con las gafas.

—A veces, algún alumno te... —efectuó un gesto vago con la mano—, te produce una sensación especial. Aidan aparentaba más años de los que tenía, aunque quizá se debía a que era mayor que sus compañeros de clase, por lo menos cuando fue alumno mío. Y también más alto. —Hizo una pausa, pensativa—. Pero a veces parecía incómodo y desplazado cuando estaba entre adultos.

—¿Sabe usted por qué?

—No era un alumno muy brillante; a menudo, esto erosiona la autoestima del joven, sobre todo frente a los mayores, a quienes los chicos ven como figuras de autoridad que los juzgan según sus logros en clase. Aidan parecía más a gusto en las canchas de deporte. Era atlético y confiaba en sus músculos.

—¿Se metía en peleas? —pregunté.

—Sí, desde luego. —Hansen sonrió—. Aidan se mostraba muy protector con su hermana y los dos pequeños; con el más estudioso, sobre todo.

—Liam —dije.

—Sí, ése. Los bravucones de la escuela no lo dejaban en paz y Aidan les paraba los pies cuando tenía ocasión. Debo decir —añadió tras una pausa— que Aidan también se peleaba por iniciativa propia. No era ningún santo, pero tampoco era... No recuerdo que fuese un chico agresivo. No soporto a los pendencieros y Aidan me caía bien.

Asentí y seguí preguntando.

—¿Presentaba otros problemas de conducta, aparte de las peleas?

—A veces no hacía los deberes —comentó ella, después de reflexionar.

—¿Se olvidaba?

—No. Creo que no entendía parte de la materia. Ya le he dicho que no era un alumno muy brillante.

—Yo tampoco lo fui —comenté con una sonrisa irónica—. Le agradezco que me haya dedicado su tiempo.

Al salir del trabajo, me acerqué a la casa de los Hennessy. Cuando llegué, Marlinchen estaba ante la puerta, sujetando una bicicleta. Cuando vio que era yo quien se aproximaba, agitó la mano.

No soy una gran experta en bicicletas, pero aquélla era preciosa: el cuadro pintado de un color mandarina metálico, unas llantas estrechas para correr más y el manillar curvo vuelto del revés, de forma que pareciera los cuernos de un carnero. Sólo las abultadas alforjas, una a cada lado de la rueda delantera, desbarataban el efecto y hacían que la bicicleta pareciera un purasangre de carreras forzado a trabajar como caballo de carga.

—¡Hola! —me saludó Marlinchen—. Acabo de volver de la tienda.

Observé sus mejillas encendidas por el saludable ejercicio y el brillo de su frente sudorosa.

—¿Sabes una cosa? —le dije—. Puede que esa manera de llevar el manillar resulte sexy, pero no te sentirás tan bien cuando, al final, tengas un accidente y te lo claves en el riñón.

Marlinchen me dedicó una mueca de enfado.

—No sea tan... tan policía. ¿Sabe que muchos mensajeros ya ni siquiera llevan frenos en la bici?

«Estupendo», fue mi primer pensamiento. Sin embargo, mantuve la cara de desaprobación y opté por responder:

—Eso es cosa suya. Yo, en tu lugar, iría al sitio donde te prepararon la bici y haría volver a colocar el manillar en su posición original.

—La he arreglado yo misma —replicó ella, al tiempo que se acuclillaba para vaciar una de las alforjas—. Llevarla al taller sale caro y papá no es muy hábil con las herramientas.

Marlinchen dejó en el suelo una bolsa de plástico de la tienda y rodeó la bicicleta para abrir la otra alforja.

—¿De modo que has desmontado el manillar y desconectado y vuelto a conectar los frenos, etcétera, tú sola?

Una sombra de tristeza cruzó su rostro.

—El manillar lo hicimos entre Aidan y yo —explicó—. Justo antes de que se marchara.

Recogió las bolsas de la compra.

—A eso he venido —señalé—. Quería contarte las novedades sobre Aidan. No hay gran cosa —me apresuré a añadir—, pero me gustaría comentar ciertos asuntos.

La seguí a la cocina. Cuando hubo dejado las bolsas en la mesa, me propuso que saliéramos al porche:

—Ahí fuera se está muy bien.

Hacía un día muy agradable. Las lluvias recientes habían despejado de humedad el ambiente y el aire resultaba vigorizante. A lo lejos se oía el ronroneo de una segadora de césped y la brisa transportaba una nube de semillas de diente de león y de chopo.

—Te traigo una cosa —dije. Saqué la foto de Aidan que había impreso del correo electrónico y se la acerqué desde el otro lado de la mesa de picnic.

—¡Oh, Dios mío! —exclamó Marlinchen. Tomó la hoja de papel por los bordes, como si fuera a romperse—. Tenía razón. Está muy cambiado.

163

En la foto, la cara de Aidan había adquirido ya ciertas facciones de adulto y había adelgazado un poco; la principal diferencia entre aquel Aidan y el de once años era que el mayor llevaba el pelo recogido hacia atrás, invisible, lo que sugería que lo llevaba largo.

—¿De dónde la ha sacado? —preguntó.

—No ha sido un gran trabajo de investigación, que se diga —le respondí—. Es una foto de anuario escolar, nada más.

No obstante, había querido que la chica tuviera una imagen de su hermano ante ella mientras hablábamos. Le recordaría cuál era el asunto que nos llevábamos entre manos.

—No he descubierto gran cosa —repetí—. He hablado con el agente Fredericks y con Pete Benjamin y he hecho lo que he podido, pero he encontrado bastantes obstáculos para avanzar.

—¿Por la distancia y los límites de jurisdicción?

—En parte —asentí—. Pero también hay otros problemas, más cerca.

—¿Cuáles?

—No dejo de darle vueltas a una cosa... —continué—. ¿Por qué tuvo Aidan que irse a vivir a otra casa, hace años?

Marlinchen cambió de pierna de apoyo.

—Fue un arreglo de conveniencia. Papá no daba abasto.

—Imaginaba que responderías eso. Igual que Colm. Y que Liam. Todos estáis de acuerdo. Perfectamente de acuerdo. Como si os hubieseis confabulado para contar lo mismo.

Marlinchen bajó la vista y se miró las uñas, algo manchadas de grasa de la cadena de la bicicleta.

—¿Y esa coincidencia no puede significar también —replicó, en tono severo— que decimos la verdad?

—Pues no sé qué decirte. ¿Sabías que en la nota biográfica sobre el autor en *Un arco iris en la noche* pone que tu padre tiene cuatro hijos?

Marlinchen supo al instante a qué me refería.

—Dice que vive en Minnesota con sus cuatro hijos —se apresuró a corregirme—. Y, en sentido estricto, es cierto.

Se refería a que, en la fecha de publicación del libro, Aidan ya no vivía en la casa.

—Aun así, la nota da a entender que tu padre sólo tiene cuatro hijos —insistí.

—Papá ni siquiera se ocupa de redactar estas notas personalmente. Lo hace alguien de la editorial.

—¿Y quién le da la información?

En el lago se oía el zumbido rítmico, como si cabalgara las olas, de un motor fuera borda.

—Tus hermanos y tú decís que no habéis visto a Aidan desde hace cinco años —continué—. Ni una llamada telefónica, ni una carta, ni una visita por vacaciones. Eso no es un arreglo de conveniencia, Marlinchen; es un destierro. Aidan ha sido borrado de la biografía de tu padre. Ha sido borrado de vuestra vida.

La muchacha seguía muy sonrojada, y no me pareció que pudiera deberse ya al ejercicio de pedalear.

—No exagere las cosas —replicó—. Mandar a un hijo a vivir con otra gente no es algo tan infrecuente. Su propio padre lo hizo, según me contó usted.

—Mi padre era camionero. Pasaba la mayor parte del año en la carretera. Las situaciones no son comparables. ¿Acaso tu hermano hizo algo? ¿Existía alguna razón para que tu padre pensara que era preciso tenerlo aislado en Illinois, primero, y luego en Georgia?

—No —declaró ella sin alzar la voz—. No hizo nada.

La inesperada moderación de su tono fue como un brusco descenso de la presión barométrica.

—¿Qué me dices de tu padre, pues? Si Aidan no hizo nada, ¿tuvo que ver con él?

—No —repitió ella, en voz aún más baja.

—Vale, ya entiendo. Todo el mundo se quiere mucho y, de pronto, Aidan es despachado de casa y enviado a vivir permanentemente con unas personas prácticamente desconocidas. Sí, resulta de lo más coherente.

—No sé adónde quiere ir a parar —por fin, Marlinchen volvió a levantar la voz—, ni a qué viene ese interés por psicoanalizar a mi familia. ¡Debería dedicarse a buscar a Aidan, pero hasta ahora no ha hecho más que traerme una simple foto y soltar insinuaciones sobre el carácter de mi hermano y sobre el de mi padre!

Me eché ligeramente hacia atrás en mi asiento. Desde que la conocía, la muchacha se había mostrado cortés y educada casi en exceso; ahora, la Marlinchen que aparecía tras aquella máscara no era la que yo esperaba, sino una princesa arrogante que daba órdenes a un miembro de la casta de los sirvientes.

—¿Sabes una cosa? —le repliqué—. He hecho más de lo que habría hecho cualquiera, teniendo en cuenta las limitaciones que me has impuesto. Te empeñas en contarme medias verdades y pretendes que eso no ponga trabas a mi búsqueda de Aidan. Estás tan interesada en dar con Aidan como en proteger la imagen de tu padre. Tienes un pie en el estribo de cada caballo e intentas fingir que los dos corren en la misma dirección.

Temí que Marlinchen diera rienda suelta a su cólera, pero no sucedió tal cosa. Hay mujeres, sobre todo las menudas, que aprenden a blandir como arma una cortesía exquisita. De repente, la chica pareció recurrir a una reserva interior de aplomo y, cuando habló, oí en su voz mil y una puertas cerradas.

—Se que ha hecho cuanto estaba en su mano, detective Pribek, y que ha dedicado al caso más tiempo del que disponía. Estoy segura de que mi padre querrá darle las gracias, cuando se haya recuperado del todo.

—Marlinchen, no estoy diciendo que...

—Lo siento —me interrumpió ella—. Ya va siendo hora de que guarde las compras.

Y, al momento, se puso en pie y desapareció tras la puerta corredera, cerrándola enérgicamente a sus espaldas.

167

Catorce

Marlinchen, apenas una chiquilla, no debería haber sido rival para mí en un interrogatorio; sin embargo, en mi fuero interno la consideraba superior a mí. Ése era el problema. Aunque ostentaba la autoridad de detective de la policía del condado, cuando el trabajo me llevaba a las casas elegantes de las clases altas y medias, a sus mundos, seguía siendo muy consciente de mis orígenes humildes. Lo era, sobre todo, cuando trataba con gente como Marlinchen, que hacía gala de la inteligencia que había heredado de su padre con la misma tranquilidad con la que habría lucido las joyas de la familia. La muchacha era la princesa que vivía en el viejo castillo junto al lago y yo, una funcionaria, era la plebeya que se sentía obligada a ayudarla, por razones que no acababa de entender.

Muchos policías profesan una preocupación especial y un marcado sentido protector hacia los jóvenes. Si les pides que lo expliquen, te dirán: «Los agentes también somos padres y madres». No era mi caso. En la brigada de detectives, yo era la única que no tenía hijos. Si acaso, me sentía demasiado apegada a mi propia juventud. Cuando Colm había hecho la bromita sobre las mujeres y las armas, yo había respondido con mi malintencionado comentario sobre el mando de la tele. Cuando Marlinchen me había atacado respecto a mi capacidad profesional, yo le había replicado con más acritud todavía. Más que como una madre adoptiva, me había comportado como una hermana ofendida.

A mis veintinueve años, aunque intentaba disimularlo, con frecuencia me sentía vulgar, sin pulir. Psicológicamente desmañada. Todavía me resultaba demasiado fácil volver a experimentar los sentimientos de la adolescencia.

Cuando tenía trece años, la tía de mi madre, Virginia, que trabajaba de camarera y tenía los ojos de mi madre y sus mismos cabellos largos veteados de canas, se presentó a recogerme en la estación de autobuses de Mineápolis y me llevó, en un viaje de tres horas y media, hasta el pueblo minero del Iron Range donde vivía. Mis recuerdos de gran parte del año siguiente son muy borrosos.

Dormía mal y tenía pesadillas. Todas ellas sucedían en mi Nuevo México natal, aunque al despertar no conseguía recordar los detalles. Todo aquel año, la memoria fue un problema; era tan olvidadiza que, en una reunión con los profesores, tía Ginny accedió a que el psicólogo de la escuela me sometiera a un test para ver si me sucedía algo grave.

Al parecer, los resultados no fueron concluyentes, pero mi memoria no mejoró de inmediato. Me castigaron varias veces por no terminar mis deberes, no porque me resistiera a hacerlos, sino porque me olvidaba de llevar el libro de texto a casa o de apuntar el número de la ficha que debía contestar. Continuamente me dejaba el almuerzo en casa, en el frigorífico. Esto sucedía durante el estirón de la pubertad que me llevó finalmente a medir casi un metro ochenta, y los retortijones de hambre que experimentaba cuando olvidaba la comida iban más allá de la incomodidad y resultaban dolorosos. Un día, después de tomar dos chicles por todo almuerzo, me desmayé en clase de educación física y terminé en la enfermería.

Mi padre telefoneaba un par de veces por semana, al principio, pero a mediados de otoño la frecuencia de sus llamadas se redujo a una por semana. Yo me acostumbré a decirle que todo iba bien.

169

A principios de diciembre, papá me preguntó qué tal llevaba el cambio de clima. Yo ya conocía la nieve de las montañas de Nuevo México, pero no estaba preparada en absoluto para la meteorología del norte de Minnesota en enero: la noche cerrada antes de las cinco de la tarde, el desfile casi militar de los vehículos quitanieves después de cada nevada, las calles desiertas y fantasmagóricas de una mañana a treinta bajo cero. Un día, mientras me envolvía en una bufanda para regresar a casa después de cumplir un castigo, con un frío glacial, comenté con un bedel la posibilidad de que más tarde nevara.

—Para que nevase, tendría que subir la temperatura —respondió el hombre mientras observaba el cielo despejado. Fue la primera vez que oí que el frío podía ser tan intenso que impidiera la precipitación. Aquella noche, me asomé a la ventana a ver la luna de color de hielo que brillaba en las alturas enrarecidas y me pregunté cómo era posible que hubiese ido a parar a un lugar donde hacía demasiado frío para que nevase.

Fue el baloncesto, más que cualquier otra cosa, lo que me ayudó a superar todo aquello durante mi primer año en el instituto. Nunca había sentido afición por aquel deporte; como máximo, había lanzado algún balón a un aro desvencijado y sin red en Nuevo México. Sin embargo, tía Ginny sugirió que lo intentara y, demasiado apática para decirle que no a nada, así lo hice.

Procuro no explicarle a nadie lo que significó el baloncesto para mí; parecería uno de esos tópicos documentales de promoción del deporte. No sólo fue mi primera experiencia como miembro de un grupo numeroso, que después incorporaría a mi trabajo policial; se trató ante todo de algo tan sencillo como esto: después de un año de entumecimiento, durante el cual no había sentido ninguno de los típicos anhelos de adolescente, el baloncesto me proporcionó algo que desear.

Mediada la temporada, empecé a presentarme temprano a los entrenamientos, a saltar a la comba para fortalecer los músculos de las pantorrillas, a hacer ejercicios combinados para adquirir agilidad y a correr a la salida de clases para aumentar mi resistencia. Y mientras me dedicaba a ello, notaba que en mi pecho se relajaba una tensión que llevaba allí tanto tiempo que ni siquiera me había percatado de su existencia.

—Este año pasado me has tenido preocupada —me comentó un día tía Ginny.

—Ya lo sé —respondí—. Ya me encuentro bien.

He mantenido la costumbre de llevarme mis ansiedades al gimnasio hasta el día de hoy. Allí me dirigí, contenta de llevar la vieja camiseta y unos pantalones cortos en el portaequipajes del Nova. Sin embargo, después de cambiarme en el vestuario de mujeres y de subir la escalera, me detuve a la puerta de la sala de cardiovasculares al ver a una figura familiar. Gray Diaz estaba corriendo en la cinta a bastante buen ritmo. Experimenté un estremecimiento, pero él estaba concentrado en la pantalla de la máquina. Todavía no me había visto.

Me volví y bajé la escalera. Ya saldría a echar una carrera mañana por la mañana, con el fresco.

Una voz de timbre grave como la de un locutor de radio hizo que me detuviera en seco a la puerta del vestuario.

—No debería permitir que la ahuyente de esta manera.

Me volví y miré a mi alrededor. Vi que estaba sola; era evidente que el agente Stone se dirigía a mí.

Jason Stone, alto y atractivo, tenía veintiséis años y, con aquella voz grave y aterciopelada, despertaba pasiones entre las solteras de la brigada. Recientemente, lo habían exonerado de una acusación de empleo excesivo de la fuerza en una detención.

—¿Perdone? —respondí.

—Gray Diaz —dijo Stone—. Lo conozco. No permita que la ponga nerviosa.

No encontré una réplica adecuada, si es que existía alguna.

—Detective Pribek..., ¿puedo llamarla Sarah? —preguntó, solícito—. Sólo quería decirle que muchos estamos con usted.

—¿Estar conmigo en qué?

—En lo que hizo en Blue Earth —explicó el agente.

—Yo no hice nada en Blue Earth —declaré de inmediato—. Si ha oído otra cosa, le han informado mal.

—Royce Stewart merecía su suerte —insistió. Hablaba en tono sumamente razonable—. Y que un tipo como Diaz intente promocionar su carrera a expensas de usted... ¡A muchos, eso nos subleva, Sarah!

—Me parece que no me ha oído bien —respondí—. No hice nada.

—Ya lo sé —asintió Stone con una expresión de inteligencia—. Mantenga la cabeza bien alta.

Me quedé mucho rato en la ducha y en el vestuario y, finalmente, salí del gimnasio lo más deprisa que pude. No quería encontrarme con más colegas de trabajo aquella noche.

Sin embargo, no iba a ser así.

Fui en coche a Surdyk's, una licorería en el distrito de East Hennepin, y deambulé por los pasillos hasta que me decidí por un cabernet australiano rebajado de precio. Cuando volvía al coche, Christian Kilander apareció entre dos vehículos aparcados y se llevó un sobresalto al reconocerme.

—¡Detective Pribek! —exclamó, recuperándose enseguida de la sorpresa.

Se me ocurrió que no me lo había encontrado nunca fuera de servicio, de aquella manera. Al trabajo iba siempre con buenos trajes, y a las pistas de baloncesto con camisetas anchas y pantalones cortos, pero en esta ocasión llevaba unos vaqueros algo desteñidos y una camisa de color crema.

—¿Cómo estás? —respondí algo cohibida.

—Bastante bien, gracias. ¿Y tú?

—Bien. El otro día te vi, ¿sabes?

—¿Ah, sí?

—Con Gray Diaz —añadí.

No sabía muy bien por qué sacaba aquello a colación. Quizá porque me afligía un poco imaginar que Kilander tenía algún tipo de amistad con aquel hombre, que había llegado a las Ciudades Gemelas para atraparme por algo que no había hecho.

—Lo conozco —aceptó Kilander.

—¿Sois amigos? —quise saber.

—Creo que no debemos continuar esta conversación —dijo tras levantar una mano, y empezó a apartarse de la parte trasera de su reluciente BMW en dirección a la tienda.

—¿Qué? —respondí, desconcertada—. ¡Chris! —Se volvió a medias y me miró—. No puedes pensar en serio que intento sonsacarte información reservada, ¿verdad?

No respondió.

—¡Por el amor de Dios, yo no recurrí a ti el otoño pasado! Fuiste tú quien vino a contarme que me consideraban sospechosa.

—Fui yo, en efecto. —La mirada de Kilander, tantas veces divertida e irónica, era muy seria en esta ocasión—. Y esperaba que negases rotundamente ser la autora de la muerte de Stewart. Pero no lo hiciste.

Me dio la espalda.

—¡No creí que tuviera que hacerlo! —repliqué a la figura que se alejaba.

Υ

Volví a mi coche y me senté un momento, con la mirada fija en el cielo crepuscular. Sólo le había preguntado a Kilander de qué conocía a Diaz, nada más. No le habría pedido que me contara nada reservado. ¿O sí? Me di cuenta de que no estaba segura. Gray Diaz me producía más miedo de lo que estaba dispuesta a reconocer, incluso ante mí misma.

¿Cómo podía Kilander creerme responsable de la muerte de Royce Stewart? Jason Stone me dejaba indiferente, pero las palabras de Chris me habían dolido.

«Ve a casa, Sarah, tómate una copa de vino y acuéstate temprano.»

En lugar de ello, revolví en el bolso, saqué el móvil y marqué el número de información.

—¿Qué abonado, por favor?

—Cicero Ruiz.

«Sé realista. Es un tipo solitario metido hasta el cuello en actividades ilegales. No aparecerá en una lista de abonados telefónicos.»

—Tengo un C. Ruiz —dijo el telefonista.

«Improbable», pensé.

—De acuerdo, deme el número —pedí. Llamaría e iniciaría una torpe conversación con un desconocido en mi español oxidado. *Lo siento, lamento molestarlo...*

Cicero respondió al tercer timbrazo.

—Soy yo —dije.

—Sarah, ¿Cómo estás?

—Bien. Ya estoy curada —añadí—. Me encuentro bien del oído.

—Excelente.

—Y yo... No puedo acostarme más contigo —declaré—. Es por mi marido.

—¿Me has llamado para decirme esto? —preguntó Cicero.

—No.

—Entonces, ¿qué te pasa?

—¿Puedo ir a verte de todas maneras?

Por la ventana abierta vi que Venus empezaba a lucir en la creciente penumbra.

—No se me ocurre por qué no —dijo Cicero.

175

Quince

Una hora más tarde, me encontraba en la azotea del edificio donde vivía Cicero, contemplando el cielo sobre las luces de Mineápolis. Apenas se distinguía un puñado de constelaciones; la verdadera astronomía quedaba veintiséis pisos más abajo, en el entramado de calles con farolas de luz anaranjada industrial, en la ascensión y el declive del mundo que conoce la mayoría de nosotros.

Detrás de mí, Cicero estaba tendido boca arriba sobre una manta que habíamos subido, con los brazos cruzados detrás de la cabeza en la postura tradicional del observador de estrellas, y con un vaso de vino, grande y descantillado, al alcance de la mano. Sin la silla de ruedas a la vista, parecía un excursionista fuerte y sano en un momento de descanso.

A mi llegada, había examinado el vino australiano que le traía y me había preguntado cómo me encontraba. Bien, le dije, y él me respondió que se alegraba y, enseguida, una ligera sensación de incomodidad acalló la conversación. Los dos nos dábamos cuenta, en silencio, de que por primera vez no éramos médico y paciente, ni amantes al inicio de una cita, y carecíamos de un mapa que nos guiara en aquel encuentro. Cicero rompió el silencio para proponer que subiéramos a la azotea.

Pensé que hablaba en broma, pero enseguida me explicó cómo lo haríamos. Aparcamos la silla de ruedas y le echamos el freno al pie de la escalera de emergencia que conducía a la azotea. Cuando Cicero estuvo sentado en el último peldaño, lo agarré por las pantorrillas y él despegó el cuerpo del escalón, apoyando su peso en la palma de las manos. La maniobra, observé, no era muy distinta del ejercicio de tríceps que realizaba a veces en el gimnasio, utilizando un banco de pesas. Pero Cicero subía, escalaba los peldaños a fuerza de brazos, literalmente. Aunque sostuviera sus extremidades inferiores, yo no cargaba ni siquiera una tercera parte de su peso corporal. La ascensión no debía de ser fácil para él y comprendí la importancia de las pesas de mano que había visto debajo de su cama.

—No es estético y resulta lento —comentó cuando llegamos arriba—, pero da resultado.

Serví el vino en los vasos desparejados que yo había subido previamente, con la manta.

—¿Sabes cuál ha sido la parte más difícil? —me preguntó.

—¿Cuál?

—Permitir que me ayudara una mujer. Con los chicos del rellano, es otra cosa.

—¿Ya habías hecho esto otras veces?

—Algunas —respondió él, aceptando el vaso—. De vez en cuando, necesito aire fresco.

Allá arriba, de pie al borde de la azotea con el vino entre las manos, su comentario me pareció chocante. ¿No le resultaba más sencillo meterse en el ascensor y bajar a la calle, si quería tomar el aire?

—Cicero —empecé a decir—, ya sé lo que dijiste la otra noche pero, ¿eres agorafóbico? A mí no me importa que lo seas...

—No, nada agorafóbico, desde luego —respondió él con una risotada.

—¿Por qué no sales nunca, entonces? —Me arrepentí de la pregunta no bien la hube formulado—. Bueno, no tienes que explicarme...

—No, no pasa nada. No tengo secretos. —Cicero extendió un brazo para señalar la parte desocupada de la manta—. Ven, siéntate. Es una historia un poco larga.

Me acerqué y me senté en el borde de la manta con las piernas cruzadas.

—Tiene que ver con el día que me quedé paralítico. Fue a causa de un derrumbe en una mina.

—¿Formabas parte del equipo de rescate? —pregunté. Me parecía extraño que se hubiera enviado un equipo sanitario completo a una zona de peligro; no personal auxiliar, sino un verdadero médico.

Sin embargo, Cicero movió la cabeza en un gesto de negativa.

—Trabajaba allá abajo —explicó.

—¿De minero?

—Sí. Fue después de perder la licencia para ejercer la medicina.

Cada vez que creía que empezaba a hacerme una idea de la situación de aquel hombre, me salía con algo inesperado. Que Cicero hubiera vivido una catástrofe minera resultaba tan sorprendente que olvidé mi curiosidad por cómo había perdido la licencia, un hecho al que hasta entonces sólo había aludido de pasada. Aquello podía esperar.

—Cuéntame —le animé.

—Me va a llevar un rato —insistió, y se incorporó a tomar otro trago de vino, apoyándose en los codos—. Me crié en Colorado, en una zona minera. Mi padre había trabajado en las galerías. Aún lo veo, con su casi metro ochenta y cubierto de carbonilla, leyendo una edición de bolsillo de la *Ilíada* en el descanso para almorzar. De alguna manera, trabajar en esa mina era volver a mis raíces.

—¿Trabajaste con tu padre? —lo interrumpí.

—No. —Cicero acompañó su respuesta con un gesto—. Mis padres ya habían muerto por entonces. Cuando volví, me contrataron en una empresa pequeña, familiar, donde no llegaba el sindicato. Arrebañábamos los últimos restos de una veta de carbón prácticamente agotada. Durante mi primer par de meses allí, no me hice muy popular —Cicero sonrió al recordarlo—. Mi primer día, Silas, el capataz, me preguntó a qué me dedicaba antes de trabajar en la mina. Le dije la verdad, que era médico. A decir verdad, no creo que se lo tragara. Estoy casi seguro de que pensó que me burlaba de él. Se limitó a replicar: «Bien, mi trabajo será evitar que te mates, o que mates a alguien, hasta que te canses de darte golpes en la cabeza con el techo de la galería y decidas ir a buscar otro empleo».

—Vaya tipo —comenté.

—Un buen compañero —me corrigió él—. Silas era más joven que muchos de la cuadrilla, pero llevaba bajando a las galerías desde los dieciocho y conocía el oficio. Yo le presté atención y, al cabo de un par de meses, ya sabía bastante bien lo que me hacía. Silas empezó a dirigirme la palabra para algo más que darme órdenes del estilo de «¡aparta de ahí!». Almorzábamos juntos y hablábamos. —Cicero hizo una pausa, bebió un trago y continuó—: A los dos nos inquietaba la seguridad. Por decirlo con suavidad, las minas pequeñas, no agremiadas, no son precisamente un ejemplo de seguridad en el trabajo. Sin embargo, cuando sucedió, me sorprendió lo discretamente que empezó.

—¿Empezó? ¿Qué? —pregunté.

—Lo que la industria denomina un accidente de ignición. En una mina se oyen con frecuencia ruidos de pequeños desprendimientos y explosiones, de modo que el que oí ese día no me preocupó. Todo parecía normal. La primera impresión que tuve de que algo andaba mal fue cuando noté que el aire circulaba en dirección contraria.

Moví la cabeza para indicar que no entendía a qué se refería.

—Las minas necesitan respirar, como las personas —me explicó—. Los sistemas de ventilación se encargan de alejar la mofeta, el gas metano, del punto donde están trabajando los mineros, y de insuflar aire fresco. En ciertas minas, como la nuestra, los ventiladores crean una corriente de aire de hasta diez o doce kilómetros por hora. Suficiente para que se note, aunque al final uno se acostumbra. Llega un momento en que ni siquiera la adviertes, hasta que se detiene. Da la sensación de que el aire circula en dirección opuesta, realmente. Si sabes lo que significa, no es nada agradable. Silas lo notó al mismo tiempo que yo y los dos dejamos de trabajar y nos miramos.

»Entonces oímos los gritos, lo dejamos todo y corrimos hacia el lugar. Al llegar, vi a dos hombres caídos en el suelo, heridos. Se había desprendido una sección del techo y había saltado una chispa que había provocado una pequeña explosión y un incendio, pero nadie había resultado muerto. El capataz de aquella sección nos vio aparecer en la galería y agradeció la presencia de Silas, pero para él yo seguía siendo un novato, así que me cortó el paso. «Tú, no. Márchate de aquí», me ordenó, pero Silas replicó que le convenía que me quedara. «Es médico», le dijo.

Abajo, en la calle, ululaba una sirena. Sin pensarlo, me asomé al borde de la azotea. Era el sonido de mi trabajo y mi respuesta había sido puramente pavloviana.

—Para comprender lo que sucedió a continuación —prosiguió Cicero sin advertir que había dejado de prestarle atención momentáneamente—, debes entender un poco de accidentes mineros. Con frecuencia, la primera ignición no mata a nadie. Sin embargo, da lugar a un incendio y también compromete el sistema de ventilación. Cuando éste deja de funcionar, el nivel de gas metano aumenta, y es la deflagración posterior del gas lo que causa los muertos.

»En ese momento aún queda tiempo para evacuar, pero el problema es que no todo el mundo accede a salir. Algunos mineros, con la intención de echar una mano, se desplazan hacia el punto de la explosión, en lugar de alejarse. No sé bien si me quedé en el lugar del incidente porque creía haberme convertido en un minero de verdad o porque seguía siendo médico pero, fuera cual fuese la razón, la cuestión es que yo aún estaba allí cuando se produjo la segunda explosión.

Hizo una pausa para servirse más vino de la botella y beber un trago.

—Salí despedido y, cuando se me despejó la vista, observé que los demás empezaban a evacuar —continuó—. Sabían que la situación estaba sin control. Quisieron sacarme, pero tenía las piernas atrapadas y me dijeron que mandarían un equipo de rescate con una camilla, y si a los sanitarios les daba miedo bajar a una mina, ellos mismos se encargarían de trasladarme.

»Sin embargo, la situación era aún muy insegura, con la amenaza de más igniciones. Desde donde me encontraba, oía trabajar al personal de rescate cuando, por radio, sus superiores les dijeron que debían retirarse. Los hombres respondieron que todavía quedaba un hombre dentro, pero de todos modos los conminaron a volver. Los ruidos se hicieron cada vez más débiles y me quedé solo.

Me pareció que los nudillos de Cicero palidecían un poco más al agarrar el vaso. Fue su única muestra de emoción.

—Al principio me lo tomé bien. «Silas los obligará a volver», pensé. Pero entonces vi a Silas. Había muerto. Fue entonces cuando comprendí realmente que yo también podía morir allí abajo, pero mantuve el ánimo mientras duró la luz de la lámpara. Unas treinta horas.

—¿Treinta? —repetí, asombrada—. ¿Cuánto tiempo pasaste allí?

—Sesenta y una horas. —Cicero apuró el resto del vaso—. Casi la mitad, en absoluta oscuridad. Para entonces, la imaginación se me había disparado por completo. Estaba absolutamente paranoico, convencido de que los rescatadores habían mentido cuando decían que volverían. Lo considerarían demasiado peligroso; la empresa se limitaría a sellar aquella parte de la mina y dirían a mi hermano que era uno de los que habían muerto en la explosión.

Después de acabarse el vino, se volvió a tender boca arriba.

—Por supuesto, no fue así. Regresaron a buscarme —continuó—. En el hospital, me dije una y otra vez que la médula espinal estaba bien, que volvería a caminar. Tardé bastante en aceptar que no sería así. Lo asimilé durante la rehabilitación, cuya parte más difícil fue pagar la cuenta, cuando terminé. La mina se declaró en quiebra después del accidente y todos perdimos nuestra cobertura médica.

—Típico —comenté.

—Se ha interpuesto una querella colectiva en nombre de todos los afectados y yo la he suscrito, pero el caso se retrasa en los tribunales. Mientras tanto, calificar de «enormes» mis deudas médicas sería quedarme muy corto, y ahora presento un riesgo preexistente que ninguna aseguradora querrá cubrir.

—Pero estás bien de salud, ¿verdad?

—De momento, sí —respondió—. Pero la vida de un parapléjico, aunque esté sano, no es barata. Además, mi estado te hace vulnerable a otros problemas de salud, más adelante. Estos problemas pueden prevenirse con atenciones y terapias físicas...

—... que las aseguradoras no querrán cubrir porque son parte de una afección preexistente —terminé la frase.

—Exacto. Ahora mismo, disfruto de cierta asistencia médica básica para indigentes. Si consigo un empleo, ya no podré optar a ella y, entonces, los gastos en cuidados sanitarios no cubiertos se llevarán una gran parte del sueldo. Estoy en esa extraña situación en la que tener empleo no haría sino hundirme más todavía, en lugar de sacarme de la miseria.

Aunque había previsto que Cicero me contaría una historia de aquel cariz, nunca habría imaginado que estuviese atrapado hasta tal extremo.

—Aparte de la medicina, que tengo prohibido ejercer, no cuento con otros conocimientos que me permitan obtener los ingresos que preciso para sobrevivir sin los seguros médicos adecuados. Y si encontrara empleo, hay un hospital, un par de clínicas y determinado número de profesionales de la medicina con reclamaciones sobre mis futuras ganancias. Ahora mismo, freno a mis acreedores con un precedente legal, el caso Blood contra Turnip.

Respondí con un comentario inadecuado, que consideré necesario:

—Tiene que haber algún modo de saltarse las leyes. Alguien tiene que darse cuenta de que esta situación es ridícula. Estas cosas no deberían suceder.

Cicero soltó una carcajada.

—No deberían, tienes razón —asintió—. Son consecuencia de una serie de calamidades encadenadas. Si no me hubieran expulsado de la única profesión con la que podía conseguir suficientes ingresos... Si no hubiese escogido aquella mina en particular para trabajar... Si no...

»Todo el mundo ve que la situación es, en efecto, ridícula. Pero encontrar la manera de remediarla es otra cosa. El asistente social sanitario de la clínica de rehabilitación de Colorado decidió que debía venir a Mineápolis porque mi hermano Ulises vivía aquí. Ya instalado, asignaron mi caso a una asistente social de veintitrés años que no sabía qué hacer conmigo. Me consiguió unos cheques por invalidez y eso fue todo. No es culpa suya. El sistema no está organizado para tener en cuenta las circunstancias personales. Nadie está autorizado a cambiar las normas o a interpretar las sutilezas. A todo el mundo le gustaría ayudarte, pero nadie puede hacerlo de verdad.

—Pero las cosas no pueden quedar así —respondí, levantando las palmas con los dedos extendidos.

Cicero me miró fijamente.

—A veces no te entiendo —dijo—. En apariencia, se diría que estás cansada de la vida, pero luego sales con esos ramalazos de fe infantil en el sistema. —Se encogió de hombros y continuó—: Bien, te he contado bastante más de lo que pretendía al principio, y aún no he contestado a tu primera pregunta.

—¿Qué primera pregunta? —Con sinceridad, no me acordaba.

—Exacto —asintió Cicero—. Te contaba del accidente en la mina. Lo que quizá no he dejado claro es que pasé sesenta y una horas atrapado en un espacio casi tan reducido como una tumba. Desde entonces, lo paso muy mal en los lugares cerrados. —Hizo una pausa—. No soy agorafóbico, sino claustrofóbico. Por eso apenas salgo.

—El ascensor... —murmuré, comprensiva.

—El condenado ascensor —corroboró él—. No me dan miedo los seis minutos de la bajada; resultaría dura, pero sería capaz de hacerla. Pero si quedara atrapado, no estoy seguro de que pudiera soportarlo. —Desvió la mirada, avergonzado—. Ya sé que es una estupidez...

—Los miedos son irracionales —respondí—. Yo soy una prueba viviente de eso.

Cicero no respondió. Ladeó la cabeza y siguió las luces de un avión. El aeropuerto de Mineápolis quedaba al sur de donde estábamos y los reactores ascendían sobre el espacio aéreo de la ciudad con la regularidad de una cadena de producción. En el plazo de veinte horas, sus pasajeros podían estar en cualquier lugar del mundo. Y allí abajo estaba Cicero, cuyo mundo se había hecho tan pequeño que, para él, ascender un tramo de escaleras para ver el cielo nocturno era todo un viaje.

—Pero si no sales nunca, ¿de dónde te llega la comida y lo que necesitas?

—De mis pacientes —explicó—. No siempre cobro en metálico; también intercambio favores y servicios.

—¿No vas a ver a nadie?

—Vienen a verme los demás. Chorreando sangre o tosiendo, pero los acepto como llegan.

—Mujeres, me refiero.

—¡Ah, sí, mujeres! —exclamó—. La idea de salir con un parapléjico sin blanca las enloquece.

—¡Cicero! —le reprendí.

—¡Sarah, no intentes cambiarme! —Su tono de voz indicaba que no había más que hablar. Bajé la mirada y acepté su reprimenda—. Las cosas iban mejor cuando llegué a Mineápolis —continuó tras un silencio—. El apartamento de Ulises estaba en la planta baja, de modo que no necesitaba ascensores, y yo disponía de una furgoneta. Nada extraordinario, pero tenía los mandos adaptados y funcionaba. —Hizo una pausa—. En realidad, todavía la tengo, pero más me convendría venderla. Ya no la empleo para nada y uno de los muchachos del rellano tiene que ir una vez por semana a ponerla en marcha, para que no quede inservible por falta de uso.

Aquella parte de la narración llevó a una pregunta obvia:

—Cicero —le dije—, ¿y tu hermano? ¿Dónde está ahora? ¿No has dicho que viniste a Mineápolis a vivir con él?

Los ojos castaños de Cicero parecían más serenos que apenas un momento antes.

—Y estuve con él, sí. Pero eso ya te lo contaré en otra ocasión.

—Pensaba que no tenías secretos —le recordé.

—No los tengo —aseguró él—, pero no creo que te guste oír esa historia, después de la que acabo de contarte.

—¿Está muerto? —insistí.

—Sí, murió.

Moví la cabeza, bajé la vista y musité:

—¡Dios mío!

—No pongas esa cara —dijo él.

—¡Dios mío, Cicero!

—No me compadezcas, Sarah.

—No es eso —respondí, pero no estoy segura de que no lo hiciera.

Dieciséis

*E*n el despacho del juez Henderson celebrábamos una reunión tres personas: el propio juez, un hombre negro que peinaba canas y que apenas abría la boca; Lorraine, la asistente social, y yo.

—No es una situación típica —estaba exponiendo Lorraine—. He visitado su domicilio y es tal como lo ha descrito la detective Pribek. La casa está limpia y los niños van a la escuela. No hay niños en edad preescolar. El menor tiene once años y los demás, catorce, dieciséis y diecisiete. Cuando estuve allí, la hermana se mostró amigable y cooperadora.

—¿Y el padre? —preguntó el juez. Tenía una voz grave y agradable, como el rumor de un trueno en la lejanía.

—Va reponiéndose lentamente —le informó la asistente social—. Lo han trasladado de cuidados intensivos del hospital a una casa de convalecencia y su pronóstico es bueno. El problema más importante, ahora mismo, es la persistencia de los problemas de habla. La hija solicita la administración del patrimonio familiar.

El juez Henderson asintió con la cabeza.

—A través de un abogado, supongo —señaló.

—Efectivamente —asintió Lorraine.

Eché una mirada a los números romanos del reloj de pulsera del juez. Eran las tres y media. Todavía no estaba segura de mi papel en la reunión. Imaginaba que me necesitaban para que declarase lo que conocía de la situación familiar de los Hennessy, ya que había sido la autora del informe a los servicios de protección de niños en situación de riesgo. Sin embargo, hasta aquel momento, no me habían hecho una sola pregunta.

—Bien, parece que ha sido usted muy minuciosa, como siempre. —El juez se recostó en el respaldo de su asiento y se echó tan atrás que su coronilla casi calva desapareció prácticamente bajo una planta de un verde lustroso que estaba colocada en una estantería a su espalda—. Y aquí es donde entra en escena usted, detective Pribek.

Lorraine también se volvió hacia mí:

—Tenemos un programa piloto para situaciones en las que los menores que solicitan la emancipación son encomendados a la supervisión de un adulto adecuado durante un periodo de prueba. Por supuesto, sólo se aplica en casos en los que el menor es considerado un buen candidato y no existen parientes adultos que puedan desempeñar este papel.

—¿Quiere que sea custodia de los menores Hennessy? —pregunté.

—No se trata exactamente de una función de custodia. Más bien sería una observadora vigilante —me corrigió Lorraine.

—No tengo formación de asistente social.

—Pero es una profesional de la seguridad ciudadana, una persona responsable, y parece que ha tenido más contacto con esos jóvenes que ninguna otra persona. —Tras una pausa, Lorraine prosiguió—: Marlinchen Hennessy es una candidata excelente para el programa y apenas quedan unas semanas para que alcance la mayoría de edad. No nos agrada del todo que los menores vivan por su cuenta durante este periodo, pero enviarlos a instituciones de acogida parece..., en fin, parece ridículo.

—No estoy muy segura de que Marlinchen acepte lo que proponen —respondí, eludiendo el compromiso. Pensaba en cómo habíamos terminado nuestro último encuentro.

—Al contrario —dijo la asistente social—. Cuando visité la casa, la hija mayor habló excelentemente de usted.

—La única hija —rectifiqué sus palabras. Marlinchen Hennessy no tenía hermanas.

Lorraine sonrió y me di cuenta de que había caído en una trampa, poniendo en evidencia que había invertido tiempo y energía en conocer a aquella joven familia. Con un resoplido, continué:

No me opongo rotundamente a la custodia, pero creo que el problema va un poco más allá. Marlinchen no sólo aspira a obtener la custodia de sus hermanos menores, sino también la administración de los bienes de su padre. ¿No les parece que es demasiado?

Lorraine se mordió el labio y fue el juez quien tomó la palabra.

—Detective Pribek —dijo—, la familia sigue siendo la unidad sagrada y fundamental de la vida norteamericana. Para que las instituciones públicas disuelvan la unidad familiar, debe existir una buena razón para ello. Si hubiera otros parientes que pudieran hacerse cargo de los menores, o incluso un amigo íntimo de la familia, seguiríamos esa vía. Pero no hay ninguno y, en vista de ello, creo que ésta es la mejor solución para los chicos.

—¿Y qué me correspondería hacer, exactamente? —pregunté, dándome por vencida.

—Supervisarlos un poco —explicó Lorraine—. Comprobar que se hace la colada y que cenan algo más que cereales fríos cada noche. Desde luego, no es necesario que viva con ellos, pero debería pasar algunos ratos en la casa. —Hizo una pausa y añadió—: También debo mencionar que recibirá un estipendio por la labor.

—Pero la cantidad no contaría para el cálculo de su plan
de jubilación —añadió el juez Henderson con cierta seque-
dad, y me sorprendí riéndome con él.

—¿Y bien, está dispuesta? —inquirió la asistente social.

Lo que me pedían iba mucho más allá del trabajo que de-
sarrollaba para el condado. No tenía hijos y no había crecido
rodeada de hermanos y hermanas. Sin embargo, comprendí
que ya era tarde para intentar mantenerme al margen. A pesar de lo sucedido en nuestro último encuentro, Marlinchen
me caía bien. Y si pasaba más tiempo con ella, tal vez sería
capaz de terminar lo que tenía entre manos: localizar a Aidan Hennessy.

—Está bien —dije, pues—. Lo haré.

No me lo habían dicho, pero Marlinchen Hennessy
aguardaba en otra sala durante la reunión. En cuanto accedí
a llevar a cabo la supervisión de los hermanos Hennessy, Lorraine le indicó que entrara y le expuso la propuesta. Como
era de prever, Marlinchen aceptó.

Bajamos juntas en el ascensor y aproveché para decirle
que, cuando terminara el trabajo, pasaría por la casa y expli-
caríamos la situación a sus hermanos. Marlinchen se apresuró a asentir, pero no dijo nada más. La dejé en una mesita
en la segunda planta del centro comercial Pillsbury, tomando una cola y repasando los deberes escolares.

Mientras volvía al trabajo, reflexioné que, evidentemente, Marlinchen seguía considerándome una figura de autoridad. Si tenía que dedicar las siguientes semanas a ocuparme
con regularidad de ella y de sus hermanos, quería que al menos la muchacha se relajara un poco.

Lo que necesitaba era pasar un rato con Marlinchen sin
hurgar en incómodos asuntos de familia, sin que ninguna de
las dos mencionara a Hugh ni a Aidan, sin hacer referencias

a la economía familiar o a los límites jurisdiccionales. Lo que necesitábamos era algo completamente diferente. Algo divertido.

Cuando llegué a la brigada, le dije a Van Noord que saldría un poco antes.

—Van a detenernos —anunció Marlinchen llanamente.

A las seis, la luz de la tarde empezaba a declinar. Marlinchen y yo nos hallábamos en una carretera rural. Habíamos dejado atrás las Ciudades Gemelas y estábamos en las proximidades del río St. Croix.

Acababa de detener el Nova junto a la cuneta para cambiarme de asiento con ella. Marlinchen lo había hecho muy bien un rato antes, en el aparcamiento vacío de una iglesia, cuando le había enseñado los fundamentos de la conducción en un coche automático. Había realizado un circuito por el aparcamiento vacío de una iglesia, a 25 kilómetros por hora, y había aprendido a frenar y a conducir marcha atrás. «No es tan difícil», había comentado. Y, a medida que crecía su confianza, había aumentado también el placer que encontraba al volante.

Esta vez, sin embargo, las cosas eran distintas.

—¿Tengo que hacerlo aquí, en una carretera? —protestó con un punto zalamero en la voz—. ¿No debería empezar en una calle tranquila, a 40 por hora?

—Las calles están llenas de cruces, de tráfico nervioso y de niños en bicicleta —le respondí—. Aquí, en cambio, lo único que tienes es una calzada despejada y recta.

Un camión articulado nos adelantó con un rugido a 110 por hora. Al verlo, Marlinchen me lanzó una mirada reprobadora.

—Tienes que llevar una casa y ni siquiera puedes ir a la tienda en coche —repliqué. Era un argumento que ya había utilizado cuando le había sugerido que le daría lecciones de conducción—. Tienes que aprender.

—¿Y si voy demasiado lenta? —preguntó ella.

—Te adelantarán —respondí—. A los conductores de carretera les encanta adelantar; eso rompe la monotonía.

Para evitar más protestas, me apeé del vehículo. Mientras rodeaba el coche, vi que Marlinchen me imitaba, a regañadientes.

Cuando hubimos cambiado de asiento, le di indicaciones.

—Con mucho cuidado —le dije, secamente—, busca el freno de mano y bájalo, como has hecho antes. Bien. Ahora, con el pie en el freno, entra la marcha. El pie derecho. No utilices nunca el izquierdo.

Marlinchen avanzó hasta el arcén y se detuvo allí, mirando a un lado y otro. Transcurrieron unos segundos; luego, unos cuantos más. No se veía ningún vehículo en ninguna dirección. Me pregunté qué estaría buscando.

¿La estaba forzando demasiado? Me había propuesto que la chica se relajara un poco, por una vez, e hiciera algo divertido, pero no parecía disfrutar en absoluto.

—No hay más coches a la vista —apunté—. Las condiciones no pueden ser mejores.

Marlinchen levantó el pie del freno y se incorporó a la calzada. La aguja del indicador de velocidad empezó a subir con penosa lentitud hasta marcar los 45 por hora, luego los 60 y, finalmente, los 70.

—El límite de velocidad es 90 —le recordé.

—Ya lo sé —replicó ella.

—Esto significa que todo el mundo circula a 100 —expliqué—. Acelera.

El ruido del motor se hizo más agudo y el cuentakilómetros volvió a subir, muy despacio. Cuando marcó 90, Marlinchen levantó el pie del acelerador, visiblemente aliviada, y se mantuvo a aquella velocidad.

—¿Te sientes mejor? —le pregunté.

—Sí —respondió, y en su voz había un leve tono de sorpresa. Relajó las manos en el volante—. ¿Adónde vamos?

—A ninguna parte. La carretera continúa un buen trecho. Se trata de que te vayas acostumbrando a conducir.

En el retrovisor derecho apareció un vehículo. Parecía del tamaño de una mosca, pero se acercaba deprisa. La mosca resultó ser un gran camión Ford que se nos echaba encima.

—Mira por el retrovisor —le indiqué a Marlinchen. Lo hizo y, al instante, se aferró de nuevo al volante—. No sucede nada —le aseguré—. Va a adelantarnos.

—¿Qué tengo que hacer?

—Nada. Él lo hará todo. Obsérvalo mientras tanto.

El camión nos alcanzó y se quedó detrás de nosotras unos veinte segundos. Marlinchen lo observó por el retrovisor durante diecinueve de los veinte.

—No te quedes mirándolo todo el rato —indiqué—. Tienes que estar atenta a lo que tienes delante; es ahí adonde vas.

Después de pedirnos que acelerásemos sin obtener respuesta, el camión dejó una distancia de cortesía con el Nova y, acto seguido, el gran morro negro se asomó ligeramente al otro carril. No había tráfico en dirección contraria, sólo una línea discontinua en el centro de la carretera. El camionero invadió ágilmente el carril contrario, nos adelantó a 130 y volvió a la derecha.

—¡Vaya! —exclamó Marlinchen.

—¿Ves? No pasa nada. Si apareciera alguien de frente, podrías reducir un poco la velocidad para asegurarte de que el camión tiene espacio suficiente para reincorporarse al carril. O podrías hacerle luces, cuando te hubiera sobrepasado; significa que le facilitarás la maniobra.

—¿Existe un código de conducta? —se extrañó ella—. ¡Bien!

Continuamos por la carretera diez minutos más hasta que apareció un vehículo delante de nosotros, en el mismo sentido de la marcha. Era una máquina agrícola, un tractor. Nos echábamos rápidamente encima de él y pronto quedó claro que el vehículo avanzaba a 30 por hora.

—Adelántalo —le dije.

—¿Qué?

—Adelántalo. Ese tractor va a paso de tortuga. Si no lo haces, nos moriremos de aburrimiento detrás de él.

—¡No puedo! —exclamó ella.

—Claro que sí. El coche tiene potencia y te lo permite. Pero cuando inicies la maniobra, no te vuelvas atrás. La indecisión es la causa de muchos accidentes.

Nos pegamos al tractor y miré para comprobar que no venía nadie.

—Despejado —anuncié—. ¡Adelante!

El motor vibró mientras Marlinchen salía al carril opuesto. La aguja del cuentarrevoluciones dio un brinco y el indicador de velocidad empezó a subir: 100, 110, 120... Transcurrió aquel momento interminable, aquel instante en que crees que no terminarás nunca de pasar al vehículo que estás adelantando, por muy despacio que pareciera ir un minuto antes. Avanzamos lentamente. En el horizonte apareció una forma indefinida, blanca. Un vehículo se aproximaba.

Marlinchen hizo lo que yo esperaba. Quitó el pie del acelerador y el motor bajó de revoluciones. Se proponía abortar el adelantamiento.

—¡No! —exclamé enérgicamente—. Ya estás en plena maniobra, ¿recuerdas?

El ruido del motor volvió a hacerse más agudo al subir de revoluciones otra vez y el cuentakilómetros marcó 130, 140... Superamos el morro del tractor y Marlinchen continuó pisando a fondo. En ese momento circulábamos a

150 kilómetros por hora. Volvió la cabeza para observar el tractor.

—Ya está —dije—. Vuelve a tu carril.

Así lo hizo, con visible alivio. Momentos después, nos cruzamos con una furgoneta blanca. En realidad, la maniobra no había sido peligrosa.

—¡Oh, vaya! —exclamó Marlinchen. Inspiró profundamente y soltó el aire. Después, echó un vistazo por el retrovisor y agitó la mano en un alegre saludo al tractorista, como si éste le hubiera hecho un gran favor—. Ha sido emocionante.

—Desde luego, no te diviertes muy a menudo, ¿verdad? ¿Quieres parar a poner la cabeza entre las rodillas hasta que se te pase la sensación?

—¡Oh, calla! —replicó ella, y estalló en una risita nerviosa ante su propia audacia. Yo también me reí.

—Ahora te creerás muy atrevida, ¿verdad? —le dije—. 195 Pues esto no es nada. Cuando tenía tu edad...

—Ya empezamos... —comentó ella, de buen humor.

—... mi amiga Garnet Pike y yo estábamos aprendiendo a dar una coleada de 180 grados, lo que llamábamos «el giro del contrabandista».

—No sé qué significa ninguna de las dos cosas.

—Es un giro para dar media vuelta en seco, usando el freno de mano al tiempo que giras el volante a tope. Con muchos de los coches actuales no se puede hacer, porque tienen el centro de gravedad demasiado alto. Garnet había leído cómo se hacía y quería probarlo. Me convenció para que tomáramos prestado el coche de mi tía, un sedán con un buen motor, y fuimos al aeropuerto.

—¿Al aeropuerto? —se extrañó Marlinchen.

—Olvida el aeropuerto de Mineápolis/Saint Paul. Era un aeródromo rural, una pista nada más, sin torre. Y por la noche, cuando fuimos, no había despegues ni aterrizajes.

—Llegado ese punto, contuve un poco mi entusiasmo—: No digo que lo que hicimos sea correcto. Fue una invasión de la propiedad privada.

—En otras palabras: «No probéis a hacerlo en vuestra casa» —comentó ella con sarcasmo.

—Exacto. En cualquier caso, la pista era el sitio perfecto para practicar: espacioso y sin obstáculos. Después de dos intentos nulos, Garnet reunió el coraje necesario y lo consiguió. Y yo, en aquella época, me sentía obligada a hacer todo lo que hiciera ella. Así pues, cambiamos de asiento y probé.

Por un instante, me hallé de nuevo en ese coche, volví a oír mi propia voz exaltada y aliviada, vi nuevamente el pequeño aromatizador en forma de pino danzando sin control en el espejo retrovisor del coche de tía Ginny. Hasta el día de hoy, es el recuerdo que evoca en mí ese olor sintético a pino.

—Déjame adivinar —apuntó Marlinchen—. ¿Quieres enseñarme el truco?

—No, todavía no estás preparada para eso. —Acompañé mis palabras con un gesto de cabeza—. Pero te haré una demostración.

—No, gracias —replicó ella firmemente—. Vomitaría las galletas.

—No, nada de eso —insistí—. Habré terminado antes de que te enteres. De hecho...

—Mira, una cafetería —me interrumpió Marlinchen, encantada de ver el establecimiento al lado de la carretera—. ¿Podemos parar?

—Tú conduces...

Poco después nos hallábamos sentadas a la sombra, contemplando el río St. Croix. Marlinchen había conducido hasta allí mientras yo sostenía su pedido, un gran helado, y el mío, unos aros de cebolla. Delante de nosotras, el sol se reflejaba en el río, pero a nuestra espalda unas nubes de color plomizo cubrían el cielo. El contraste era tan marcado que casi me pareció como si alguien hubiera añadido las nubes de tormenta al paisaje con un programa de dibujo de ordenador.

—Esta noche cambiará el tiempo —pronostiqué—. Habrá tormenta y tal vez granice.

Marlinchen sorbió parte del helado.

—Cuando era pequeña, las tormentas fuertes me asustaban —contó—. Uno de mis primeros recuerdos es de cuando cayó un relámpago en casa. No lo vi, sólo recuerdo el ruido y cómo se asustó mi madre. Desde entonces, durante años, me espantaba cualquier ruido fuerte.

—¿Tan terrible fue?

—Creo que no me habría afectado tanto si no hubiera visto a mi madre tan aterrada —explicó Marlinchen—. Entró en mi habitación llorando y me dijo que había caído un rayo en la casa, y me metió de inmediato en la cama. La vi tan alterada que me eché a llorar. Imaginé que seguirían cayendo rayos sobre la casa. Esa noche, mamá durmió conmigo.

Elisabeth Hennessy había muerto ahogada en circunstancias sospechosas y corrían rumores de que tal vez se había suicidado. Aquel recuerdo de su hija me suscitó la pregunta de si la madre de Marlinchen habría tenido una vida atormentada de joven y si sus nervios, ya alterados, habrían convertido la zozobra de las tormentas estivales en Minnesota en psicodramas aterradores.

—¿Sucede algo? —indagó Marlinchen.

—No —respondí. No se me ocurría una manera delicada de preguntarle si Elisabeth Hennessy era una persona aprensiva o neurótica, de modo que dejé la cuestión para otro momento.

—¿Cuántos años tenías cuando murió tu madre? —me preguntó tras una pausa.

Esperé que mi expresión no delatara la sorpresa que me habían producido sus palabras. Aquella muchacha poco menos que leía los pensamientos. Tal vez no, pero andaba cerca.

—Nueve —dije—. Casi diez.

Marlinchen se detuvo con la cuchara a medio camino de la boca.

—Me parece que el otro día decías que viniste a Minnesota cuando tenías trece años —comentó—. ¿Qué sucedió mientras tanto?

Le había contado la historia de mi emigración a Minnesota a varias personas, pero hasta entonces nadie me había hecho aquella pregunta.

—Te conté que mi padre era camionero, ¿verdad? —respondí—. Pasaba mucho tiempo en la carretera. Pero hasta que tuve trece años, viví en casa con mi hermano mayor, Buddy. Entonces se alistó en el ejército y se marchó, de modo que habría tenido que vivir sola. Fue por eso, sobre todo. Aunque también... —vacilé.

—¿Qué?

—Ese verano, creo, desapareció una chica. Tenía mi edad, más o menos, y estas cosas, en un pueblo pequeño, provocan auténtico pánico. —Un ave acuática sobrevoló el río a baja altura—. No había pensado en eso desde hace años.

—¿Por qué no?

—Sucedió hace mucho tiempo. Y era una cría. En cualquier caso —me encogí de hombros—, la tragedia quizás influyó en mi padre. Además, me estaba haciendo adolescente y tal vez pensó que necesitaba una influencia femenina.

—Entiendo —dijo Marlinchen, lacónica—. ¿De modo que fue la influencia femenina de tu tía lo que te llevó a entrar ilegalmente en los aeropuertos a practicar acrobacias en coche?

—Exacto —asentí—. Tía Ginny era la mujer más encantadora del mundo. Trabajaba por la noche y los fines de semana en un asador y, prácticamente, me dejaba a mi aire. ¿Quieres uno? —Le ofrecí un aro de cebolla y lo aceptó.

—Gracias. ¿Y tu tía sigue todavía en el pueblo? —inquirió.

—No. Murió cuando yo tenía diecinueve años, de apoplejía. Nada parecido a lo de tu padre —me apresuré a añadir, al ver un asomo de crispación en el gesto de Marlinchen—. La suya fue en el tronco cerebral, que rige gran parte de las funciones autónomas del cuerpo. Si existe un lugar del cerebro en el que es mejor que no se produzca un ataque, es ése.

Al cabo de unos minutos, cuando Marlinchen terminó el helado, me puse en pie.

—Vamos.

Volvimos juntas al coche, en silencio. Esta vez, me puse yo al volante y, al llegar al final del camino de tierra que habíamos tomado hasta nuestra atalaya, tomé la carretera hacia el norte, y no hacia el sur.

—¿No te has equivocado de dirección? —preguntó Marlinchen mientras yo seguía acelerando.

—Sí —respondí y, de pronto, tiré del freno de mano y giré el volante a fondo. El Nova describió un giro de 180 grados, las ruedas traseras patinaron brevemente en la cuneta y, enseguida, volvimos a acelerar.

—¿Lo ves? —respondí—. No ha sido para tanto, ¿verdad?

Diecisiete

$\mathcal{H}$ubo otro atraco en la tienda de una gasolinera; los autores eran, claramente, los dos mismos individuos. «Bienvenidos otra vez, muchachos», me dije.

Después de tomar declaración inicial a los testigos, revisé los vídeos de seguridad de las dos primeras tiendas con la esperanza de que en la cinta del día anterior al atraco aparecieran los ladrones sin las máscaras mientras estudiaban el local con vistas al golpe.

Cuando salí del trabajo, se me ocurrió que quizá era una buena noche para visitar la casa del lago. Llegaría a tiempo para la cena y Marlinchen debía de ser mejor cocinera que yo. Tomé el ascensor y bajé al garaje.

—¡Detective Pribek!

Me volví. Gray Diaz se acercaba entre dos hileras de coches aparcados. No venía solo. Lo seguía un hombre de unos cincuenta años, alto y delgado, vestido de calle con sencillez, en mangas de camisa y sin corbata. Sus ojos, tras unas gafas de montura metálica, eran gris pardo. También me resultaba conocido, pero no acabé de ubicarlo.

—Me alegro de encontrarla antes de que se marche —dijo Diaz, que traía un papel en la mano—. Conoce a Gil Hennig, ¿verdad?

Cuando dijo el nombre, caí en la cuenta: Hennig era un técnico del Gabinete de Investigación Criminal. Lo había visto a veces en las escenas del crimen, espolvoreando puertas en busca de huellas o sacando moldes de pisadas, sin llamar nunca la atención.

—¿Qué puedo hacer por ustedes?

Noté el pequeño nudo de inquietud en la boca del estómago que siempre me provocaba Diaz.

—Gil ha bajado conmigo a inspeccionar su coche —dijo Diaz mientras me tendía el papel. Era una orden de registro—. Puede quedarse mientras realizamos el trabajo, si quiere.

Eché un vistazo al documento. Permitía analizar cabellos, fibras, huellas y sangre. El laboratorio forense del Gabinete de Investigación Criminal se encargaría de realizar las pruebas. El condado de Hennepin tenía su laboratorio propio, pero el caso no era jurisdicción de la policía del condado y el Gabinete efectuaba análisis de pruebas para otras jurisdicciones menores, como la de Diaz.

—Si necesita algo del coche, ¿por qué no lo saca ahora? —sugirió éste—. La orden de registro abarca todo el contenido, pero seremos flexibles. Sólo será preciso que el agente Hennig la observe y que inspeccione brevemente lo que usted vaya a retirar.

—No necesito nada —respondí. En el maletero llevaba las herramientas del coche, el botiquín de primeros auxilios y unos cuantos útiles de emergencia más; en la guantera, unas cintas de música y dos billetes de cincuenta dólares para la grúa en caso de avería. No dudaba de que el dinero seguiría en su sitio cuando me devolvieran el Nova.

—Entonces, necesitaré la llave —dijo Hennig.

Al cabo de todo un minuto de torpes intentos, que me pareció mucho más largo debido a la presencia de los dos hombres que me observaban, conseguí sacar la llave del coche de las dos firmes vueltas de metal del llavero.

Hennig se acerco a mi coche sin que tuviera que indicarle cuál era. Una grúa lo había enganchado en un abrir y cerrar de ojos y lo estaban subiendo al camión.

—Soy consciente de que esto supondrá un inconveniente para usted —dijo Gray Diaz—. ¿Puedo llevarla a alguna parte?

—No, gracias —respondí.

—En serio —insistió Diaz—. No es problema.

—Tengo una amiga que está a punto de salir —dije, moviendo la cabeza—. Ella me llevará.

—¿Está segura? —Los dos nos encaminamos hacia los ascensores, desandando mis pasos.

—De verdad —asentí.

Cuando llegué arriba otra vez, desaparecí en el baño de señoras. No sabía bien dónde se había metido Diaz, pero no quería que me viese remoloneando por allí, sin que apareciera por ninguna parte, lógicamente, la inexistente amiga que yo había asegurado que me llevaría.

Allí dentro no había nadie y apoyé el trasero en el mármol lavabo para relajar las piernas.

Shorty nunca había montado en mi coche pero, naturalmente, eso Diaz no podía saberlo. De lo que no cabía duda era de que Shorty había estado en el bar, donde habíamos hablado, y de que poco después había muerto en el incendio de su casa. Por lo tanto, Diaz podía suponer que en el ínterin había estado en mi coche, bien con vida, como pasajero, o en el portaequipajes, ya cadáver. Cabía la posibilidad de que lo hubiese matado en otra parte y hubiera trasladado el cuerpo a la casa para quemarlo, en un burdo intento de encubrir el homicidio.

El problema era que, si bien él no había estado en el coche, la sangre del muerto, sí. Yo me había presentado en el lugar de los hechos, e incluso me había arrodillado al lado de Shorty mientras se desangraba, para intentar convencerlo de que me contara una historia que, de otro modo, se habría llevado a la tumba. Y mientras Stewart me revelaba lo que necesitaba conocer, su sangre me empapó la ropa. Más tarde, cuando Gen y yo llegamos a casa de su hermana, lavamos las prendas manchadas en la lavadora del sótano y limpiamos meticulosamente el porche y el suelo de la casa para asegurarnos de que no habíamos dejado ningún rastro que pudiera implicarnos. Al día siguiente, había llevado el coche a un túnel de lavado y había sometido el Nova a la limpieza más concienzuda, con aspirador incluido, que le hubiera hecho nunca.

Sin embargo, aquello no significaba que Hennig y sus colegas no fuesen a encontrar nada. Muchos delincuentes intentan estas limpiezas a fondo, pero los buenos técnicos saben buscar los rastros que quedan. Las pruebas materiales pueden perdurar mucho tiempo, en las circunstancias adecuadas. Era perfectamente posible que los peritos encontraran sangre en el coche y que la identificaran como perteneciente a Shorty.

Uno de los cubículos estaba ocupado. Se abrió la puerta y apareció Roz, la sargento del Departamento de Policía de Mineápolis. Al descubrir mi presencia, se detuvo en seco y me miró con franca sorpresa. Yo debí de mirarla con una expresión similar. No parecía muy normal que alguien pasara diez minutos en un baño de señoras, en silencio y sin hacer nada, sentada en un retrete o apoyada en el mármol del lavamanos, pero en ello acabábamos de descubrirnos mutuamente.

—¿Qué sucede? —inquirí sin convicción. Advertí que la sargento tenía los ojos enrojecidos.

—¡Ah! Ni siquiera debería estar aquí —musitó—. Hoy he tenido que sacrificar a *Rosco*.

—¿*Rosco*?

—Mi primer auxiliar canino —explicó.

—¡Oh, vaya! —exclamé—. ¡Qué horrible!

—Sí. Bueno, ha sido por su bien. Ya era incapaz de comer. Anteayer le preparé carne picada y ni siquiera llegó a tocarla. Me di cuenta de que había llegado su hora. —Hizo un gesto vago con la mano—. Pensaba que aquí encontraría algo para ocupar mis pensamientos, pero no hay nada que hacer —añadió con un suspiro—. ¿Y usted, qué hace aquí?

—Busco a alguien que me lleve a casa —expliqué—. Me he quedado sin coche.

Roz no hizo comentarios respecto a que buscara conductor en la soledad del lavabo de señoras.

—Bueno, yo misma podría acercarla —se ofreció.

Bajamos al garaje en silencio. Después, ya sentada al volante, me propuso:

—¿Y no le apetecería más ir a tomar una copa?

—De acuerdo, de acuerdo. No, espera —me oí decir. Ya habíamos pasado a tutearnos—. Está bien, a mí se me han meado encima cuatro veces, pero sólo me han vomitado una. Estoy muy orgullosa de ello.

—¿Han intentado mearte encima cuatro veces? —repitió Roz, haciéndose oír por encima del ruido del bar.

—Una de ellas merece un..., ¿cómo diría?, un asterisco —aclaré, con el puño cerrado en torno al vaso vacío—. El sospechoso, herido en una pelea en un bar de moteros, estaba atado a una camilla del servicio de urgencias. Nadie vio cómo conseguía sacársela, y mucho menos apuntarme a la pierna. Era como un ventrílocuo con eso.

En un primer momento, Roz y yo pensamos en ir a algún local tranquilo y con poca luz, pero al final nos decidimos por un bar animado, frecuentado por profesionales urbanos; no queríamos encontrarnos con colegas del trabajo y la comida de la *happy hour* del viernes por la noche sería mejor.

Brindamos por *Rosco* y durante las horas siguientes tomamos suficientes copas para hacerlo por sus siete perros restantes. Cuando las patatas fritas y los nachos con siete salsas no nos bastaron, nos partimos una ración de patatas picantes.

Roz preguntó por Gen. Yo me interesé por los progresos de su alumna, Lockhart. Ella me aseguró que nunca había creído aquellas tonterías sobre mi participación en un asesinato en Blue Earth. Yo le dije que no daba crédito a los rumores que la señalaban como lesbiana. Ella me confió que lo era. Las dos rondas siguientes las pagué yo.

Transcurrió un tiempo impreciso y, al cabo, Roz me contó uno de los momentos culminantes de *Rosco*.

—Así que estamos todos en pleno campo, dando una batida en busca de un fugitivo peligroso; son las cuatro y media de la madrugada y está muy oscuro. *Rosco* capta un olor, corre hasta un árbol y se detiene. Vuelve hasta nosotros, regresa al árbol y se pone a dar vueltas al tronco, muy excitado.

»Nos figuramos que el fugitivo se ha encaramado al árbol, de modo que todos nos apostamos y apuntamos armas y linternas hacia las ramas. Sin embargo, allí no hay nadie. *Rosco* sigue dando vueltas al tronco y lanzándome ladridos, pero no logro entender qué quiere. Los del Gabinete de Investigación Criminal se mosquean y piensan que *Rosco* está chiflado. Quieren que lo obligue a volver al camino y tengo que insistir en que a estos perros no se los conduce, sino que se los sigue. Entonces, *Rosco* se levanta a dos patas, posa las delanteras en el tronco y vuelve a ladrar; como si dijera: "Bueno, estúpida, yo ya he hecho mi trabajo; ahora haz tú el tuyo". —Roz me miró con una seriedad que era producto de la bebida—. ¿Sabes qué señalaba?

—¿Que el tipo seguía en el árbol?

—Exacto. ¡Dentro del árbol! —exclamó Roz, y me apretó el brazo para subrayarlo—. Se había subido a las ramas para otear por dónde veníamos, pero el árbol estaba muerto y tenía el tronco hueco, y cuando el tipo intentó bajar, se cayó dentro sin querer o decidió ocultarse allí. —Tomó un trago de cerveza y añadió—: Luego, no pudo volver a salir y durante la noche estuvo a punto de morir congelado. Cuando dimos con él, estaba inconsciente. Sin embargo, consiguieron reanimarlo, lo llevaron a juicio y fue condenado a cadena perpetua.

—Un final feliz —comenté.

—Sí —dijo Roz—. ¿Qué hora es?

—Pasa un poco de las nueve.

—Me parece que no estoy en condiciones de conducir —anunció ella.

—¡Kay! —musité.

—Maldita sea, se supone que debía llevarte a casa —insistió Roz.

—No importa —le aseguré.

Finalmente, su novia, Amy, tuvo que acudir al centro en taxi para recogerla y llevarla a casa. Amy me aseguró que no le molestaba acompañarme a la mía. La dirección que di no le dijo nada. Pero a Roz, sí.

—¿Vives en un bloque de protección oficial? —me preguntó, incrédula.

Dieciocho

*E*n el pasillo de la planta veintiséis de la torre norte, me topé con un adolescente desmañado. Nuestras miradas se cruzaron; él desvió la suya rápidamente y continuó avanzando hasta el apartamento del fondo. Yo me detuve ante el 2605 y llamé a la puerta, pero no tuve respuesta. Volví a probar.

Por fin, Cicero abrió, con el pelo mojado y una toalla arrugada en una mano. Llevaba la camisa salpicada de agua y era evidente que se la había puesto a toda prisa, sin haberse secado como era debido.

—¿Llego en mal momento? —pregunté.

—No, no —aseguró—. Pasa.

Cuando cerré la puerta, el vapor y el olor a jabón Ivory impregnaban el salón.

—Lo siento —dije—. Esta vez vengo con las manos vacías.

—No tienes que traer nada para llamar a esta puerta —respondió Cicero—. Pero, aunque te presentes sin la botella, sospecho que esta noche no vienes del todo serena. No me equivoco, ¿verdad? Me ha parecido advertir que arrastras un poco las erres...

Una llamada a la puerta lo interrumpió. Cicero se desplazó hasta ella con la silla de ruedas y la entreabrió.

—Me he quemado el brazo —dijo una voz femenina.

Cicero se retiró y la paciente entró. Era una mujer blanca, delgada, de cabellos castaños lacios y vestida con un incongruente conjunto de camisola de satén a rayas verticales sobre unos pantalones de chándal. Se cubría el antebrazo con una toalla de papel mojada.

—¿Cómo ha sido eso, Marlene? —preguntó Cicero.

—Cocinando —respondió la mujer, y me observó. Cuando la miré a los ojos, las pupilas contraídas me indicaron que, probablemente, el accidente que había sufrido en la cocina se debía a las drogas.

Cicero se volvió hacia mí.

—Sarah, ¿te importaría esperar en la otra habitación?

Asentí y me retiré al dormitorio. Si conocía a Cicero, aquello llevaría más tiempo del estrictamente imprescindible para limpiar la quemadura y aplicar un bálsamo; me hubiera sorprendido que no se fijara también en aquellas pupilas como cabezas de alfiler y, probablemente, añadiría al tratamiento alguna indicación respecto a dónde pedir consejo para superar la adicción a las drogas.

La persiana de la ventana estaba levantada, como siempre, y ante mí se extendían las luces de Mineápolis. Me acerqué a mirar mientras las voces de Cicero y Marlene se filtraban débilmente por la puerta entreabierta. Aparte de su conversación, no se oía nada. Me sorprendía la solidez de los tabiques del edificio. A nuestro alrededor había gente, pero no se oía en absoluto su actividad. Mis visitas al apartamento siempre habían sido como llegar a un paraje en lo alto de una montaña, envuelto en un completo silencio, salvo un esporádico ladrido de *Fidelio*. Normalmente, la quietud resultaba relajante; aquella noche, me parecía irritante.

La compañía de Roz había significado una excelente distracción, lo mismo que el bullicio del bar y las batallitas que habíamos compartido, pero ahora volvía a asaltarme la duda que había decidido relegar durante aquellas horas: ¿Qué sucedería si el Gabinete de Investigación Criminal descubría sangre de Stewart en mi coche?

Ser interrogada como principal sospechosa de la muerte de Royce Stewart había resultado doloroso, y ver la desconfianza pintada en el rostro de algunos colegas y la perversa aprobación en la mirada de otros había sido muy incómodo. Con todo, en última instancia, siempre había contado con una seguridad en lo concerniente a Shorty. Siempre había tenido la certeza de que si me detenían o me acusaban formalmente, Genevieve volvería y contaría la verdad. Seguirían considerándome cómplice de la muerte, pero no autora del asesinato.

Sin embargo, empezaba a darle vueltas a una malhadada posibilidad. ¿Y si la confesión de Genevieve no bastaba? Si tanto los indicios materiales como los testimonios recogidos en Blue Earth me señalaban, ¿no descartaría el gran jurado la improbable confesión de culpabilidad de Gen, en vista del peso de las pruebas, y me mandaría a juicio a pesar de todo? Y si tal cosa llegaba a ocurrir, poco podría hacer para evitar que un jurado me condenara.

Durante la primera declaración ante los detectives del condado de Faribault, me había parecido natural y correcto mentir para proteger a Genevieve. Ahora, me preguntaba si no me habría cavado una tumba más profunda de lo que había supuesto en un principio.

La puerta del dormitorio se abrió y me volví, dando la espalda a la ventana.

—Vaya —dijo Cicero desde el umbral—, lamento la interrupción.

—Es tu trabajo —respondí.

—¿Tienes hambre?

Descubrí que sí.

—¿Cómo lo has sabido? —exclamé.

—Cosas de la facultad. Nos enseñaron a reconocer los síntomas precoces de la desnutrición —bromeó—. ¿Qué has cenado?

—Cuatro whiskys, tres cervezas y media ración de patatas —reconocí.

—No se me podría ocurrir una dieta más equilibrada —comentó él—. Voy a ver si encuentro algo de comer mientras te preparo un café.

Torcí el gesto. Cicero no era rico; ni siquiera estaba segura de que tuviese el dinero suficiente para sobrevivir.

—No deberías malgastar tu comida conmigo —me lamenté.

—Disfrútala y no se malgastará.

Me preparó un bocadillo de tomate y aguacate con una taza de café; mientras yo daba cuenta de él, volvimos al dormitorio. Cuando casi había terminado, Cicero me preguntó:

—Y bien, ¿por qué hemos estado bebiendo esta noche?

—¿Por qué los médicos dicen siempre «nosotros» cuando se refieren a los demás? —repliqué.

—Da confianza —fue su respuesta—. Pero no se trataba de una celebración, ¿verdad?

—No —respondí.

—¿Algo anda mal?

—No, de verdad. —Levanté la taza de café como para que me protegiera de su curiosidad.

—Y yo voy y me lo creo. Vamos, ¿qué te ha pasado?

Lamí una gota de mayonesa manchada de tomate de la yema del índice.

—El bocadillo estaba estupendo, de verdad —declaré.

—Gracias. ¿Qué te ha pasado?

—Es complicado —respondí finalmente, con un suspiro—. Tiene que ver con la razón por la que mi marido está en la cárcel y... Creí que hacía lo acertado y ahora ya no estoy tan segura. Quizá puedas entenderlo... Pero ¿qué digo? ¡Claro que puedes! —Le dirigí una mirada perspicaz—. Fue así como perdiste la licencia, ¿verdad? Auxilio al suicidio. Ayudaste a morir a un enfermo terminal, ¿me equivoco?

Cicero levantó una ceja:

—¿Cómo lo has sabido?

—No ha sido difícil de deducir —expliqué—. La compasión. Es tu punto débil.

—Conducta sexual inmoral —dijo él.

—¿Qué?

—Perdí la licencia por conducta sexual inmoral con una paciente.

—Bromeas —balbucí.

—Sarah —replicó él con tono reprobatorio—, ¿por qué diablos iba a bromear con algo así?

Mortificada, volví a refugiarme en el café. Tomé un sorbo y, cuando hablé de nuevo, lo hice con más cuidado.

—Pero fue un malentendido, ¿verdad? Una acusación falsa, ¿no?

—No —respondió Cicero—. Fue conducta sexual inmoral, y punto.

«No es posible», quise decir.

—La ingresaron en urgencias una noche después de un intento de suicidio —explicó él—. Era menuda, apenas un metro y medio de altura, y tenía el cabello muy rubio y muy largo, por la cintura. Advertí que el intento de suicidio resultaba ambivalente. Se había cortado las muñecas, pero las heridas eran superficiales. Conseguí que la admitieran en la unidad de crisis y, durante el proceso, me contó su historia.

»Era británica y había llegado a Nueva Cork con dieciséis años para estudiar ballet. Procedía de una familia desestructurada; la madre había muerto y apenas se trataba con su padre y con su hermana. Quería empezar una nueva vida en Estados Unidos, pero las cosas no le salieron bien. Luchó por todos los medios por mantener el peso, lo que la condujo a la anorexia y las anfetaminas, y luego al alcohol y los tranquilizantes para afrontar tanta tensión. Tuvo una serie de novios, ninguno de los cuales la trató bien, y cuando su carrera como bailarina se evaporó, se casó con el peor de todos, un hombre con un problema con las drogas más grave que el de ella. Tuvo dos hijos muy seguidos y dejó las drogas por los niños, pero su marido ni lo intentó, y tampoco le fue fiel. Un día, despertó y se dio cuenta de que estaba atrapada en una ciudad que no era la suya y en un matrimonio sin amor, con dos hijos pequeños y sin oficio ni beneficio. Y decidió que los niños estarían mejor sin ella.

»Estaba trastornada, evidentemente, pero me pareció que, con ideas suicidas o sin ellas, había algo en su interior que luchaba por sobrevivir. Tenía esperanzas de que su caso saliera adelante pero, después de conseguirle una cama en el servicio de psiquiatría, no volví a saber de ella.

»Sin embargo, ella no me olvidó. Una noche, casi seis meses después, me dejo tres mensajes en el teléfono del servicio de urgencias. La llamé y descubrí que sufría otra crisis. Su marido, que se pinchaba, le confesó que era seropositivo y que no creía que pudiera seguir manteniendo a ella y a los niños. Después, había cogido algún dinero y el coche y se había marchado. Hacía dos días que no sabía nada de él. No había podido acudir a urgencias porque no tenía coche ni a nadie que se ocupara de los críos, pero necesitaba hablar con alguien enseguida, en persona, no por un teléfono de la esperanza. Me pidió si podía ir a verla.

Cicero se frotó la sien mientras revivía la escena.

—Recuerdo perfectamente cuánto me quedaba para salir de servicio. Cuarenta y dos minutos; en el rincón había un reloj digital. Le eché una mirada y le dije que estaría allí pronto.

No me gustó que la actitud de esa mujer me indignara. Debería haber canalizado mi cólera hacia Cicero. Entendía lo que éste debía de haberle parecido: un hombre alto, competente, cariñoso, guapo y comprometido por el juramento a no causar daño. A pesar de ello, sentí un chispazo de ira contra esa desconocida necesitada y anhelante que iba a arrastrar a Cicero a una trampa que le costaría el empleo, la licencia y, finalmente, la facultad de andar.

—Por el camino —continuó Cicero—, iba pensando qué le diría: que tenía que hacerse la prueba del sida, que había sitios donde podía encontrar ayuda para cuidar de los niños. Sin embargo, cuando llegué allí, no quiso que habláramos de sus problemas. Estaba tranquila, preparando un té en la cocina con aquel camisón largo blanco. No parecía loca, ni con ánimo suicida. De haberme percatado, todo habría sido muy diferente.

Cuando Cicero pronunció la palabra «suicida», comprendí cómo podía acabar su narración y sentí un escalofrío.

—Me habló de su infancia, del ballet y de Inglaterra. En medio de aquellas evocaciones, comentó que resultaba irónico que se hubiera casado para poder quedarse en Estados Unidos al expirar el visado. En ese momento, lo único que quería era regresar a Londres y temía que ya nunca lo conseguiría. Dijo que se sentía como si su vida se hubiera acabado con veintidós años.

El aire acondicionado del edificio ronroneaba, ruidoso, llenando los silencios que dejaban sus palabras.

—Me pareció lo más natural rodearla con mis brazos y estrecharla.

No añadió más. Dejó que cayera el telón en el primer acto de una obra de dos.

—Podía ser seropositiva —le recordé, como si el riesgo no hubiera pasado hacía mucho tiempo, para bien o para mal.

—Lo sabía —dijo Cicero—. ¿Has leído *Hamlet*?

—Una vez.

—¿Te fijaste en el imaginario extrañamente sexual del entierro de Ofelia, en cómo la reina compara el tálamo nupcial con la sepultura?

—¿A qué te refieres?

—A que, a veces, la proximidad de la muerte puede resultar erótica. Para mí, ella era Ofelia. Quería acostarme en su tumba y devolverle la vida.

—Así pues, a fin de cuentas yo tenía razón —señalé—. Fue compasión.

—Bueno, eso si es que se puede ser compasivo y egoísta al mismo tiempo —admitió Cicero—. Si ella necesitaba sentirse viva, yo también. Durante aquellos días, salía del trabajo tan atontado de lo que había estado haciendo toda la noche que me sentía como un muerto viviente. Eso fue antes de darme cuenta de lo afortunado que era por el mero hecho de poder andar. —Lo expresó con gran sencillez, sin asomo de autocompasión—. Por entonces yo tenía treinta y cuatro años. Me dije la misma mentira que suelen repetirse los que trabajan en urgencias: que no disponía de tiempo para una relación, que ninguna mujer aguantaría los horarios desquiciados y la tensión a la que vivía sometido. Había compañeras que pensaban lo mismo y había salido con algunas, pero sólo eran citas amistosas, lo que a veces llamábamos «desahogos». Y también había tenido relaciones de una sola noche con mujeres que conocía en bares. En el fondo, probablemente me sentía bastante solo, aunque hasta entonces no había sido consciente de ello.

Yo estaba sentada en el suelo y me acerqué a él para tomarle la mano. Cicero me lo permitió, pero me dijo:

—No me compadezcas. Tengo merecido todo lo que sucedió a continuación. Su hermana vino de Manchester y la ayudó a poner una demanda contra el hospital. En la vista salieron muchas cuestiones que yo ignoraba. Desde el intento de suicidio, venía visitándose con un psiquiatra que le había diagnosticado un trastorno bipolar. Se sentía fatal con los hombres, no podía confiar en ellos, pero al mismo tiempo mostraba fijación por hombres a los que apenas conocía, a los que consideraba posibles amantes o salvadores. En la clínica había causado algunos problemas debido a su relación con un terapeuta y la transfirieron a una psiquiatra mujer.

—Tú no sabías nada de esto —le recordé.

Su expresión me advirtió que debería cuidar más mis palabras.

—De un enfermo mental no se espera que sepa reconocerse como tal.

—Sólo me refiero a que me parece un castigo severísimo por la falta que cometiste.

—«Cada vez que entre en una casa, no lo haré sino para bien de los enfermos» —citó Cicero—. Es del juramento.

Bajé la mirada a la taza de café vacía.

—¿Es el sentimiento de culpa, pues, lo que te obliga a seguir recibiendo pacientes bajo estas circunstancias? —inquirí a continuación, señalando la sala de consulta, pequeña y escasamente equipada, contigua al dormitorio.

Cicero reflexionó antes de responder.

—En realidad, no —respondió finalmente—. Podría decirse que es el egoísmo, casi. ¿Sabes que algunas razas de perros, como los pastores o los rescatadores, llevan inculcado el sentido del trabajo? Aunque los hayan criado como animales caseros de compañía, cuando despiertan cada mañana, se plantan ante el humano y lo miran como diciendo, «¿en qué puedo ayudar?» Lo llevan dentro. Pues bien, a determinadas personas les sucede lo mismo. Yo siento el impulso de hacer aquello para lo que me preparé. Soy de raza trabajadora. —Levantó un hombro en un gesto que no llegaba a ser un encogimiento y añadió—: Y ya no puedo cambiar. Soy como soy.

Tomé el último autobús de vuelta a casa, poco después de medianoche. Cuando subí al vehículo, una mujer joven se apeaba por la puerta trasera. En el momento en que lo hacía, nuestras miradas se cruzaron.

Ghislaine, por una vez sin Shadrick, me observó con curiosidad durante un largo instante antes de descender los escalones y desaparecer por la puerta.

Diecinueve

*L*os detectives tienen la prerrogativa de poder utilizar un coche del parque móvil de la policía y, cuando yo empecé a hacerlo, nadie del trabajo se extrañó. Si había corrido la noticia de que mi coche estaba en el laboratorio, nadie lo mencionó en mi presencia, ni siquiera implícitamente. Mientras, recurrí al vehículo de la policía no sólo para asuntos de trabajo, sino también para ir a visitar a los Hennessy al caer la noche.

Los niños se adaptan a los caprichos y a los dictados de los mayores del mismo modo que los demás nos adaptamos a las variaciones climáticas. Los hermanos Hennessy aceptaron el nuevo papel que yo desempeñaba en su vida y enseguida se habituaron. Iba a verlos al terminar el trabajo y, por lo general, me quedaba a cenar con ellos. Comprobé los detalles que Lorraine había mencionado; estaba claro que se hacía la colada y que la casa estaba más limpia de lo que cabía esperar teniendo en cuenta que en ella habitaban cuatro menores de edad. Además, el hogar de los Hennessy, por naturaleza, no podía aparecer asépticamente limpio y esta característica formaba parte de su encanto. Se trataba de una casa vieja y en todas partes había testimonios de que allí vivía una familia desde hacía mucho tiempo. Los muebles de pino, pese a conservar su elegancia, se veían viejos, un poco maltratados y con algunas mellas, y en uno de los pasillos del piso de arriba había puntos y rayas de lejía en el suelo, un relato en código Morse sobre alguien que había querido limpiar unas manchas con cierta torpeza. Por su trazado y recorrido, vi que no podía ser de zumo de moras. Sangre, tal vez, de una hemorragia nasal o de algún percance infantil.

Pero en el día a día los niños mantenían la casa bastante ordenada. Enseguida me quedó claro que aquellos chicos, desde muy pequeños, no habían recibido directrices de nadie. Como padre, Hugh no los controlaba al detalle desde hacía mucho tiempo; quizá nunca lo había hecho. Después de lo que le había sucedido al escritor, muchos niños se habrían hundido. Los Hennessy, en cambio, habían tomado las riendas de su vida automáticamente.

Aidan, el ausente, seguía rondándome por la cabeza. Ahora ya me había familiarizado con las defensas que Marlinchen siempre tenía a punto. Si quería avanzar en el caso del hermano, tendría que abordar la cuestión con mucho más tacto que en la anterior ocasión. De momento, dejaría reposar el asunto.

Una noche que me quedé hasta más tarde, hablé por fin con ella. La encontré sola en el porche trasero y su delgada silueta me pareció la viva imagen del desaliento. Tenía la vista clavada en la oscuridad del terreno del vecino que lindaba con la casa. Allí fuera no había nada de interés, pero parecía preocupada.

—¿Ocurre algo? —pregunté, saliendo por la puerta corredera de la sala que daba a la terraza.

—No, nada —respondió, volviéndose hacia mí—. Se trata de *Bola de Nieve*.

—¿Tu gata?

—Nunca vuelve tan tarde —explicó la muchacha—. Todas las tardes regresa a las ocho y media o las nueve, como un reloj.

—Yo no me pondría en lo peor. Una amiga tenía un gato al que le gustaba rondar por ahí y resultó que el animal llevaba una doble vida. Había encontrado otra familia que también le daba de comer. Incluso le habían sacado fotos dentro de su casa.

Marlinchen sonrió pero no hizo ningún comentario.

—Tal vez se ha quedado encerrada en una casa o en el garaje de alguien —proseguí—. Mañana aparecerá.

—Sí, seguro que es eso —murmuró la muchacha.

—¿De verdad que te encuentras bien? —inquirí—. Pareces un poco depre.

—Estoy cansada, nada más —respondió y se le disparó un músculo de la mejilla en un movimiento involuntario, como si la chica intentase contener un bostezo.

—¿Qué has sabido de tu padre? —pregunté.

Marlinchen se apartó de la cara un mechón de pelo que se le había soltado de la coleta.

—Hace recuperación física —dijo—. Ahora ya camina con un andador, que le da mayor estabilidad.

—¿Como las ruedecillas auxiliares de las bicicletas?

—Exacto —asintió—. Después, utilizará una muleta y, finalmente, volverá a caminar solo.

—Pues parece que progresa muy bien.

—Sí; físicamente, sí —murmuró.

—¿Físicamente? —pregunté, creyendo que se refería a que el padre se encontraba bajo de moral.

—Sus aptitudes verbales casi no mejoran —explicó—. Los médicos creen que entiende casi todo lo que le dicen y lo que sucede a su alrededor, lo cual es bueno de cara a que me nombren administradora, pero prácticamente no habla ni puede escribir. Lo embrolla todo. Confunde «mi» con «tu» o «él» con «ella». —Me miró como si esperase que yo dijera algo. Al ver que no lo hacía, prosiguió—: Lo peor que le puede ocurrir a un escritor es sufrir afasia. No se trata del dinero —se apresuró a aclarar—. Conseguiremos salir de ésta, aunque no vuelva a escribir, pero la literatura es el centro de su existencia. Si papá se recupera en todo lo demás pero no puede escribir, esa será la peor secuela del ataque.

—Dale tiempo —susurré. No podía decir otra cosa. Todo lo demás habría sonado a falso consuelo.

Cuando tu coche pasa por el laboratorio criminal, nunca te lo devuelven tal como estaba. Era algo que había oído decir muchas veces, pero no lo entendí hasta que recogí mi Nova en el depósito de embargos del condado de Hennepin, que era donde lo había enviado el Gabinete de Investigación Criminal después de examinarlo. En el interior persistía un olor a producto químico. Cuando los rayos de sol de última hora de la tarde bañaron las ventanillas y realzaron una leve pátina tornasolada en los asientos, supe lo que era: cianoacrilato. Los habían fumigado con este producto para obtener huellas.

Diaz tenía que saber que, transcurridos seis meses, la posibilidad de encontrar huellas útiles en un vehículo que no ha dejado de utilizarse en todo ese tiempo es ridícula, y el simple hecho de intentarlo representa una maniobra desesperada. No obstante, lo inspeccionó minuciosamente. La leve neblina tornasolada de los cristales nunca más desapareció.

«No te quejes, Sarah. Date por satisfecha.»

Y entonces bajé la mirada y todas aquellas insignificantes preocupaciones por el estado de mi coche desaparecieron de mi mente. Habían cortado un trozo de alfombrilla, un cuadrado de unos tres centímetros de lado.

Habían encontrado sangre. Inspeccionar la alfombrilla era una cosa, pero llevarse un trozo para analizarla significaba que habían dado con algo que les había parecido sangre.

Mientras conducía de regreso a casa, me dediqué al inútil ejercicio de calcular cuánto tardaría el laboratorio en tener el resultado de las pruebas. Las más de las veces, el proceso solía llevar semanas, pero quizá Diaz contaba con algún enchufe en el Gabinete de Investigación Criminal que le permitiría acelerar los análisis. Así pues, no podía esperar que me dejasen en paz mucho tiempo.

Aunque habría preferido ir directamente a casa, me detuve en la de los Hennessy. Cuando llegué, encontré a Liam cavando un pequeño agujero bajo el sauce con una pala. Sin embargo, me llamó la atención que fuera vestido con la ropa del colegio, una camisa blanca y un pantalón gris, nada en consonancia con su trabajo de jardinería. A sus pies tenía una bolsa de basura cerrada.

Crucé el césped y me detuve a su lado. Hacía tanto calor que noté un descenso de un par de grados cuando la sombra del sauce cayó sobre mi rostro y después sobre mi cuerpo.

—¿Qué es eso? —pregunté. En la bolsa de basura había algo redondeado pero sin forma definida. En un primer momento, sólo se me ocurrió que fuese una hogaza de pan sin cocer. El color no se apreciaba a través del plástico verde transparente.

Liam dejó de cavar y se encogió de hombros tímidamente, como si buscase la manera adecuada de decirlo.

—Era *Bola de Nieve* —murmuró al cabo.

—¡Oh, vaya! —exclamé—. ¿Qué ha ocurrido? —Ahora que ya sabía lo que contenía la bolsa vi que el color que el plástico camuflaba era el rojo, un rojo oscuro y verdoso, como una mancha de sangre en un charco de aceite en un aparcamiento.

—Alguien o algo la ha destripado —respondió Liam—. No se cómo ha sido. Estaba destrozada.

—¿Dónde la has encontrado?

—Ahí abajo, al final de la calzada, junto a la cuneta —señaló el chico. Se apoyó otra vez en el mango de la pala y siguió sacando tierra negra del agujero que estaba abriendo—. He decidido encargarme de enterrarla. No quiero que Marlinchen tenga que volver a verla en este estado. Por la mañana ha estado a punto de marearse.

Sentí una pequeña punzada de culpabilidad. Había sido yo quien le había dicho a su hermana, sin darle importancia, que *Bola de Nieve* volvería sana y salva por la mañana.

—Y me preocupa —prosiguió Liam—, porque no se me ocurre qué animal puede haberle hecho esto.

Me miraba como si esperase algún comentario por mi parte y advertí que recurría a mí como experta en muertes violentas, incluso las de los animales domésticos.

—En esta zona hay algunos depredadores naturales —comenté, tras reflexionar—. Coyotes, zorros, osos negros.

—Nunca he visto ningún animal de ésos. —Liam me miró con escepticismo—. Ni siquiera sus huellas.

—Por lo general, esos animales se mantienen lejos de la gente —expliqué—. Pero, como cada vez se construye más en las zonas rurales, necesitan acercarse a los asentamientos humanos en busca de comida. Hay quienes dicen que los ha visto por aquí cerca.

—Supongo —murmuró Liam.

Veinte

*M*i siguiente visita al gimnasio fue más afortunada. No me topé con Diaz ni tampoco con Jason Stone, el agente que había decidido apoyarme sin que yo se lo pidiera. A la salida, compré algo de comida y, de camino a casa, mientras esperaba ante un semáforo en rojo, algo me llamó la atención. Una figura solitaria subía la escalera de cemento que llevaba a un paso elevado sobre la autopista. Lo que ocurría era que no subía, exactamente.

La cultura popular no concede demasiada importancia a que los jóvenes beban en exceso, pues se considera un ritual de iniciación, pero ver a alguien que ha bebido tanto que es incapaz de valerse sí mismo resulta doloroso. El chico —era obvio que se trataba de un menor, con sus vaqueros anchos y sus zapatillas deportivas— gateaba literalmente escaleras arriba hacia el puente, apoyándose en las rodillas y en las manos. A mitad de camino, se detuvo y se tumbó a descansar. Eso, o se había desmayado.

A mi espalda sonó un claxon. El semáforo se había puesto en verde y todo el mundo estaba retenido por mi culpa. Arranqué hacia el cruce.

Lo último que vi del joven fue que, como si el sonido del claxon lo hubiera sacudido, reemprendía su ascensión a gatas.

Una vía de cambio de sentido, que cruzaba la autopista y seguía por una calle secundaria, me llevó a la correspondiente escalera del otro lado del paso elevado de peatones. No subí para interceptar al chico. El puente contaba con altas rejas a los lados y no podía caerse. Aunque se pusiera en pie y caminase, era imposible que se precipitara a la carretera.

Al cabo de un rato apareció en lo alto de la escalera, tambaleante, pero guardando el equilibrio. Miró hacia adelante como si los peldaños fuesen una pista de obstáculos y, prudentemente, decidió gatear igual que había subido. Me apeé del coche y corrí escaleras arriba para encontrarme con él.

Su cuerpo, visto desde arriba, era aún más delgado y tenía el cabello demasiado rubio para ser natural. Cuando vio mis zapatillas deportivas y levantó la mirada hasta mi rostro, confirmé aquella sospecha: el muchacho era asiático. Tenía las facciones inconfundiblemente orientales. Vietnamita, posiblemente, o laosiano.

También advertí algo más. No sólo era menor de veintiún años; ni siquiera debía de haber cumplido aún los dieciocho.

—¿Te encuentras bien? —le pregunté—. ¿Me oyes?

—¡Oh, no! —dijo entrecerrando los ojos para mirarme—. ¡Oh, no, por favor! —repitió en un tono de miedo y resignación—. Policía, no.

«¿Cómo es que siempre lo adivinan?», pensé, pues no llevaba nada que recordara en lo más mínimo al uniforme oficial. Iba vestida con unos pantalones estilo pirata, una camiseta y una chaqueta con capucha.

—¿Puedes levantarte?

—No quiero ir al reformatorio —dijo en el mismo tono. En su inglés no había rastro de acento extranjero, lo cual denotaba que era americano de segunda generación.

—No voy a detenerte —le aseguré.

—Odio el reformatorio —gimió.

—Primero, dudo mucho que hayas estado allí alguna vez —dije al tiempo que lo agarraba por el brazo y tiraba de él—. Segundo, no estás arrestado. Levántate.

—No, no, no —se obstinó, negándose a ceder a mi presión. Era delgado, pero yo no podía levantarlo sin su cooperación.

—Chico —le dije—, bajo esa manga tienes algo que quizá algún día llegue a ser un bíceps. Y en tus cuadriceps ya debe de haber suficiente músculo para que te pongas en pie.

—No quiero ir al reformatorio —dijo con flojera.

—Arriba —le ordené.

Cuando llegamos a mi coche, lo acomodé en el asiento trasero. Media metro sesenta y cinco y era casi enclenque pero, de todas formas, sería más seguro que viajase allí por si, de camino a dondequiera que fuésemos, le daba por hacer tonterías. Los borrachos que no se tienen ni para caminar se recuperan a veces lo suficiente como para ponerse violentos. Lo inmovilicé con el cinturón de seguridad.

—No quiero que me arresten, no quiero ir al reformatorio —repitió una vez más antes de desplomarse de lado en el asiento trasero, mientras yo me ponía al volante.

—Chico —dije—, ¿cuántos agentes de policía has visto patrullando en ropa deportiva en un coche viejo que huele a producto químico?

Se quedó boquiabierto. Demasiados conceptos a la vez. Iba a volverlo loco.

—Te preguntaré algo más fácil —comenté—. ¿Cómo te llamas?

—Special K.

—No, tu nombre oficial.

—Kelvin —respondió.

—Bien, Kelvin, ¿dónde vives?

La dirección que farfulló me resultó muy conocida. Puse en marcha el coche y me sumé al tráfico.

—Huele raro, aquí dentro —dijo, terminando con una palabra confusa que podía ser «agente».

—Sí, ya te lo había dicho.

—Me estoy mareando —anunció, y la verdad es que no parecía encontrarse muy bien.

—¿Y no crees que el alcohol puede tener algo que ver con ello?

—Estoy mareado, en serio.

—Kelvin —dije, mirando por el retrovisor—, si vomitas en mi coche, voy a pedirle al fiscal que endurezca los cargos.

Ante la amenaza de que vomitar en un coche oficial fuese a agravar la acusación a la que tendría que enfrentarse, cualquiera que fuese, Special K. se dominó hasta que llegamos a las torres donde vivía Cicero.

Lo ayudé a salir del coche pero, tan pronto lo solté, se tambaleó y cayó de rodillas. Desde el suelo, bizqueando, levantó la mirada hacia la torre sur.

—¿Estoy en casa? —preguntó parpadeando.

—Ya te he dicho que no iba a detenerte —le recordé.

—¡Oh, qué bien! —exclamó Kelvin. Entonces su mirada se nubló y se concentró en sí mismo, como un presentador de telediarios al que acaba de llegarle una noticia de última hora por el auricular. Enseguida, se dobló hacia delante y vomitó en mis zapatillas deportivas.

—Me has roto la racha de suerte —protesté.

Cuando vio llegar a Kelvin, una de sus hermanas mayores —casi conmovedoramente hermosa con su bata de satén barato— reaccionó con un mohín de desaprobación, lo cual me indicó que no era la primera vez que alguien lo llevaba a casa en aquel estado.

—Gracias —susurró. Al fijarse en mis zapatillas, añadió—: Lo siento.

Cuando salí otra vez a la calle, volví la mirada involuntariamente hacia arriba, hacia lo alto de la torre norte.

«¿Y por qué no? Ya estás aquí», pensé.

Aunque había conseguido eliminar el vómito de mis zapatillas casi por entero, había dejado un tufo inconfundible en el reducido espacio del ascensor. No podía presentarme de visita de aquella manera. Al llegar al piso veintiséis, salí del ascensor y, en vez de dirigirme a la puerta de Cicero, fui hacia las escaleras, me quité las zapatillas y las dejé en el rellano, detrás de la puerta de la salida de emergencia. Ningún ladrón se sentiría tentado a llevárselas. También me quité los calcetines. Unos pies desnudos poseen una dignidad de la que carecen los pies con calcetines.

—Estaba por el barrio —dije cuando Cicero abrió la puerta—. Pero si interrumpo algo, me marcho.

—¿Y los zapatos?

—Ahí, en la escalera —respondí.

—Comprendo —murmuró Cicero como si mi explicación fuese de lo más razonable—. Cada vez que me decido a preguntarte más cosas de tu vida personal, ocurre algo así. Entonces advierto que es mucho más fascinante no saber. —Retrocedió en la silla de ruedas para dejarme pasar.

Me preguntó si quería comer algo y decliné la invitación, pero Cicero preparó un té y entramos en su habitación.

—¿Quién es éste? —inquirí.

—¿Quién?

Me había puesto a mirar las fotos de la estantería del dormitorio.

—Éste —respondí, señalando la foto más antigua de todas, una imagen en blanco y negro.

Se trataba de un joven a caballo, un adolescente tocado con un sombrero de ala ancha y ataviado con lo que debían de ser sus mejores ropas, unos pantalones oscuros y una camisa color crema sin cuello. El caballo tenía una planta espléndida, casi tan lozana como la del muchacho, con un pelaje marrón oscuro o negro que brillaba incuso en aquella foto antigua, con el cuello arqueado de impaciencia porque lo sujetaban por las riendas el tiempo necesario para sacar la foto.

—Es mi abuelo —dijo Cicero—. En Guatemala.

—¿Cuántos años tenía, en la foto?

—Dieciocho —respondió Cicero—. En realidad, no llegué a conocerlo. Murió al poco de nacer yo, pero me han contado que quería mucho a ese caballo. En aquella época, un caballo veloz era como un cinco litros de ahora. Me parece que no era suyo sino de la familia, pero lo consideraba de su propiedad, hasta que un día llegó a casa y descubrió que su padre lo había vendido para comprar el vestido de boda de su hermana.

—No fastidies —dije, divertida.

—En serio. Se puso como loco —explicó Cicero—. Al menos eso es lo que me han contado.

—Y tú, ¿naciste allí?

—¿Dónde? ¿En Guatemala? No —respondió Cicero—. Nací aquí, en Estados Unidos. A mi hermano Ulises y a mí, nuestros padres no nos dejaron aprender español hasta que tuvimos una buena base de inglés.

—Por cierto, me dijiste que un día me contarías la historia de tu hermano y nunca lo has hecho —le recordé.

Cicero tomó en las manos otra foto de la estantería, en la que aparecía de excursión con una amiga, y volvió a dejarla en su sitio.

—No hay mucho que contar —murmuró.

Su innecesario gesto con la foto me indicó que no era cierto y esperé a que siguiera hablando.

—Ulises se instaló a vivir aquí con una amiga —prosiguió—. Más adelante, ella lo dejó, pero a él le gustaba el sitio y se quedó. Cuando terminé la rehabilitación, hace cuatro años, me enviaron aquí a vivir con él y, al cabo de un año, murió.

Aquél no era el final de la historia; en realidad se trataba del prólogo.

—Ulises era panadero —explicó Cicero—. Tenía unos horarios muy jodidos. Entraba a trabajar a las dos de la madrugada, en una pequeña panadería de Saint Paul.

Supe de inmediato que conocía la historia que Cicero iba a contarme.

—Estaba en un barrio conflictivo, donde abundaba el trapicheo de drogas y esas cosas —dijo—. Una noche, Ulises iba al trabajo. El condado de Ramsey había emitido una orden de captura de un sospechoso que había disparado contra la policía y Ulises conducía un coche similar al del hombre que andaban buscando. Dos policías de paisano de la brigada de narcóticos lo vieron aparcar detrás de la panadería y, cuando salió del coche, lo abordaron.

—Y le dispararon —intervine. No era necesario ser policía para deducir lo que había ocurrido.

—Sí —asintió Cicero—. Después dijeron que no había hecho caso de la orden de poner las manos arriba y que, en lugar de hacerlo, había hecho ademán de sacar una pistola. Los dos polis abrieron fuego, lo alcanzaron siete veces y lo mataron.

—Lo recuerdo —susurré—. Fue horrible.

—Les creo cuando dicen que Ulises se llevó la mano al bolsillo. Probablemente quería sacar la cartera. Los polis iban de paisano, estaba en un barrio peligroso, eran las dos de la madrugada y lo apuntaban con sus pistolas. Sin duda creyó que querían atracarlo. Un periodista apuntó tal teoría, pero la policía no le dio ninguna credibilidad.

«Sí, sí que se la dio —pensé—, aunque nunca en foros públicos.» Recordé los acalorados debates que el incidente había suscitado en los vestuarios, en los campos de prácticas de tiro y en todos los lugares donde los policías hablaban entre ellos.

—Al principio, también sugirieron que Ulises no había levantado las manos porque no comprendía bien el inglés, pero en eso tuvieron que echarse atrás. El inglés era su lengua materna y todos los que lo conocían lo corroboraron. —Hizo una pausa—. Y, como era de esperar, el comité interno que investigó el caso no encontró ningún fallo en la conducta de los policías. Volvieron al trabajo y al cabo de una semana, tuve que mudarme aquí.

—Lo siento mucho —murmuré.

—No tienes por qué —dijo Cicero—. No es culpa tuya.

—Cicero, creo que debería decirte una cosa.

Mi mentira por omisión, el no haberle dicho que era policía, cada vez me pesaba más. Miré las fotos y encontré una de Cicero con su hermano. En la expresión de Ulises se advertía una cierta alegría. La de Cicero poseía la gravedad de un facultativo incluso cuando no trabajaba. En cambio, Ulises parecía más despreocupado.

—Te escucho.

«Vamos, Sarah, no es tan difícil. Sólo dos palabritas: soy policía.»

Entonces ambos oímos el sonido amortiguado de un timbre. Era mi móvil, que llevaba en las profundidades del bolso. Dejé la foto en la estantería, miré a Cicero como pidiéndole disculpas y saqué el teléfono.

—¿Sarah? —era Marlinchen—. Siento mucho molestarte pero...

—¿Qué ocurre? —pregunté, desplegando la antena.

—Creo que alguien anda merodeando alrededor de la casa. Hace un rato, Liam salió al jardín para hacer una pausa en los deberes y oyó ruidos, y yo ahora he vuelto a oírlos en la ventana del baño, mientras me lavaba los dientes. Y no me parecen ruidos de animales.

Podría haberle dicho que llamara a la policía de la zona, pero unos ruidos en un jardín no serían considerados una prioridad y, a las diez de la noche, las comisarías pequeñas tienen muy pocos agentes de servicio. Con un poco de suerte, alguien haría una visita de diez minutos a los Hennessy en las próximas dos horas.

No podía conformarme con eso. Los hermanos Hennessy eran responsabilidad mía.

—Voy hacia allí —le dije.

A pesar de su comentario —«no me parecen ruidos de animales»—, supuse que lo que Marlinchen había oído era probablemente el animal que había matado a *Bola de Nieve*. Si ya había cazado en aquel jardín, no había ninguna razón para que no regresara pero, cuando llegué a la casa, ya casi era de noche y me pareció comprensible que la muchacha tuviera miedo.

Salió a recibirme a la puerta, seguida por Colm y Liam a poca distancia.

—Gracias por venir —se apresuró a decir.

—De nada. Voy a hacer un registro rápido de la casa y luego saldré al jardín —le dije.

—¿La casa? —preguntó Marlinchen sobresaltada—. Los ruidos proceden de fuera.

—¿Estás segura de que has dejado las puertas bien cerradas toda la noche?

—Creo que... Bueno, supongo que sí. —Marlinchen intentó contestar a mi pregunta, pero no estaba muy segura y sus hermanos guardaron silencio.

—Será mejor comprobarlo —dije—. Y, por cierto, ¿dónde está Donal?

—Durmiendo —respondió Marlinchen—. Lo mandé a la cama hace una media hora.

231

Primero fui al cuarto del niño y, cuando abrí la puerta, comprobé que respiraba normalmente gracias a la tenue luz que iluminaba su cama desde el pasillo. Entré, registré los armarios lo más silenciosamente que pude y miré debajo de las dos camas. Nada.

Eché un vistazo en todas las habitaciones del piso de arriba, sin encender la luz, y después registré la planta baja. En la cocina había una puerta que llevaba a un sótano e iluminé los rincones con la linterna. Allí guardaban muebles viejos y un par de colchones. El aire olía a polvo y a cemento. No se veía muy ordenado, pero nada sugería que hubiese entrado ningún intruso recientemente.

Cuando terminé con la casa, entré en el garaje. Allí estaba el cuatro por cuatro de Hugh. No había nadie debajo del vehículo y en los armarios sólo encontré comida enlatada, material de acampada y unas cuantas botellas de vino cubiertas de polvo.

Acto seguido, me dirigí al amplio porche trasero y me arrodillé para inspeccionar un amplio boquete entre las tablas del suelo por el que un humano podía haberse colado fácilmente. Debajo no había nada salvo una capa de polvo y algunas piedras pequeñas. Anduve hasta la valla que bordeaba la casa y la seguí, examinando los matorrales que crecían en los límites de la propiedad. Luego miré debajo del pequeño embarcadero de madera junto al lago. Nada. No encontré ramas rotas ni huellas de pisadas. La única señal de actividad reciente en el jardín era una pequeña elevación en el suelo, debajo del sauce, donde Liam había cavado el hoyo y lo había vuelto a llenar tras enterrar a *Bola de Nieve*.

Finalmente, me encaminé al garaje del fondo del jardín. La puerta estaba abierta y, al entrar e iluminar el recinto con la linterna, me sobresalté.

—Hijo de puta —susurré. A primera vista, me había parecido un cuerpo colgado de las vigas, pero era el saco de boxeo. A la derecha había un banco de pesas. El gimnasio de Colm, lo llamaban sus hermanos.

Un coche, un BMW de principios de los ochenta, ocupaba el resto del espacio. Bajo la capa de polvo se adivinaba una pintura de color verde botella. Las ventanillas también estaban cubiertas de polvo, empañadas como los ojos de un cadáver, y las cuatro ruedas estaban pinchadas. Salvo esto, el automóvil se hallaba intacto, aunque saltaba a la vista que llevaba años sin que lo movieran. Enfoqué la linterna hacia la ventanilla y el haz de luz que perforó la ligera capa de polvo no mostró nada fuera de lo común: unos asientos de cuero marrón claro, vacíos. Las arañas habían tejido sus telas entre las barras de los reposacabezas y en las asas del techo.

—Todo parece estar en orden —aseguré a Marlinchen cuando acudió a abrirme la puerta—. Lo más probable es que se trate de un animal.

—Quizá estoy demasiado nerviosa por lo que le ha ocurrido a *Bola de Nieve* —susurró la muchacha un poco avergonzada.

—Es natural —la tranquilicé—. En realidad, estaba pensando que tal vez sea conveniente que esta noche me quede a dormir aquí con vosotros, chicos.

—¿De veras? La verdad es que no creo que sea necesario.

Sabía que mi propuesta la sobresaltaría y añadí:

—Bueno, está haciéndose tarde y mi casa queda bastante lejos.

—¡Ah! —exclamó Marlinchen recuperando de inmediato su habitual cortesía—. Comprendo. No era mi intención...

—Claro, no te preocupes —dije—. Mira, si me quedo esta noche, tendré que pedirte otro favor. ¿Puedo lavar mis zapatillas en la lavadora?

La lavadora y la secadora estaban en el garaje donde Hugh guardaba el cuatro por cuatro. Introduje las zapatillas

233

y los calcetines y seleccioné el programa de lavado en agua caliente. Cuando comenzó el primer ciclo con el sonido amortiguado de la entrada de agua, me acerqué a las alacenas en las que antes había visto las botellas de vino añejo.

Al regresar a la casa, advertí que la sala familiar estaba a oscuras y la tele apagada. Los chicos ya habían subido a las habitaciones y la única luz encendida en la planta baja era la de la cocina. Me dirigí hacia allí y dejé la botella en una encimera. Entonces oí unos pasos en la escalera y deduje que Marlinchen bajaba.

—¿Sarah? Iba a acostarme ahora mismo —dijo—, pero tengo que decirte una cosa...

—Baja un momento —la interrumpí—. Yo también tengo que preguntarte algo.

Marlinchen se asomó por encima de la barandilla y yo levanté la botella de vino para que la viese.

—He encontrado esto en el garaje. Liam me dijo que tu padre ya no bebe, por lo que supongo que estas botellas se quedaron arrinconadas. —En realidad, según constaba en la etiqueta, el vino había sido embotellado hacía ocho años—. Sería absurdo dejar que se avinagrara. ¿Te importa?

—No, en absoluto —respondió—. Escucha...

—Bien —dije—. Ven, acompáñame.

Abrí un cajón y cogí un sacacorchos.

—¿Quieres decir que beba contigo?

Desde las escaleras, la voz de Marlinchen sonó escandalizada, pero también tentada.

—Claro. —Saqué dos vasos grandes del estante superior—. Yo no lo convertiría en una costumbre, pero estás llevando toda una casa tú sola y no creo que un vaso de vino vaya a perjudicarte.

Al otro lado de la ventana, la noche estaba oscura como la boca de un lobo a excepción de las luces de una embarcación que surcaba el lago. Apagué la luz principal de la cocina y dejé que los dos focos del techo aislasen la encimera en un estanque de luz. Luego, descorché la botella. No volví a decirle nada a Marlinchen, pero yo ya sabía que la curiosidad la impulsaría a acercarse.

No puedo decir que me sintiera del todo cómoda con lo que estaba haciendo, pero quería hablarle a la chica con total libertad y que ella también lo hiciese conmigo y, por lo que había visto hasta entonces, su coraza no caería sin una ayuda externa.

Cuando me senté con la botella, oí de nuevo sus pasos en la escalera. Se sentó en el taburete contiguo al mío y le serví vino hasta casi llenar el vaso. Al verlo, abrió mucho los ojos.

—No te preocupes —la tranquilicé—. Tratándose de vino, esto es poco. —Le pasé el vaso—. Si alguien quiere hacerte beber esta cantidad de vodka, desconfía.

235

Bebimos y Marlinchen respingó.

—Resulta fuerte, ya lo sé —admití—, pero sigue bebiendo. Su hechizo se hará más evidente a medida que pase el tiempo. —Alcé el vaso y contemplé la luz que atravesaba aquel líquido rubí—. Uno de los teólogos puritanos, no recuerdo si fue Cotton o Increase Mather, dijo una gran cosa sobre el vino: lo llamó «la buena creación de Dios».

—Qué bonito —observó Marlinchen.

Me lo había contado Shiloh. Shiloh y su relación de amor-odio con la fe cristiana y su ecléctico pero vasto conocimiento de sus seguidores y de las enseñanzas de éstos.

—Lo que intentaba decir antes —murmuró Marlinchen— es que la puerta del dormitorio de papá no se puede cerrar. El pomo no sirve de nada. Más de uno se ha quedado encerrado ahí dentro.

—Pues probablemente no será muy difícil de arreglar.

—Ya lo sé, pero papá nunca se ocupa de estas cosas —replicó Marlinchen—. No sólo es torpe con las herramientas sino que es del todo incapaz de ocuparse de esos asuntos. Prefiere dejar la puerta siempre abierta —añadió con una sonrisa apesadumbrada.

—Zapatero, a tus zapatos —dije, sirviéndome otro vaso de vino—. Si la memoria no me falla, ahora tendrías que estar estudiando para los exámenes finales, ¿no es cierto?

Marlinchen asintió.

—No me has contado —proseguí— si has solicitado el acceso a alguna universidad y si te han aceptado.

—En realidad, voy a dejar los estudios durante un tiempo —explicó—. Pero mi caso no es el de Liam. Yo no saco notas extraordinarias, me refiero.

—Probablemente serían mucho mejores si no tuvieras que llevar una casa de cinco personas —apunté.

—Desde luego, es agotador. —Marlinchen hizo una pausa con el vaso cerca de los labios—. Con papá en el hospital, quiero decir.

—Tonterías —dije—. Sabes administrarte con el talonario de cheques, tienes la casa limpia, programas las comidas, las preparas, haces la compra.... Son cosas que no se aprenden en unas semanas. Tengo la sensación de que llevas encargándote de todo desde mucho antes de que tu padre ingresara en el hospital y supongo que, incluso en el caso de que se recupere por completo, la situación no va a cambiar.

—Para mí, la familia es muy importante —afirmó tras unos instantes de vacilación.

—Me parece muy bien —repliqué, sirviéndole más vino—, pero Donal tiene once años. Cuando cumpla dieciocho y se marche a la universidad, tú tendrás veinticinco. ¿Vas a dejar tus estudios hasta entonces?

—La facultad no es para todo el mundo —alegó—. Estoy segura de que tú no fuiste a la universidad.

—Sólo hice un curso —repliqué.

—¿Lo ves?

—Pero con un año me bastó para descubrir que yo no quería lo que allí me ofrecían —comenté—. Tú también tendrías que descubrirlo antes de que seas demasiado mayor para los dormitorios compartidos, las fiestas y todo lo que hace que la universidad sea algo más que un lugar donde cursar unos estudios —dije—. Incluso ahora que vas al instituto, hay cosas que deberías hacer y no haces, como salir a ligar con chicos o ir al cine con las amigas.

Marlinchen bebió otro sorbo, sobre todo para ganar tiempo y encontrar una respuesta. Sin duda estaba preparando unas maniobras verbales de evasión.

—Tú eres una amiga —dijo al cabo con voz acaramelada—. ¿Quieres que un día vayamos al cine?

—Yo no soy el tipo de amistades que te conviene tener a tu edad.

Marlinchen pareció complacida, y yo advertí que había caído en una trampa.

—Esto nos lleva a una cuestión importante —dijo—. Vienes a casa, te quedas hasta muy tarde por la noche con unos niños a los que apenas conoces... ¿Por qué no andas tú ligando por ahí, Sarah?

—Porque soy... —Me interrumpí. No quería hablarle de Shiloh.

Marlinchen advirtió mi incomodidad y su recién estrenada audacia se disipó.

—No quisiera presionarte —dijo en voz baja—, pero si eres gay, Sarah, por mí, ningún problema.

Sus palabras fueron tan sinceras que me conmovieron, pero ahora tenía que aclararle que no era el caso.

—Bueno, los homosexuales también salen por ahí a ligar —apunté—, pero lo que iba a decirte es que soy una mujer casada.

237

—Entonces... ¿dónde está tu marido? —Marlinchen se había quedado boquiabierta.

—En Wisconsin —respondí.

—¿Estáis separados?

—Algo así.

Marlinchen no estaba muy espesa todavía, porque comprendió enseguida que yo no quería hablar del tema.

—Qué pena —comentó, jugueteando con el vaso de vino hasta casi volcarlo.

—Cuidado —advertí—. Así será más estable —añadí, al tiempo que lo llenaba de nuevo.

—Tenías razón —dijo—. El hechizo del vino se nota cada vez más.

—Hazme caso, chica. Yo te ayudaré a conseguir lo que te propongas.

Me oí hablándole como un manual de autoayuda.

Sin embargo, noté que sus mejillas habían adquirido un color intenso y que empezaba a estar en condiciones de aceptar que yo llevase la conversación en la dirección que quería. Con una persona de poco más de cincuenta kilos y en absoluto acostumbrada al alcohol, no había tenido que esperar mucho.

—Desde que vengo por aquí casi a diario y hablo con los chicos —empecé—, no has vuelto a mencionar a Aidan. Ni una sola vez.

—Siento mucho haberte hablado de aquella manera el día que... —se apresuró a decir.

—No me refería a eso —repliqué, sacudiendo la cabeza—. No me enfadé por lo que dijiste, pero la pregunta que te formulé ese día sigue en el aire. —Hice una pausa y observé su rostro. Era evidente que se acordaba perfectamente de lo que habíamos hablado, pero se lo repetí por si acaso—. A los niños no los mandan lejos de casa sin que haya razones para ello. Buenas razones, malas razones, pero siempre hay alguna.

Genio y figura; como era de esperar, Marlinchen no respondió.

—Tengo la sensación de que hay algo más que te gustaría contarme —proseguí—. ¿Confías en mí, Marlinchen?

—Pues claro que sí —respondió—. Lo que ocurre es que la cuestión de Aidan es dolorosa.

—A veces, en mi trabajo —expliqué—, tengo que decirle a la gente que se sumerja a fondo en su tristeza durante un rato para poder superarla, o de otro modo seguirá sufriendo indefinidamente.

Marlinchen tenía la vista clavada al frente, en la oscuridad del otro lado de la ventana. Todavía no estaba preparada para sumergirse en su tristeza pero yo lo había intentado.

—Termina el vino y vamos a acostarnos —dije.

Iba a cerrar la puerta del dormitorio de Hugh Hennessy cuando recordé que el pomo estaba estropeado. La dejé entornada y sentí un pequeño estremecimiento de ansiedad. Había tanta oscuridad y el silencio era tan denso que me pareció estar viviendo en una novela gótica, con puertas engañosas que te atrapaban. Una vez acostada, eché de menos los pequeños ruidos de la ciudad que me habrían ayudado a conciliar el sueño.

Como había dejado la puerta abierta, nada me alertó de que en la alcoba había alguien más hasta que, en la penumbra, capté un movimiento junto a la cama y me volví deprisa. Por la forma de la sombra supe que era Marlinchen y me tranquilicé. Iba descalza y vestía una camisola y un pantalón corto.

—¿Qué ocurre? —le pregunté.

—Quiero hablar de Aidan —respondió.

Por fin.

Marlinchen se acercó y se sentó en el suelo al lado de la cama. Tenía las pupilas dilatadas como un gato.

—Cuando se decidió que Aidan se marchara lejos —contó—, no dije nada porque pensé que sería lo mejor. —Emitió un tembloroso suspiro—. Me daba miedo lo que podía ocurrir si se quedaba.

—¿Qué te daba miedo? —inquirí.

—Papá pegaba a Aidan —explicó—. Hacia el final. Pero todo empezó mucho antes.

—Explícamelo.

Veintiuno

Marlinchen Hennessy era la preferida de su padre; era inteligente y se expresaba con fluidez, y a él le gustaba leerle cuentos, enseñarle palabras nuevas y escuchar lo que ella le contaba sobre lo que aprendía en la escuela. A sus oídos, nunca había habido palabra más dulce que el diminutivo «Marli», que sólo papá utilizaba, y hasta los diez años no se dio cuenta de que su padre no medía más de metro ochenta, sino diez centímetros menos.

Aidan, un chico tan reservado como expansiva era ella, rondaba siempre en torno a su retraída y melancólica madre. Como un astrónomo, estudiaba sus silencios y sus cambios de humor. Cuando parecía más deprimida, lo sentaba en su regazo y le acariciaba los cabellos dorados al tiempo que le besaba la mano mutilada. A veces se sentaban juntos bajo el magnolio y contemplaban las aguas del lago. Ya enferma, cuando Aidan consideraba que con ello la animaría, bajaba a sus hermanitos para que los tuviera un rato: primero a Colm, que ya pesaba tanto que apenas podía con él, y luego a Donal. Pero eso fue, por supuesto, poco antes del final.

La muerte repentina de la madre fue un duro golpe para todos los pequeños, pero quien más la sufrió fue Aidan. Después del funeral, se tumbó debajo del magnolio y se quedó allí, llorando desconsoladamente. Al final, el padre lo vio desde la ventana y, apretando los labios, apareció en la puerta, bajó las escaleras traseras y se plantó junto al chico, que seguía en el suelo. Marli, que lo contempló todo desde la ventana de su dormitorio, no oyó lo que le decía, pero Aidan no reaccionaba. Entonces, papá tiró de él hasta ponerlo en pie y, al ver que todavía lloraba, le pegó una bofetada.

Al cabo de un par de días, Marli había olvidado la conmoción que le produjera la escena. Era joven.

Y también estaba muy ocupada. Había tanto que aprender... Papá le dio un taburete para que alcanzara la mesa en la que cambiaba los pañales a Donal. Vestía al niño por la mañana, lo ponía a dormir la siesta y por la noche lo acostaba. En las semanas que siguieron a la muerte de la madre, contrataron a varias asistentas, pero ninguna de ellas duró. «Es nuestra casa y cuidaremos de ella del mismo modo que nos cuidamos los unos a los otros», declaró el padre, finalmente.

A Marlinchen le gustó la idea. Pensaba en eso mientras preparaba los cereales del desayuno de sus hermanos, o cuando les cocinaba el almuerzo que se llevaban a la escuela, y también al fregar los platos. Aún no había cumplido ocho años.

Su padre le causaba mucha preocupación. Una vez lo oyó hablar por teléfono con alguien y comentar que tenía una úlcera. Aquello era nuevo y se sumaba al dolor de espalda, que iba y venía y que se agravaba con los esfuerzos, como bien sabía la pequeña. Desde la muerte de la madre, era el padre quien se ocupaba de hacer la compra para seis, y acompañarlos a la escuela y comprarles ropa y material escolar.

Papá solía besarla en la coronilla mientras le decía, «¿qué haría yo sin ti?». Probaba todos los platos que ella preparaba con sus ocho añitos, sus primeros pinitos en la cocina, y todos le parecían «extraordinarios», aunque no le salieran muy bien. A veces, cuando acostaba a Colm y a Donal y les leía un cuento, él se quedaba en el quicio de la puerta y ella fingía no verlo, guardándose para sí el orgullo de saber que contaba con su aprobación.

Y había otras compensaciones, como el dinero extra que le daba, o la gata blanca que le regaló para su cumpleaños. Marlinchen fue la primera chica de su clase que se perforó las orejas para ponerse pendientes, con permiso de papá, que a los nueve años la consideró madura para ello.

Perdida en el narcisismo inconsciente de la infancia, no se fijó en que hacía mucho tiempo que el padre apenas cruzaba la mirada con Aidan y que casi no se hablaban. Si Marli estaba presente, sólo le dirigía la palabra a ella. Cuando la muchacha empezó a notar lo que ocurría, pensó que se debía a que Aidan era un chico muy callado y autosuficiente, no como Colm y Liam, que siempre andaban haciéndose rasguños en las rodillas y enzarzándose en peleas en las que había que mediar, o como Donal, al que había que hacérselo todo. Aidan nunca necesitaba nada.

Entonces, un crudo día de invierno, Aidan cayó enfermo.

No fue nada grave, o no tendría que haberlo sido. Se trataba de una gripe, una de esas epidemias frecuentes en las escuelas en esa época del año. Aidan la pilló, pero siguió yendo a clase hasta que un maestro lo envió a casa.

Aquella tarde, cuando volvió del colegio, Marlinchen fue al cuarto de su hermano a ver cómo se encontraba. Le tocó la mejilla y notó que estaba ardiendo; era como un horno cubierto por una fina capa de músculo y piel. Le tomó la temperatura con el termómetro que había en el armario del baño y, cuando vio a cuánto estaba, corrió al estudio de su padre.

Papá estaba trabajando en una conferencia que iba a pronunciar en el Augsberg College y Marlinchen lo encontró intensamente concentrado en su redacción.

—¿Papá?

—¿Sí, cariño? —dijo él sin dejar de escribir.

—Creo que Aidan está muy enfermo.

—Es la gripe —replicó papá—. Lo único que debe hacer es quedarse en cama y descansar.

—Creo que necesita un médico —señaló Marlinchen—. Está a cuarenta de fiebre.

—¿En serio? —preguntó el padre—. Dale un par de pastillas de antitérmico. Con eso, la fiebre le bajará. —Y continuó enfrascado en la máquina de escribir.

—Papá, me parece que necesita un médico —insistió Marlinchen, tragando saliva.

—¿No me has oído? —Había dejado de teclear, pero no volvió la cabeza—. Que tome esas pastillas —añadió tajante—. Mañana tengo que dar esta conferencia, no me jodas.

—De acuerdo —dijo ella con voz débil.

Marlinchen había visto una película en que la que salvaban a un hombre que tenía una fiebre muy alta. Hizo que su hermano se tragara las pastillas con un vaso de agua helada y luego le dio de beber otro. A continuación le preparó un baño muy frío y le ordenó que se metiera en la bañera. Al cabo de dos horas, la temperatura le había bajado a treinta y ocho y Marlinchen tuvo la certeza de que su hermano se recuperaría.

Al cabo de tres horas, su padre salió del estudio y le dijo:

—Lo siento mucho, Marli.

Marlinchen se sintió aliviada.

—No tendría que haber dicho esa palabrota—añadió él—. Sé que no está bien. —Le puso un billete de veinte dólares en la mano—. ¿Qué tal si esta noche encargas una pizza? Así no tendrás que cocinar.

Marlinchen pensó que su mal humor tenía que deberse a que últimamente le dolía la espalda. Sí, debía de ser eso.

Pasó otro año, y otro, y ella cada vez asumía más responsabilidades en la casa. Pese a que no daba clases, papá parecía más ocupado que nunca. Se encerraba en el estudio muchas horas y trabajaba en su siguiente novela. En el resto de la casa, todos los demás hermanos recurrían a ella no sólo para que les cocinara, sino también para que los ayudara a hacer los deberes. También era ella la que se encargaba de las reprimendas y de la disciplina.

Todos, salvo Aidan. Aidan la ayudaba. Vigilaba a Colm y a Donal —Liam ya había desarrollado su pasión por los libros— cuando ella tenía que estudiar, y jugaba con los pequeños al escondite o se los llevaba a pasear por la orilla del lago. Y con Aidan la unía una amistad que no tenía con los demás hermanos. Compartían bromas y secretos y, cuando papá se acostaba pronto porque le dolía la espalda, se quedaban levantados y miraban películas para mayores en la televisión por cable.

Aidan era el único de los hermanos del que podía decirse que era alto y, cuando tenían siete años, el chico dio un estirón. Un día, años después, mientras la familia se reunía a la mesa para la cena, Marlinchen reparó en Aidan, que se hallaba junto a la puerta abierta del frigorífico con su mano mutilada apoyada en el lateral del electrodoméstico mirando en su interior. De repente advirtió cuánto había crecido y cómo en sus brazos empezaban a formarse las ondulaciones de músculo propias de los hombres. Aparentaba más edad de los once años que tenía.

Y entonces Marlinchen se fijó en su padre, que también miraba a Aidan con sus ojos azules extrañamente entornados. No dijo nada. En realidad, estuvo callado durante toda la cena.

En aquella época, el padre hablaba cada vez menos y Marlinchen sospechó que la novela no iba bien y que, además, la úlcera lo mortificaba; no abría la boca más de lo necesario y perdía los estribos con facilidad. Fue entonces cuando ocurrió el incidente de la foto, un incidente que Marlinchen siempre consideró importante, un acontecimiento tan trascendental como los que aparecen con mayúsculas en los libros de texto de historia.

Hacía tiempo que papá había encargado a Marlinchen que se ocupara de las fotos familiares; a ella le gustaba mu-

245

cho confeccionar los álbumes. Le había dado a Aidan un retrato de veinte por treinta que era demasiado grande para pegarlo en un álbum, en el que se veía a la madre con él en el regazo bajo el magnolio. Aidan nunca se había interesado mucho en decorar la mitad de la habitación que compartía con Liam, pero compró un marco para la foto y la colgó cerca del diploma que certificaba que era el corredor más rápido de su clase en la distancia de una milla.

Llevaba en su cuarto dos días cuando el padre, al pasar ante la habitación de los chicos mayores camino de la calle, reparó en ella.

—Esta foto no es tuya —le dijo a Aidan—, y no me gusta verla en ese marco barato de mercadillo.

—La foto es mía —insistió Aidan—. Me la dio Marlinchen.

Sin mediar palabra, el padre arrancó la foto de la pared.

—Es mía —repitió Aidan.

El padre sacó la foto del marco y se lo tendió.

—Toma, puedes quedártelo. Habrás comprado el marco, eso me lo creo —dijo—, pero la foto no es tuya.

—Sí que lo es —insistió Aidan, pero su padre no le hizo caso y se marchó.

El día siguiente era el aniversario de la muerte de la madre. Siempre iban a llevar flores a su tumba, cada año. Era una tradición familiar.

En esa ocasión, cuando Aidan fue al garaje con todos los demás y se dispuso a subir al coche, el padre sacudió la cabeza.

—Tú te quedas en casa —anunció.

—¿Qué? —preguntó Aidan, como si no lo hubiera oído bien.

—¿Sabes que probablemente perderás un año y tendrás que repetir quinto curso? —le dijo el padre—. Tu profesora me sugirió que te limitara las salidas y los viajes familiares hasta que tu rendimiento escolar mejore. Creo que tiene razón.

Marlinchen conocía bien las expresiones de su hermano gemelo y sabía lo mucho que significaba para él el recuerdo de la madre. Aidan esperó unos instantes para ver si su padre cambiaba de idea. Luego, con las mejillas ruborizadas, regresó a la casa.

El padre tardó dos días en descubrir lo que había hecho Aidan mientras estuvo solo en la casa. Aquella tarde, salió de su estudio y fue en busca de Aidan, que estaba haciendo los deberes.

—¿Dónde está? —le preguntó gritando.

—¿Dónde está, qué? —preguntó Aidan a su vez.

Aidan había cogido la foto del estudio de su padre y la había escondido. Pese a que buscó por todas partes, Hugh no logró encontrarla. Revolvió la mitad del dormitorio del chico, registró el cuarto de baño y todos los escondites habituales del jardín, pero la foto no apareció. El padre ya no volvió a preguntarle por ella, pero su mal humor se cernió como un nubarrón sobre la casa. Impertérrito, Aidan apenas abrió la boca, pero Marlinchen se asustó muchísimo.

—¿No puedes devolverle la foto? —lo instó.

—No —le dijo Aidan—. La foto ya no está aquí.

—Lo estás provocando.

—Me quitó una cosa que me pertenecía —replicó Aidan. Le estaba cambiando la voz y, por un momento, su hermana oyó en ella el timbre de un hombre, su futura voz.

—Si se la devuelves, todo se arreglará —dijo ella.

Marlinchen sacaba mejores notas que Aidan y lo ayudaba con los deberes, pero en aquel momento su hermano la miró como si supiera algo que ella no alcanzaba a comprender.

—No, no se arreglará nada. La foto no tiene nada que ver.

Cuando se iniciaron las palizas, Marlinchen y los hermanos pequeños las afrontaron fingiendo que no sucedían. Tampoco resultaba tan difícil, porque casi todas las hostilidades tenían lugar lejos de sus miradas. Cuando oían algo a través de las paredes, Colm subía el volumen de la tele, Liam se ponía los auriculares del *walkman* y se refugiaba en la lectura y Marlinchen se llevaba a Donal al jardín, a pasear por la orilla del lago. El propio Aidan nunca hablaba del asunto con los demás y ocultaba los cardenales ante ellos y ante sus maestros.

Los pequeños estaban cambiando y Marlinchen lo percibió enseguida. Empezaron a apartarse de Aidan como si temieran que el rayo que lo golpeaba regularmente fuera a fulminarlos a ellos también. Colm, que antes seguía a Aidan a todas partes como si fuera su sombra, empezó a mostrarse desagradable y violento con él. En la mesa, se sentaba lo más lejos que podía de su hermano y se hacía eco de las ideas y opiniones de su padre. Liam se volvió callado y nervioso, abstrayéndose en las historias que empezaba a escribir.

Un día de finales de primavera estaban todos fuera, en el jardín, disfrutando de la bonanza del tiempo. Colm y Donal se entretenían con una pelota de béisbol. Marlinchen terminaba de leer un libro sobre el que tenía que redactar un trabajo. Aidan trabajaba en la bicicleta de su hermana, una de color naranja metalizado que acababan de regalarle y a la que todavía se estaba acostumbrando. Le había sacado el manillar y lo había vuelto a poner del revés, y andaba preocupado por la tensión del freno.

Colm lanzó un tiro largo a Donal, que se hallaba cerca de las escaleras de la terraza con su guante de béisbol. La pelota salió muy desviada y dio en la barandilla del porche, a un metro y medio de Aidan. Éste alzó la mano para detenerla, pero llegó un segundo tarde. La pelota rebotó en el pasamanos y golpeó el cristal de la ventana de la cocina, que se rompió.

Todos se quedaron petrificados. Sabían que papá estaba en el piso de arriba y que lo habría oído.

—Mierda —dijo Aidan. Se puso en pie y se acercó a la ventana. Todos se apiñaron a su alrededor justo a tiempo de ver que el padre entraba en la cocina y observaba los cristales rotos y la pelota de béisbol, que se había detenido junto a la nevera.

—¿Quién ha sido? —preguntó Hugh cuando salió a la terraza, mirándolos a todos. Por unos instantes, reinó el silencio. Al cabo, Colm dijo:

—Ha sido Aidan.

—¿Qué? —protestó Marlinchen—. ¡Colm!

—Ha sido Aidan —insistió el niño con una osada expresión de desafío en la cara.

Aidan lo miró sin comprender nada, igual que su hermana, pero Colm sólo miraba a su padre.

—Ve arriba —le dijo Hugh a Aidan, sin preguntar si lo que Colm decía era verdad. Marlinchen sabía que no lo haría, ni allí ni cuando estuvieran dentro.

—¿Por qué lo has hecho, Colm? —le preguntó a éste cuando su hermano gemelo abandonó la terraza—. No ha sido culpa de Aidan.

—¿Cómo lo sabes? —replicó Colm, obstinado—. Pero si tú estabas leyendo y no has visto nada...

Entró en la cocina en busca de la pelota.

Marlinchen lo siguió con la mirada y, mientras lo hacía, advirtió que un veneno estaba corrompiendo la vida familiar. Colm repetiría lo que acababa de hacer porque ya le había funcionado. Marlinchen temió que las cosas cambiasen mucho a partir de ese momento, pero jamás habría imaginado lo que ocurrió a continuación.

Había transcurrido un mes, quizá, cuando el padre llamó a los gemelos a su estudio.

—He hablado con vuestra tía Brigitte —anunció—, la hermana de vuestra madre, y me ha ofrecido generosamente su casa para que Aidan se vaya a vivir con ella.

Marlinchen quiso preguntar por qué. A tía Brigitte ni siquiera la conocían. Nunca había estado en Minnesota y la familia tampoco había ido a visitarla a Illinois.

—Pero, ¿por cuánto tiempo? —preguntó en cambio. El verano estaba al llegar y eso debía ser lo que su padre se proponía: que pasara el verano fuera.

—Ya veremos —respondió Hugh mientras daba unos golpecitos sobre un folleto con el logotipo de una compañía de aviación que tenía en la mesa—. Te marcharás tan pronto acabe la escuela —le dijo a Aidan, que tragó saliva y se marchó.

—Papá... —susurró Marlinchen, pero no supo cómo proseguir.

—Ayúdale a hacer la maleta, ¿quieres? —le pidió su padre—. Los chicos son un desastre para estas cosas. Y, cariño —añadió, volviéndose a mirarla después de poner en marcha el ordenador—, ocúpate de contárselo a tus hermanos, por favor.

Aidan estaba en su cuarto y no necesitó ayuda para recoger sus pertenencias. A diferencia de su hermana, que no asimilaba la idea, él parecía haberla aceptado.

—No te preocupes —le dijo, sacando la maleta del armario—. Estaré bien.

—Pero si a tía Brigitte ni siquiera la conocemos —protestó Marlinchen.

—Sí, sí que la conocemos —aseguró Aidan—. Estuvimos una vez en su casa, en Illinois.

—No me acuerdo —protestó Marlinchen, quien lo miró intrigada—. Además, a papá no le cae bien.

—Entonces, probablemente sea una excelente persona —replicó Aidan con amargura.

—Supongo que sólo será durante el verano...

—No te preocupes. Me da lo mismo vivir aquí que allí —comentó Aidan.

—Pero...

—Ya basta, por favor —dijo Aidan con acritud—. Y aparta tu gata de mi maleta.

Marlinchen vio que *Bola de Nieve* clavaba alegremente las uñas en la ropa que Aidan había metido en la maleta. Se levantó de la cama de Liam, en la que se había sentado, y replicó:

—*Bola de Nieve* no es mía. Es de todos.

—No, nada de eso —replicó el chico—. *Bola de Nieve* es tu mascota y tú eres la mascota de papá. ¿Por qué no me dejas en paz de una vez, joder?

Aidan nunca le había echado en cara el trato especial que recibía de su padre. A Marlinchen se le llenaron los ojos de lágrimas.

—Linch... —la llamó Aidan, ablandándose. Pero ella ya había echado a correr por el pasillo hacia su dormitorio.

El día que Aidan tenía que tomar su avión a primera hora de la mañana, Marlinchen se levantó a las cinco para hacerle tortitas. En la negrura del otro lado de la ventana de la cocina, su reflejo le recordó el rostro arrugado de una anciana cuyos cabellos no hubieran encanecido. Aidan comió menos de la mitad de lo que le había preparado.

Marlinchen volvió a levantarse a las siete a fin de preparar un segundo desayuno para los chicos. Papá todavía no estaba en casa. Liam y Donal lloraron sentados a la mesa de la cocina. El rostro de Colm parecía de piedra.

Marlinchen llamó a Aidan por teléfono unas cuantas veces hasta que, un día, el padre dejó la factura del teléfono encima de su cama, con las llamadas a Illinois subrayadas en amarillo. Comprendió que no estaba pidiéndole que se las pagara y un extraño helor le atenazó las entrañas. Desde aquel momento, empezó a llamar a su hermano desde teléfonos públicos cada vez que podía, pero las oportunidades eran pocas y muy espaciadas. Aidan le aseguraba que todo iba bien y que tía Brigitte era amable. Después, poco más quedaba que contarse.

Cuando empezó el curso, Hugh no hizo que Aidan regresara. Marlinchen quiso preguntarle varias veces a su padre por qué, pero las palabras se le helaban siempre en la garganta. Cuando tía Brigitte murió en un accidente de tráfico, y Aidan fue enviado más al sur, a la casa de un viejo amigo de su padre, a Marlinchen se lo contaron una vez ya se habían consumado los hechos. Al enterarse, comprendió que Aidan nunca más volvería a casa. Su padre no cambiaría jamás de opinión.

«Tengo que hacer algo. Tengo que hablar con él. No puedo permitir que Aidan viva por ahí con alguien a quien ni siquiera conocemos.»

Sin embargo, al principio no dijo nada. Temía por Aidan pero también estaba preocupada por su padre. Llevaba mucho tiempo sometido a una gran presión, económica y de todo tipo. Volvía a dolerle la espalda y estaba siempre de mal humor. En una ocasión, le dijo que tenía algo importante que decirle y que fueran a hablar bajo el magnolio.

De camino hasta allí, el corazón se le aceleró. ¿Qué iba a decirle? ¿Que estaba enfermo, que tenía cáncer, que se iba a morir? Cuando llegaron, él no fue capaz de articular palabra. Miró al suelo y luego hacia el lago y finalmente le dijo lo mucho que había amado a su madre, lo mucho que la echaba de menos y lo importante que eran para él los hijos.

Todavía asustada, Marlinchen se había apresurado a decir: «Ya lo sé, papá. Nosotros también te queremos». No había entendido qué había querido decirle. ¿Estaba todavía profundamente deprimido por la muerte de su madre? ¿Había insinuado que tenía tendencias suicidas? A partir de entonces y durante una buena temporada, a Marlinchen le costó conciliar el sueño o se despertaba en plena noche. En una ocasión, se levantó de la cama, recorrió el pasillo sin hacer ruido y asomó la cabeza en la habitación del padre para ver si estaba bien, si seguía respirando.

Poco después, ocurrió algo que pareció cambiarlo todo.

Una tarde, en la escuela, durante el recreo, vio a Aidan al otro lado de la alambrada. Él se llevó un dedo a los labios y, cuando Marlinchen volvía a casa, se lo encontró por el camino. El conductor del autobús escolar no se percató de que Aidan montaba en el vehículo con todos los demás chicos.

Marlinchen lo escondió durante dos días en el garaje del fondo. Le llevaba comida de hurtadillas y le consiguió una manta para que pudiera taparse cuando dormía tumbado en el asiento trasero del viejo BMW del padre.

El segundo día se lo contó a Liam. Después de la cena, llevaron la comida a Aidan y los tres hermanos se sentaron y hablaron. Casi todo lo dijo Aidan, y les contó cosas de la tía Brigitte, que lo había tratado bien aunque a veces resultase un poco pesada. Dijo que Pete Benjamin era un tipo correcto, pero que lo consideraba un absoluto desconocido y que, al cabo de dos semanas en la granja, se había sentido muy solo y había echado mucho de menos a sus hermanos. Les contó que, con el dinero que había ahorrado de una paga que le daba la tía Brigitte, había comprado un billete de autobús. Les habló del viaje nocturno, de la autopista que iba cobrando forma bajo los faros del vehículo, de la caminata que se había pegado todo el día hasta el colegio de Marlinchen. En el mundo crepuscular del garaje, las penalidades de Aidan adquirieron tintes de aventura.

Entonces se abrió la puerta y apareció Colm.

—¿Qué está pasando? —preguntó.

Las tres caras se volvieron hacia él y la mirada de Colm se fijó en su hermano mayor. Se quedó sorprendido unos momentos; luego, su expresión se endureció y abrió la boca:

—Voy a contárselo a papá.

—¡No, Colm! —Marlinchen se puso en pie, pero su hermano ya corría hacia la casa.

Cuando se presentó el padre y se detuvo en el umbral, su aspecto era atemorizador. Miró al hijo con el que estaba enemistado y asintió como si no se sorprendiera de verlo.

—Papá... —empezó a decir Marlinchen, pero tenía un nudo en la garganta que le impidió hablar.

—Déjalo, Marlinchen —dijo Hugh—. Ya me imaginaba que aparecería por aquí. —Entonces, se volvió hacia Aidan y añadió—: Mañana volverás a Georgia y, mientras tanto, ven a la casa. Esta noche puedes dormir en el sofá de la sala.

Marlinchen se sintió aliviada. Esperaba algo mucho peor. Aquella noche, hizo la cama a su hermano en el sofá de la sala y, cuando volvió a su cuarto, se durmió de inmediato. La tensión de los últimos días, escondiendo a Aidan, le había pasado factura. Todo había terminado y el cansancio la venció.

Pero no había pasado más de una hora cuando despertó otra vez y oyó los sonidos amortiguados de la ira que tan bien conocía. Con el corazón en un puño, bajó las escaleras.

Las cosas nunca habían llegado tan lejos. Aidan, sentado en el suelo de la cocina con la espalda apoyada en el frigorífico y la mitad de la cara ensangrentada, intentaba contener la hemorragia de la nariz rota y de la ceja partida. Junto a él estaba agachado su padre, que lo agarraba por un mechón de pelo sanguinolento con el rostro enajenado de rabia.

Le decía algo al oído. Luego, lo soltó y se incorporó.

Con gran dificultad y dolor, Aidan se puso en pie y escupió sangre y saliva al rostro de su padre.

Marlinchen fue presa del pánico ante la perspectiva de lo que podía ocurrir a continuación, pero su padre se limitó a limpiarse la cara y se marchó.

Marlinchen se agazapó en la oscuridad. El padre pasó por su lado sin verla. Ella se quedó sentada en el suelo, con los brazos alrededor de las rodillas, intentando contener las lágrimas. Desde donde estaba, se fijó en algo en lo que no había reparado antes. Entre el bosque de patas de sillas de la mesa del desayuno vio unos ojos brillantes que la miraban. Era Donal. Tenía cinco años. Estaba conmocionado.

Marlinchen supo enseguida lo que había ocurrido. Donal había bajado a la cocina a hurtadillas a coger algo que no debía, probablemente un pedazo de tarta de limón que la muchacha había preparado un rato antes. Cuando creyó que lo habían descubierto, se escondió debajo de la mesa y había estado allí todo el tiempo. Marlinchen no sabía qué había encendido la ira de su padre; la cuestión era que Donal lo había presenciado todo.

Fue en ese momento cuando Marlinchen tomó una decisión.

Lo mejor para Aidan sería que se marchase por la mañana, que fuera a vivir a dos mil kilómetros de distancia. De otro modo, la situación no haría más que seguir deteriorándose. Los más pequeños seguirían asistiendo a aquellas escenas y a otras peores, y Dios sabía que Aidan no estaría a salvo allí. En Georgia, sí. Por mal que le fuese con Pete Benjamin, estaría mejor con él que en casa.

Salió de su escondite, pasó junto a Aidan, que había vuelto a sentarse y seguía intentando detener la hemorragia de la nariz, y se acercó a Donal.

—Ven conmigo, cariño, sal de ahí —le dijo. Aunque ya era demasiado grande para que alguien del tamaño de su

hermana lo levantara del suelo, Marlinchen lo consiguió, y
el niño se acurrucó en sus brazos. Esperaba ver lágrimas en
sus ojos, pero Donal no lloraba.

«Los niños pequeños se adaptan a todo», pensó mientras
lo acostaba.

Ya no volvió a bajar y dejó a Aidan solo.

Un arco iris en la noche se publicó a finales de ese mismo año con un éxito aceptable de la crítica. Hugh pronunció
conferencias y firmó ejemplares. Cuando salía de gira, en-
viaba postales desde todas las ciudades, aunque sólo pasara
fuera una noche. Al año siguiente, un estudio cinematográ-
fico adquirió los derechos de *El canal*. Con el anticipo, Hug
compró una cabaña cerca del lago Tait, un lugar al que podía
escapar para escribir, pero primero llevó de vacaciones a toda
la familia. La úlcera e incluso el dolor de espalda parecieron
remitir. Su estado de ánimo mejoró, hablaba y a veces hasta
se reía en la mesa durante la cena.

Veintidós

—*E*ras muy pequeña —susurré—. No fue culpa tuya.

Después de contarme la historia, Marlinchen se deshizo en recriminaciones y en callados sollozos.

—Si le ha ocurrido algo —dijo—, será culpa mía. No le defendí y permití que ocurriera lo que ocurrió. No hice nada por impedirlo.

—Es que no podías hacer nada —la tranquilicé, dándole unas torpes palmaditas en los hombros que no paraban de temblar.

—Quería contártelo —comentó con voz más firme tras secarse las lágrimas y recuperar la compostura—, pero eso de las palizas... La primera vez que ocurre haces la vista gorda y rezas para que no vuelva a suceder. Después... Si no interviniste ayer, será más difícil que lo hagas mañana y aún más difícil pasado mañana y, al final, llega un punto en el que todo el mundo sabe que los demás lo saben, pero expresarlo en voz alta sería como...

—... romper todas las ventanas —terminé la frase.

—Sí —asintió ella—. Como romper todas las ventanas.

—¿Y Liam y Colm? ¿Hablasteis de lo que dirías cuando yo os preguntase por qué habían mandado a Aidan lejos de casa?

—No tuve que decirles que guardaran el secreto —respondió Marlinchen, sacudiendo la cabeza—. Nunca hemos hablado de ello, ni siquiera entre nosotros. —En la oscuridad, sus pupilas se veían enormes—. ¿Dónde crees que está, Sarah?

—No lo sé —reconocí—. Y no nos servirá de nada quedarnos despiertas toda la noche, esbozando teorías. Vuelve a la cama.

—Cuando tenía once años —continuó, sin moverse—, un día estaba caminando fuera, en el hielo. No sé por qué lo hice, el caso es que el hielo se rompió y me caí. Si no hubiese sido por Aidan, que me vio y me rescató, habría muerto ahogada. —La voz le tembló como si estuviera a punto de llorar otra vez—. Nunca se lo contamos a papá para que no me regañara por haber ido sola al lago. Pero cuando Aidan necesitó mi ayuda... Si a Aidan le ha ocurrido...

—No le des más vueltas, ahora —dije—. Vamos a dormir.

Dudo de que ella durmiese. Yo no pegué ojo.

La historia que me había contado Marlinchen no me sorprendía demasiado. En realidad, ya había empezado a sospechar algo parecido. Quedaba por resolver la parte de la historia de Aidan que yo todavía ignoraba porque la propia Marlinchen tampoco la sabía: ¿por qué el padre descargaba sólo en él la rabia y el resentimiento?

Pensé que siempre cabía una respuesta al estilo culebrón televisivo. Aidan y Marlinchen eran rubios los dos, habían salido a su bonita madre alemana. Los otros tres chicos se parecían a Hugh. Los gemelos nacieron primero. Hugh y Elisabeth eran dos vértices de un triángulo amoroso literario. Al otro vértice, Campion, lo habían borrado de la vida de su amigo Hugh pocos años después del nacimiento de los gemelos. Conclusión: Campion era el padre de los dos hermanos mayores. Hugh lo había descubierto al cabo de un tiempo y se había peleado con su viejo amigo. Desde entonces, Hugh había dado rienda suelta a su frustración pegando a Aidan, el hijo bastardo de Campion. Sí, un auténtico culebrón. Y ahora, unas palabras de nuestro patrocinador, detergente Limpín.

Lamentablemente, la teoría de la paternidad no respondía a la pregunta, se limitaba a formularla con otras palabras. «Marli» había sido la preferida de su padre, sobre todo después de la muerte de la madre. Si la teoría de la paternidad de Campion era cierta, a ella no la había perjudicado, sólo a su gemelo. El padre adoraba a Marlinchen, pero odiaba a Aidan. ¿Cómo se explicaba eso?

Fueron éstos pensamientos los que me mantuvieron despierta mucho rato, el suficiente para oír un ruido al otro lado de la ventana de la alcoba de Hugh. Era el viento, que sacudía las enredaderas del emparrado. Me pareció extraño, porque yo dormía con las cortinas abiertas y las copas de los árboles que veía desde la cama no se movían.

Me acerqué a la ventana sin dejarme ver y el emparrado se movió de nuevo, con más fuerza que antes.

Como no tenía nada para cambiarme, me había acostado en bragas y camiseta. Me puse la sudadera y recordé que tenía las zapatillas a secar en el garaje de abajo. Descalza, empuñé la pistola que guardaba en el bolso y bajé corriendo.

La silueta delgada y oscura casi había llegado a lo alto del emparrado cuando doblé la esquina de la casa y lo sorprendí.

—¡Quieto ahí! —le grité—. Ahora quiero que bajes despacio y que te quedes en la terraza con las manos en la espaldera y las piernas bien separadas.

En aquella noche sin luna, sólo distinguí que se trataba de una figura alta y masculina que llevaba a cabo mis órdenes. Mientras bajaba, advertí, además, que llevaba el pelo largo y suelto. Cuando llegó a la terraza y apoyó las manos en la espaldera a la altura de la cabeza, tuve la impresión de que me resultaba conocido. En aquel instante, el exterior de la casa quedó bañado por la luz eléctrica y desapareció cualquier asomo de duda.

Marlinchen estaba en el umbral; había sido ella quien había encendido las luces exteriores de la casa. Miró al chico que tenía las manos apoyadas en la espaldera y, al comprobar que en la izquierda le faltaba el dedo pequeño, gritó:

—¡Aidan!

—¡Quédate donde estás, Marlinchen! —le ordené.

Sus ojos fueron de mí a su hermano y de nuevo a mí, cada vez más desconcertada.

—Es Aidan, ¿no lo entiendes, Sarah?

«Ojalá fuera tan sencillo», pensé.

Quizá podría haber afrontado el suceso de otra manera, pero me han enseñado a hacerlo así, a no ceder nunca el control de la situación hasta estar segura de que no habrá problemas. En aquel caso, y por más que Aidan hubiera obedecido mis órdenes hasta el momento, era más alto y probablemente más fuerte que yo, y eso me preocupaba.

En aquel momento, Liam y Colm salieron a la terraza.

—¿Es Aidan? —preguntó Liam, que no daba crédito a sus ojos.

—Vosotros, chicos, todos los demás —dije mientras empujaba a Aidan hacia la pared—, entrad en casa ahora mismo. Yo me ocupo de esto.

Sólo Colm me obedeció. Liam se quedó donde estaba, lo mismo que Marlinchen.

Cacheé a Aidan en busca de objetos sospechosos. No se movió, aceptando mi manoseo como un caballo al que lo estuvieran herrando. Vestía una camiseta de manga larga, unos vaqueros descoloridos y una sucia sudadera con capucha. En el bolsillo lateral palpé un objeto duro y estrecho, del tamaño de un dedo, y lo saqué con cuidado.

—¿Qué haces? —preguntó Marlinchen, que se había acercado—. ¡Para! ¡Ya te he dicho que es Aidan!

—Primero: vuelve atrás, por favor —repliqué—. Segundo: ya sé que es Aidan, pero ha intentado introducirse en tu domicilio con una navaja. —Se la mostré.

—¿Necesitas esto? —Colm había reaparecido a mi lado y me tendía las esposas, que brillan en sus manos. Se veía satisfecho de sí mismo por haberse anticipado a mis necesidades.

—No, no será preciso —dije, incómoda, tras un carraspeo—. No voy a detener a tu hermano. Sólo lo llevaré a comisaría para interrogarlo.

Marlinchen se dispuso a decir algo, pero Colm la agarró del brazo e intentó llevársela.

—Vamos, Marlinchen —dijo—. Deja que Sarah haga su trabajo.

Marlinchen se soltó y lo miró indignada. La actitud autoritaria de Colm se derritió como la nieve fina de primavera y cambió de conducta. Liam tampoco me había obedecido, pero al menos se había retirado hasta el umbral de la puerta. Contemplaba la escena con una expresión de dolor en sus finas facciones, como si quisiera protestar pero no supiera qué decir.

No era la primera vez que me enfrentaba a una situación similar. Como agente de patrullas, gran parte de las detenciones las había realizado delante de familiares atónitos, bajo las intensas luces de un porche, o en desordenadas salas de estar; medio vestidos, te miran como diciendo: «No, no puedes hacer esto. Es mi marido. Mi papá. Mi hijo. Mi hermano». Nunca resultaba fácil.

—Sarah —empezó a decir Marlinchen.

—Ya vale, Linch —dijo Aidan, hablando por primera vez. Su voz sonó cascada, como por falta de uso.

—Sarah, ¿no puedes...?

—No —respondí—. No puedo. Mi prioridad es que tú y tu familia estéis a salvo. Tengo que hablar con tu hermano

261

para averiguar el cómo y el porqué. Y eso, aquí no puedo hacerlo. Lo siento.

Es una lección que cuesta mucho de aprender: el bien y el mal no son como un juego de cartas. En las cartas, si sabes que un jugador tiene tres picas en la mano, puedes estar segura de que en la mesa nadie tendrá más de una.

Las matemáticas de la psicología humana nunca son tan exactas. El hecho de que Hugh hubiera demostrado ser un hombre malo no implicaba que Aidan fuese bueno. Yo sólo tenía la palabra del muchacho de que sus motivos para trepar por la enredadera eran inocentes, y la verdad es que no acababa de creérmelo. Las víctimas de la violencia corren un gran riesgo de convertirse en perpetradores de violencia y, por lo que Marlinchen había contado, a Aidan su padre lo había maltratado física y emocionalmente.

Aun cuando Hugh estuviera a salvo en su centro de recuperación, los niños no lo estaban. Según el relato Marlinchen habían disfrutado del favor de su padre y, después de que éste enviara injustamente a Aidan lejos de casa, habían continuado sus vidas como si nada hubiese ocurrido. Era comprensible que el muchacho estuviese más que enfadado por ello.

Sentí lástima por Aidan, pero la compasión era un lujo que sólo podía permitirme en términos abstractos. A los polis no nos enseñan a distinguir a los depredadores a quienes la vida ha maltratado de los que son simplemente unos depravados. Los jueces y los jurados ya se encargan más adelante de esta distinción.

—Veamos —empecé a decir sentándome frente a Aidan en un despacho del Tribunal de Menores—: te encaramas a la enredadera para entrar en la habitación de tu padre con una navaja a la una de la madrugada, mientras todo el mundo duerme. Así, sobre el papel, pinta muy mal. —Me recosté en la silla invitándolo a hablar—. No tienes que contestar a mis preguntas, pero si me tranquilizaras con respecto a tus acciones de esta noche, tu situación tal vez mejoraría.

De camino al Tribunal de Menores no había pronunciado ni una palabra, ni siquiera para comentar el olor a producto químico, como había hecho Kelvin. Yo sí capté su olor, a hierba y a rocío, como si hubiera estado durmiendo al aire libre, y a sudor rancio.

Ahora tenía la oportunidad de observarlo por primera vez bajo una buena luz. Mis ojos se fijaron enseguida en su mano mutilada, pues Aidan la había dejado sobre la mesa como desafiándome a evitarla. O el corte en el meñique había sido muy limpio a la altura la articulación, o quizá el instrumental del cirujano había nivelado la carne. Pese a todo, aquel muñón de carne rosa oscuro resultaba desagradable, por más antigua que fuera la herida.

Aparte de eso, Aidan se había hecho tan alto como en la foto apuntaba que sería. Con metro ochenta, era más alto que su padre y parecía que Colm o Liam no lo alcanzarían. Llevaba el pelo largo, sucio y estropajoso, y tenía la cara chupada. Un cordón de cuero a modo de collar desaparecía bajo el cuello de su camiseta.

—Quería asegurarme de que Hugh no estaba. —Era la primera vez que lo oía hablar desde las escuetas palabras que pronunció en la casa—. He estado todo el día y parte de la noche rondando por allí y no lo he visto, pero tenía el coche en el garaje.

—¿Qué quieres decir con eso de «rondando por allí»? —inquirí.

—Pues que he estado vigilando la casa —respondió Aidan—. Esperaba que Hugh saliera para poder entrar a ver a Linch y a los chicos. Al ver que no aparecía en todo ese tiempo, he pensado que tal vez estaría de viaje, pero como no estaba del todo seguro, me he escondido y luego he intentado trepar hasta su ventana para cerciorarme.

—Sí —dije—, pero que hayas pasado muchas horas acechando no cambia el hecho de que has intentado colarte por una ventana con una navaja. —Al ver que no replicaba, proseguí—: Y puesto que estabas allí, observando la casa, ¿quién has creído que era yo?

—No la vi.

—¿De veras? —repliqué—. Estuve más de una hora en la casa antes de que nos acostáramos.

—Es que en ese momento no estaba.

No se rendía fácilmente. Lo intenté de otro modo.

—Si cuando llegué no estabas, ¿adónde habías ido?

—A ver si encontraba algo para comer —respondió Aidan.

—¿Dónde? —repetí.

—En el jardín del vecino —contestó—. Tiene plantados pimientos verdes y zanahorias.

Tenía que estar muerto de hambre. Pensé en las máquinas expendedoras del comedor de los agentes de menores, pero no quería romper el ritmo del interrogatorio. En algunas cosas, Gray Diaz tenía razón.

—Háblame de la navaja —lo insté.

—La llevo para protegerme —explicó.

—¿De quién o de qué?

—He vivido en la calle —afirmó Aidan—. Eso puede ser peligroso. La navaja fue una buena inversión.

Su mirada era muy apacible, imperturbable ante el interrogatorio. Tenía los ojos exactamente del mismo color que Marlinchen.

—Inversión —señalé—. Una interesante elección de palabras. Llevas bastante tiempo solo. ¿De dónde sacabas el dinero?

—¿Quiere decir si he cometido atracos? —preguntó—. No.

—¿Cuándo llegaste a la ciudad?

—Esta tarde —respondió—. He venido a dedo desde Fergus Falls.

—Y con todo el tiempo que llevas fuera de casa, ¿qué te impulsó a venir? ¿Por qué ahora?

—Quería ver a mi familia —dijo—. A mi hermana y a mis hermanos, quiero decir —se apresuró a puntualizar.

No necesitó contarme lo que sentía hacia su padre, yo lo notaba cada vez que lo llamaba Hugh, en vez de «papá» o «mi padre».

—Tal vez has venido para sacarle dinero a tu padre.

—No. —Sacudió la cabeza para subrayar su respuesta.

—¿Y la gata de Marlinchen?

—¿*Bola de Nieve*? —inquirió—. ¿Qué pasa con ella?

Callé unos instantes esperando que los nervios lo traicionaran con algún pequeño gesto o que llenara de algún modo el incómodo silencio. No hizo nada de eso.

Esperé un poco, sin saber qué más decirle. Entonces, se me ocurrió algo.

—Desde que has sabido que tu padre no está en casa —comenté—, has mostrado muy poco interés por averiguar su paradero. ¿No sientes curiosidad por conocerlo?

—Muy bien —dijo Aidan, encogiéndose de hombros—. ¿Dónde está?

—Tu padre está en el hospital recuperándose de una apoplejía.

Sus ojos azules se clavaron en los míos. Por fin lo había sorprendido, aunque en su mirada no advertí ni un ápice de preocupación.

—¿Tienes hambre? —pregunté al cabo.

—Comería algo —respondió.

Las máquinas expendedoras estaban muy mal surtidas. Tras el escaparate de plástico rayado vi un mullido panecillo

de harina blanca, patatas fritas al pimiento jalapeño y corte-
zas de cerdo. La máquina de refrescos sí que estaba bien pro-
vista, pero un poco de agua azucarada no es, precisamente, lo
que necesita un adolescente hambriento con el estómago vacío si no va a tomar nada sólido de verdad hasta la mañana
siguiente.

Me alejé, todavía con unas cuantas monedas en la mano,
y me puse a deambular de una punta a otra del pasillo bajo
los fríos fluorescentes del techo.

No me gustaba que se hubiera encaramado al emparrado. No me gustaba la navaja que le había encontrado en el
bolsillo. Y sobre todo, no me gustaba nada que hubiese estado merodeando por la casa de noche, tan poco tiempo después de la muerte de *Bola de Nieve,* ocurrida de madrugada.
Marlinchen me había contado que, años antes, Aidan había
dicho: «*Bola de Nieve* es tu mascota y tú eres la mascota de
papá».

Si Aidan había vuelto a casa lleno de rabia, dispuesto a
enfrentarse a su padre, ¿no habría descargado parte de esa
rabia en un objetivo más pequeño? Y además, en vista de
que el padre se encontraba a resguardo en una residencia,
¿no cabía la posibilidad de que Aidan volviera a cambiar de
objetivo y descargara la rabia sobre sus hermanos?

Saqué la navaja que le había confiscado y la abrí, exami-
nándola cuidadosamente en busca de rastros de sangre seca
en la base de la hoja y en el mango, pero no encontré nada.

Claro que podía haberle hecho una limpieza a conciencia.

Sin embargo, al preguntarle por *Bola de Nieve* sin preámbulos ni explicaciones, no se había inmutado en absoluto; ni
siquiera había preguntado qué le sucedía a la gata. La sincera confusión es una de las respuestas más difíciles de fingir.
Además, yo no tenía ninguna prueba de que su versión no
fuera cierta; de que no hubiera trepado al emparrado para
comprobar si su padre estaba en casa. Hasta cierto punto, me

pareció de lo más comprensible, ya que la última vez que se había presentado en casa sin avisar, las cosas habían salido bastante mal, por expresarlo suavemente.

Me habría tranquilizado dejarlo a buen recaudo en el Tribunal de Menores toda la noche porque, de ese modo, podría haberme ido a casa, dormir ocho horas, e interrogarlo de nuevo por la mañana. Sin embargo, no lo había arrestado; sólo lo había llevado al centro para interrogarlo y, para dejarlo allí, era preciso que lo detuviera.

Y no es que no pudiera hacerlo, habida cuenta de que la navaja era un arma ilegal, pero, según mis propias investigaciones, Aidan Hennessy todavía no había tenido problemas con la ley y, por tanto, carecía de antecedentes delictivos. Si lo acusaba de llevar un arma ilegal, tendría que abrir un expediente.

Empezaba a dolerme la cabeza. Cuando el juez Henderson me había adjudicado la responsabilidad de cuidar de los Hennessy durante unas semanas, ninguno de los dos había imaginado que su decisión nos llevaría hasta el punto de tener que tomar una determinación como aquélla en las dependencias del Tribunal de Menores a las tres de la madrugada. Sin embargo, yo había asumido la obligación y ahora no podía rehuirla. Y si bien era responsable del bienestar y la seguridad de Marlinchen y los pequeños, ¿no debía ampliarse también esa responsabilidad a Aidan? Él también era un miembro de la familia, y era menor de edad.

Cuando volví a la sala de interrogatorios y Aidan vio mis manos vacías, me miró a la cara.

—Voy a llevarte a casa —anuncié.

Veintitrés

Cuando Aidan y yo llegamos a la casa, no me sorprendió que Marlinchen estuviera despierta. Le echó los brazos al cuello y permanecieron abrazados un largo instante, hasta que tuve que volverme para que gozaran de aquel reencuentro en la intimidad.

Luego, fue a la cocina y le preparó algo de comer, dos emparedados calientes de atún y un vaso de leche gigante. Después, le hizo la cama en el sofá, donde el muchacho cayó rendido de cansancio. Cuando se durmió, Marlinchen se dirigió a mí.

—Gracias por haberlo traído —dijo.

—Ven, tenemos que hablar de esto. Subamos a la habitación —la insté.

Ya en el dormitorio de Hugh, me senté en el borde de la cama y Marlinchen lo hizo en el suelo, con las piernas cruzadas. Era como si hubiéramos rebobinado la escena hasta un momento previo de la velada.

—Escucha —empecé—, sé que Aidan es tu hermano y que su situación te ha creado sentimientos de culpabilidad y ansiedad, pero, ¿realmente conoces a la persona que está durmiendo en ese sofá? —Moví la cabeza hacia la puerta, indicando las escaleras y la planta baja donde Aidan descansaba—. Es lo mismo que te dije cuando me mostraste la foto. La época que va entre los doce y los diecisiete años es muy importante. La gente cambia mucho y Aidan ha vivido estos años en unas circunstancias de las que lo ignoramos casi todo.

Marlinchen me sonrió con condescendencia, como si yo fuera una niña que no comprendiera el mundo real.

—No tengo por qué saber dónde ha estado. Sé que se encuentra bien —sentenció.

—¿Y cómo lo sabes?

—Porque lo sé —respondió Marlinchen. Sus pupilas, una vez más, se habían dilatado en la penumbra. Se la veía más joven y cándida que nunca.

—Yo no puedo dejarme llevar por las intuiciones de otra persona.

—Pero, ¿qué estás diciendo? —inquirió.

—En adelante, voy a pasar mucho tiempo aquí —expliqué. Había estado pensando en ello en el coche, mientras volvía con Aidan. Él había guardado silencio durante todo el trayecto.

—¡Pero si es lo que has estado haciendo hasta ahora! —respondió ella, perpleja.

—Más todavía —puntualicé—. Incluso de noche. Es posible que os resulte extraño. Para mí también lo es, pero el juez me hizo responsable de vuestra seguridad, así que os controlaré de cerca hasta que toda esta situación se normalice.

—Muy bien. —Marlinchen me dedicó su fácil y natural sonrisa—. En realidad, me gusta mucho tenerte aquí, Sarah, pero...

—Lo sé. Piensas que me preocupo sin motivo —la interrumpí—. Y, créeme, espero que tengas razón.

Al día siguiente, en el trabajo, no rendí demasiado. Hubo una época en que tres horas de sueño me bastaban, pero de eso hacía ya mucho tiempo. Por otra parte, durante el turno ocurrieron pocas cosas de interés. Los atracadores de las medias de nailon llevaban un tiempo sin actuar. Tal vez habían encontrado trabajo o les había tocado la lotería.

A última hora del día, sonó el teléfono.

—Sarah —dijo la voz al otro lado del hilo—, soy Chris Kilander.

—¿Kilander? —Me incorporé en la silla. Nuestros caminos no había vuelto a cruzarse desde el incómodo encuentro nocturno en el aparcamiento del Surdyk's—. ¿Qué sucede?

—Quería saber si podríamos vernos esta noche —dijo.

—¿Para qué?

—Para un pequeño uno contra uno —dijo—. No se te ve nunca por la cancha...

Kilander había sido ala pívot en Princeton. Yo no era nadie y jugar conmigo un partido de baloncesto no le suponía ningún desafío. Era evidente que buscaba algo más. El partido no era más que un pretexto.

—¿Cuándo? —quise saber.

Cuando llegué al polideportivo, unas nubes negras de tormenta crecían en el cielo encima del edificio. Como no había nadie, empecé a hacer estiramientos de los cuadriceps y de los tendones de las pantorrillas contra la alambrada.

—Buenas tardes —me saludó Kilander, que se había acercado por detrás.

Aunque tenía una buena musculatura, sus largas piernas se veían pálidas con aquel pantalón corto y ancho, y me recordó los viejos tiempos en los que los blancos de pies lentos dominaban los equipos de baloncesto profesionales. Sin embargo, no me dejé engañar. Derrotarle iba a ser muy difícil.

—¿A cuánto jugamos? ¿A veinte?

—Sí, a veinte está bien.

Kilander lanzó la pelota, más contra mí que hacia mí, con un pase fuerte al pecho.

—A ver cómo lo haces —dijo.

Naturalmente, no estaba a su altura. Kilander entró a canasta una y otra vez. Cuando ya íbamos diez a seis a su favor, me preguntó:

—Jugabas cuando ibas al instituto, ¿verdad? ¿En qué posición?

—Primero de alero, y luego de escolta —respondí, jadeando.

—Juegas como un escolta. Conservador —añadió—. Un escolta de instituto.

—Pues tú juegas como un abogado —repliqué, y seguí botando la pelota sin moverme de sitio y observándolo—. Si no tuviera miedo de que me pusieras una demanda, ya te habría hecho cuatro faltas.

—No te demandaré —aseguró Kilander—. Te amnistío por anticipado.

Boté la pelota e intenté lanzarme a la canasta driblándolo. Me hizo un bloqueo y me robó la pelota. Al cabo de un momento, mientras saltaba para encestar, lo cogí por la camiseta y cuando me empujó, le pegué un codazo. Se rió, y luego demostró su superioridad moral no sólo negándose a responder, sino que, cuando me ganó por 20 a 14, propuso que fuéramos a treinta. Lo hicimos, y me derrotó por 30 a 22.

—Gracias —dijo, extrañamente serio cuando hubimos terminado.

—¿De qué? —pregunté, recuperando el aliento.

—Por no rendirte en una batalla imposible —murmuró.

—De nada —repliqué, tomándome como un cumplido lo que para otros habría sido un insulto—. Gracias por no menospreciarme.

Una fuerte ráfaga de viento barrió la cancha presagiando lluvia. Kilander agarró la botella de agua y se dirigió a la banda, donde se sentó en la grada más baja. Yo lo seguí, todavía con la pelota en la mano.

—¿En qué piensas, Chris? —le pregunté.

—Quería decirte una cosa —respondió Kilander—. Es sobre lo que comenté el otro día de que no hayas negado que mataste a Royce Steward. Me equivoqué. He pensado en ello desde entonces y sé que no mataste a ese hombre.

—Gracias —dije. Algo se aligeró en mi pecho con sus palabras—. Esto significa mucho para mí.

Kilander asintió con aire ausente y luego añadió:

—Escucha, no estoy muy al corriente de la investigación de Diaz y ya sabes que, aunque supiera algo, no podría contártelo. Sin embargo, sí puedo decirte unas cuantas cosas de él, en general. —Hizo una pausa para pensar—. No es que lo conozca muy a fondo, pero tenemos un amigo común que ahora es juez en Rochester. Gray me llamó para que le proporcionara la información habitual que necesita un recién llegado a la ciudad, un buen sitio donde comer y ese tipo de cosas.

Junto a la cancha municipal pasaron varios ciclistas. Las ruedas de las bicicletas produjeron un siseo en el asfalto.

—Diaz es un tipo entusiasta —explicó Kilander—. Es licenciado en Derecho Penal por la Universidad de Texas. El primer año de asistir a clase ya le salió la primera cana, de aquí su apodo. Si no fuera por su suegro, estaría trabajando en la fiscalía de Dallas o de Houston. Su mujer es de Blue Earth y se fueron a vivir allí para que ella pudiera estar cerca de su padre, que padece una lesión cardiaca crónica.

—¡Qué pena! —exclamé.

—En cierto sentido, sí. La lesión lo debilita, pero no se sabe cuánto le queda de vida, como ocurre con algunos tipos de cáncer, así que Gray tal vez se quede allí mucho tiempo. La verdad es que no es de los que se conforman con investigar robos en granjas. Probablemente, en el condado de Faribault se siente en una cinta rodante que se hubiera quedado atascada en la posición más lenta. —Kilander hizo una pausa para pensar sus siguientes palabras—. Para él, detener a una poli de la gran ciudad sería divertido, todo un reto. No es nada personal.

—¿Una poli de la gran ciudad? —repetí—. ¿Es así cómo me ve?

Kilander había omitido discretamente la palabra clave: «Corrupta». Probablemente, Diaz me consideraba una poli corrupta de la gran ciudad. Nunca me había interesado el politiqueo del departamento y, en realidad, era la detective más joven y nueva de la brigada. Me costaba imaginar que otros pudieran verme tan distinta de cómo me veía yo.

—El otro día —le dije—, un agente me abordó en privado y me felicitó por la «muerte» de Stewart.

Kilander asintió en silencio.

—Chris... ¿cuántas personas crees que saben lo de Diaz?

—Bueno —respondió Kilander—, si un joven agente de uniforme está al corriente, ¿tú que dirías?

Dios mío. Empezaban a caer las primeras gotas de lluvia, finas como la niebla.

—Todo el mundo —respondí.

—El agente que te dijo eso es un cretino. —Kilander se había acercado a mí—. Otras personas llegarán a la misma conclusión, Sarah. Es lo que les dirá el instinto, y también tu conducta. Y cuando la investigación de Diaz concluya, tu carrera profesional se recuperará.

—Gracias —dije tras respirar hondo—. Ojalá tengas razón.

Aquella noche, cuando llegué a la casa de los Hennessy, sólo Liam estaba levantado, estudiando con una taza de café descafeinado. Se ofreció a prepararme uno, pero decliné la invitación. En cambio, hablamos un momento de Shakespeare, de *Otelo* en particular, la obra sobre la que estaba haciendo un trabajo escolar.

Antes de dejarlo solo, le pregunté:

—¿Ha ocurrido algo hoy? ¿Algo extraño o desagradable?

—¿Con Aidan, te refieres? —Liam había captado perfectamente a qué me refería—. No.

—Después de haber estado lejos tanto tiempo y todo lo que ha ocurrido, ¿no te incomoda su presencia aquí? —inquirí.

—Tenerlo de vuelta ahora es distinto —comentó Lian—. ¿Que si me incomoda? —Hizo una pausa como si reflexionase, pero las palabras que pronunció a continuación fueron de lo más simple—. No, ésta es su casa. Es nuestro hermano.

Veinticuatro

Durante los días siguientes, estuve muy pendiente de los Hennessy y pasé las noches en su casa. Lo que me sorprendió más fue la desenvoltura con la que aceptaron mi presencia. Había olvidado lo que sucedía en la adolescencia, la facilidad con la que cualquier adulto se convertía en una figura de autoridad para alguien de esa edad; fueran padres, maestros, jefes de estudios o entrenadores, los chicos les cedían su intimidad sin apenas resistencia. Y al parecer, para los hermanos Hennessy, yo era una de tales figuras.

Todos continuaron su vida cotidiana con normalidad y con manifiesto buen ánimo. El viernes fue el último día de clase para Donal, mientras que a Colm, Liam y Marlinchen les quedaba una semana más de exámenes finales en el instituto. En su actividad diaria y en la charla matutina antes de marcharse a clase, percibí tanto el nerviosismo ante los inminentes exámenes como su impaciencia ante la perspectiva de la libertad que los aguardaba.

Sin embargo, a quien presté más atención fue a Aidan. Su apariencia agotada y desaliñada de la noche en que llegó había cambiado por completo. Una vez lavados, sus cabellos resultaron ser tan dorados como los de Marlinchen, y los llevaba perfectamente peinados y recogidos en una cola de caballo. De hecho, si hubiese tenido aquel aspecto la primera vez que lo vi, habría sido en eso en lo que más me habría fijado: en sus trazos claros y bien perfilados como los de una escultura cinética, desde la rubia melena hasta las largas piernas. En adelante, no volví a verlo nunca sin la cola de caballo, o sin el collar de ojos de tigre con cordón de cuero que asomaba del cuello de su camiseta.

El mayor de los hermanos no hizo nada que me resultara inquietante, aunque tampoco hizo nada que me tranquilizara especialmente. Mostraba una discreción insólita en un chico de su edad y de su corpulencia, y rara vez lo oía entrar o salir de su habitación. De vez en cuando salía a fumar un cigarrillo a escondidas detrás del garaje y en alguna ocasión le había visto hacerlo bajo el magnolio. Un par de veces lo sorprendí mirándome, pero no supe adivinar qué pasaba por su mente. La segunda, le dije: «¿Qué quieres?», pero él se limitó a mover la cabeza y respondió: «Nada».

En el trabajo, la semana también transcurrió sin sobresaltos. Los atracadores de las medias dieron su cuarto golpe, esta vez en una licorería de St. Paul. No tuve que realizar ninguna investigación, pero recibí una petición de ayuda de un detective de St. Paul y le envié por fax mis notas sobre los casos anteriores.

El sábado amaneció caluroso. Se esperaba que en la jornada se alcanzasen temperaturas récord y continué durmiendo hasta que el calor se hizo agobiante.

Me despertó una llamada a la puerta. Acto seguido, Marlinchen asomó la cabeza.

—¿Tienes hambre? Abajo estamos haciendo tortitas —anunció.

—Sí, comería algo —respondí. Marlinchen asintió.

—Quería pedirte un favor, más tarde.

Me volví de costado en la cama y pregunté:

—¿Me lo pedirás después, o el favor es para más tarde?

—Papá está muy recuperado —continuó, haciendo caso omiso de la ironía— y me gustaría que fuéramos todos a verlo. Al hospital.

—¿Todos? En mi coche no hay espacio...

—Ya lo sé —respondió ella—, pero tenemos el de papá. El cuatro por cuatro del garaje. Moví la cabeza:

—No —dije—. No me parece conveniente.

—¿Por qué no? Está asegurado hasta final de agosto.

—Bueno, si está asegurado...

Tampoco esta vez captó Marlinchen el sarcasmo. Con una expresión de felicidad, vino a sentarse a los pies de la cama.

—Además, supongo que conviene ponerlo en marcha de vez en cuando, para que no acabe estropeándose del todo —continué. Recordé lo que me había contado Cicero sobre su furgoneta y los vecinos que le hacían el favor de bajar a arrancarla, y aquel pensamiento me llevó a otro—. Escucha —dije a Marlinchen—, ¿qué hace ese BMW en el garaje del fondo?

—¡Ah, eso! —respondió—. Era de papá y mamá, hace mucho. Dejó de funcionar y papá lo guardó. Dijo que algún día lo repararía, pero nunca más lo ha tocado. Supongo que tiene un valor sentimental. No lo venderá bajo ninguna circunstancia.

¿Que lo repararía? Pensaba que tu padre era un inútil con las herramientas.

Marlinchen me miró, pesarosa.

—¡Vaya si lo es! —asintió—. Pero ya sabes cómo son los hombres con su coche. Es una historia de amor. En fin... —me tendió la mano—, levanta de una vez, holgazana. Los chicos están abajo, quemando todas las tortitas.

Dejé que tirara de mí y, mientras me incorporaba, respondí:

—Se me ocurre una idea: iremos al hospital, pero harás el honor de conducir. Tienes que seguir practicando.

Como era habitual en ella, escurrió el bulto:

—No sé hacerlo. No he conducido nunca un coche de ésos.

277

—Tampoco habías conducido nunca mi Nova —le repliqué—. Para todo hay una primera vez.

—Ha progresado mucho en la terapia física. En el habla, no tanto.

Freddy, el plácido enfermero al que recordaba de mi primera visita al hospital para convalecientes, nos conducía de nuevo a una sala de visitas del ala de recuperación.

—No es preciso que levanten la voz; puede oírlos perfectamente. Pero es mejor que no le hagan preguntas concretas que se sienta en la obligación de responder. De momento no queremos presionarlo.

La sala de visitas, casi desierta, estaba agradablemente adornada con plantas y bañada por la luz que entraba por las grandes cristaleras. Cerca de ellas, en una mecedora acolchada y con un andador a su lado, estaba Hugh Hennessy.

La única que parecía verdaderamente cómoda en aquel ambiente era Marlinchen. Fue la primera en entrar, y los demás la seguimos. Freddy acercó una silla a la mecedora, pero Marlinchen se quedó de pie, al otro lado. Colm, Liam y Donal tomaron asiento en un sofá cercano y Aidan y yo permanecimos en pie junto a éste.

Momentos antes, en el aparcamiento del hospital, los gemelos habían mantenido un fugaz diálogo en voz baja.

—Tú puedes quedarte fuera —le había dicho Marlinchen a Aidan. Ella llevaba una maceta con una hiedra enredada en torno a un tutor con forma de corazón; de camino, nos habíamos detenido en una floristería—. Todos lo comprenderemos.

Lo mismo me sucedía a mí; me había parecido extraño que aquel hijo que llamaba a su padre por el nombre de pila quisiera acompañar a sus hermanos en aquella visita caritativa.

—No, no —había respondido Aidan—. Entraré.

—¿Estás seguro? —Marlinchen, como siempre, quería evitar cualquier situación desagradable.

—No me da miedo verlo, Linch —declaró Aidan, y su férreo tono de voz puso de manifiesto su determinación a estar presente, a no escabullirse de la presencia del hombre que años atrás lo había exiliado.

—No me refiero a eso —había replicado ella con la mirada baja, mientras el sol se reflejaba en uno de sus pendientes. Ninguno de los dos había añadido nada más.

—Hola, papá —lo saludó Marlinchen, alegremente—. Hemos venido todos. Esto no es una visita; es una invasión.

Hugh presentaba mucho mejor aspecto que la última vez que lo había visto. Su color había mejorado, y también su postura en la mecedora. Marlinchen dejó la maceta en una mesita y se agachó junto a él.

—¿No me das un beso?

Hugh se inclinó hacia ella, apoyándose en el brazo de la silla con la mano, y se lo dio. Los médicos tenían razón; entendía claramente lo que le decían.

Pero no podía hablar, o no quería. Marlinchen llevó el peso de la conversación y Colm y Liam añadieron algún comentario esporádico. Hugh prestaba atención, era evidente, pero sus palabras surgían en un murmullo ininteligible o en frases a medias, telegráficas, que no parecían tener ningún sentido. La turbación que se advertía en sus ojos azules expresaba que era consciente de que no lograba hacerse entender.

Y otra cosa: Hugh parecía concentrado exclusivamente en Marlinchen y los tres chiquillos del sofá. Al cabo de cinco minutos, Freddy se inclinó hacia él:

—Señor Hennessy —le dijo—, ¿recuerda lo que hablamos, de volver la cabeza para observar toda la habitación?

Estaba entrenando al enfermo a compensar la tendencia de ciertos pacientes de apoplejía a pasar por alto los estímu-

279

los procedentes del costado afectado. Hugh hizo lo que le indicaba. Volvió la cabeza, paseó la vista por el sofá y se detuvo. Por primera vez, vio a Aidan y se le disparó un músculo bajo el ojo izquierdo; ni su visión ni su memoria habían sufrido el menor daño.

La sonrisa de Marlinchen se hizo más tensa. Sin duda era consciente de lo que sucedía, pero no dijo nada respecto a la presencia de su hermano.

—He estado guardándote el suplemento literario del periódico —contó a su padre—. No falta ninguno. Te leeré los mejores artículos.

Hugh no había desviado la atención de Aidan. Todos los músculos de su rostro se habían puesto en acción y en la comisura de sus labios asomaba un hilo de saliva. Los sonidos que salían de su boca se hicieron inteligibles:

—¿Qué es? —balbuceó—. ¿Qué es? Ella. Ella, ¿qué...?

Marlinchen me dirigió una mirada nerviosa.

—¡Ah, ella! —exclamó—. Se llama Sarah Pribek. Es amiga nuestra.

Pero Hugh no me miraba a mí, estaba claro. Observaba a Aidan y recordé lo que había dicho Marlinchen: que su padre confundía los pronombres. Hugh no se refería a mí, sino al chico, en quien tenía fijos sus ojos azules.

A mi lado, Aidan se agitó, algo nervioso.

—Tal vez debería salir a caminar un poco —murmuró.

Marlinchen, obligada a aceptar que allí sucedía algo, lo miro con expresión contrita.

—No sé... —musitó.

En el sofá, Colm parecía absolutamente ajeno a la situación y examinaba con gran interés un pequeño callo que se le había formado en una de sus manos de levantador de pesas. Liam dirigía la mirada alternativamente a su padre y a su hermana. No se perdía detalle, pero no pronunció palabra.

Tomé la decisión por Marlinchen:

—Sí, tal vez sea buena idea —intervine. Era mejor que Hugh no corriera el riesgo de sufrir otro ataque cerebral al ver allí a su hijo, tanto tiempo perdido.

Aidan abandonó la sala de visitas. Cuando hubo salido, Marlinchen continuó la relajada conversación con su padre, con la participación esporádica de Liam y Colm. Cada vez me sentía más como una intrusa y, al cabo de poco, yo también me marché de la sala.

Era alrededor de la una de la tarde y el sol de mediodía de junio caía a plomo, pero de todas formas decidí dar un paseo. La puerta de salida estaba convenientemente situada junto a la sala de visitas y empezaba a sofocarme la atmósfera del recinto, aséptica pero animada; exuberante de plantas pero un tanto viciada.

Ya en el exterior, vi que Aidan había tomado la misma decisión que yo. A cierta distancia, caminaba por el césped en dirección a la única sombra a la vista, un rincón donde unos sauces extendían sus ramas sobre los carrizos del somero estanque. Los patos que allí nadaban remontaron el vuelo cuando el muchacho se aproximó. Todos, menos uno que chapoteaba torpemente.

Atento al pato rezagado, Aidan aún no había advertido que lo seguía. Mientras el ave batía las alas con el cuello estirado, vi un destello metálico en su pico y comprendí qué sucedía. En alguna visita a uno en los lagos cercanos, se había clavado un anzuelo de pesca; debía de haber acudido a refugiarse en aquel estanque para intentar quitárselo y, probablemente, sólo había conseguido empeorar su estado.

Aidan me sorprendió cuando agarró diestramente al pato por el cuello. El ánade graznó, sorprendido, y batió las alas furiosamente. La punta de una de ellas le hizo un arañazo en el pómulo y en la frente mientras el muchacho pugnaba por acercar la mano libre al pico. Apartó la cabeza del alcance del desesperado animal y le habló, aunque en voz tan baja que no entendí lo que decía. Cuando retiró la mano, distinguí el pequeño gancho metálico entre sus dedos.

Acto seguido, soltó al ave, que se estremeció con indignación y echó a volar. Al principio lo hizo a baja altura, apenas unos palmos por encima de la hierba, como si realizase un vuelo de prueba para cerciorarse de que todos los sistemas funcionaban correctamente. Después, ganó altura planeando y desapareció de vista. Aidan, que lo siguió con la mirada hasta ese instante, se acercó a la orilla del estanque, alargó el brazo y lanzó el anzuelo a las aguas.

En un mundo lleno de pensadores fríos y analíticos, yo siempre me había movido por instinto; en ese momento, llegué a una conclusión acerca de Aidan Hennessy.

Lo que acababa de hacer, quitar el anzuelo del pico a aquel animal, era una minucia, pero decía muchísimo de él. Estaba segura de que el muchacho ignoraba que hubiera alguien observándolo; había reaccionado de forma espontánea, sin premeditación, para aliviar el dolor del pato. Me resultaba imposible conciliar aquella imagen con la idea de que hubiese sido él quien había destripado a la gata de Marlinchen.

Ya habían intentado advertirme. Marlinchen siempre había sido una defensora acérrima de Aidan, desde luego, pero Liam también lo había dicho: «Es nuestro hermano». Y la señora Hansen, la maestra de la escuela, había comentado que Aidan no rehuía las peleas, pero también había asegurado que no era pendenciero. No había prestado atención a lo que me contaban de él. La investigación de Gray Diaz, las suspicacias de Prewitt... todo aquello me había puesto los nervios de punta y la paranoia resultante se había extendido a todos los aspectos de mi vida; había afectado a mi juicio sobre el muchacho hasta el punto de que su inesperado retorno me había parecido siniestro.

Cuando se sentó a la sombra del sauce, me acerqué.

—Hola —dije y me senté con las piernas recogidas y los antebrazos sobre las rodillas.

—Hola —respondió.

—Mira, tengo que decirte una cosa. Creo que no hemos empezado con buen pie. —«Vamos Sarah, eres capaz de hacerlo mejor», pensé para mí—. Fui demasiado dura contigo, la noche que llegaste a casa.

Aidan levantó la vista.

—La suspicacia es una virtud, tratándose de una policía —le expliqué—. Es mi postura defensiva cuando no sé que pensar de algo.

—Bien, no te preocupes —respondió, al tiempo que sacaba un paquete de tabaco y extraía un cigarrillo. Sospeché que, como la mayoría de los fumadores, recurría al pitillo en los momentos de incomodidad, no necesariamente por la nicotina, sino por tener algo con que ocupar las manos—. O sea, entiendo lo que debió de parecerte.

283

Asentí, pero no añadí nada más.

—Y supongo que, además... —hizo una pausa, meditando sus palabras— Bueno, Marlinchen dice que te has ocupado de todos, desde que Hugh sufrió el ataque.

—Era mi obligación, ante todo —respondí, restándole importancia. No estaba segura de que fuera verdad, pero sonaba bien.

—En cualquier caso, has cumplido. —Aidan arrancó un puñado de hierba—. Me alegro de que alguien lo hiciera.

Devolvió el cigarrillo al paquete.

—¿Lo estás dejando? —le pregunté.

—Marlinchen insiste en que lo haga —replicó, encogiéndose de hombros.

Así era Marlinchen, terca como una mula en sus opiniones. Soplé para liberar las semillas de un diente de león.

—¿Puedo hacerte una pregunta? —dije—. Es otra costumbre de los policías.

—Adelante.

—Sé que no tienes antecedentes policiales, pero también sé que a los chicos que se escapan de casa les resulta muy difícil sobrevivir sin quebrantar la ley. No pretendo meterme en tus asuntos, pero ¿te has mantenido de verdad dentro de la ley, o simplemente has tenido suerte?

—He sido honrado, casi siempre —dijo Aidan—. Siempre hay trabajos eventuales, si sabes buscarlos. Y si no encontraba empleo, rebuscaba en las basuras detrás de las tiendas. O mendigaba. Inventaba historias de que me habían robado un pasaje de autobús y cosas así.

—¿Nunca pensaste en llamar a tu padre y pedirle dinero?

Aidan dirigió una mirada al edificio donde se hallaba Hugh, oculto tras el reflejo del sol en los grandes ventanales.

—No quería nada de él —declaró. Aidan no estaba seguro de cuánto sabía yo, y por eso no se extendió.

—Está bien —asentí con cautela, sabiendo que se trataba de un tema delicado—. Marlinchen me ha hablado de Hugh. De cómo iban las cosas antes de que te mandara lejos de casa.

—Eso fue hace mucho tiempo. —Aidan volvió la mirada a las aguas del estanque—. Procuro no recordarlo.

Durante unos instantes, se produjo un silencio. Decidí interrumpir allí el tema, pero el chico, para mi sorpresa, habló de nuevo:

—La otra noche querías saber por qué decidí volver a casa.

Era mitad afirmación, mitad pregunta.

—Sí —medio afirmé, medio pregunté.

—No sucedió nada especial que me llevara a dejar la granja de Georgia —continuó—. Pete era un buen hombre, pero no éramos parientes y, en realidad, nunca nos sentimos muy próximos. Al final decidí que la granja era cosa suya, no mía. Y me marché.

—Y no quisiste volver a casa debido a Hugh...

—Sí. Pensé en ir a California y empezar de cero, y allá que me fui. Hice algunos amigos, tipos que me guardaban la espalda si yo guardaba la suya. Conocí algunas chicas y pasé buenos ratos, pero no me quedé; decidí volver a casa porque... —Aidan titubeó—. No resulta fácil de explicar.

—No tienes que contarme nada —respondí.

—Fue una cosa que pasó en la playa, una noche. —Una brizna de diente de león se posó en su brazo y Aidan se la sacudió de encima—. Cuando he dicho que fui honrado casi siempre, no mentía, pero sí que le he dado a las drogas. —Antes de continuar, me miró para asegurarse de que no reaccionaba—. Pues bien, una noche, andaba colocado de anfeta y me quedé en vela, fumando, porque sabía que no lograría pegar ojo. No sé por qué, en un momento dado me puse a pensar en Minnesota y, de pronto, caí en la cuenta de que no recordaba ni qué cara tenía Donal. No sé por qué me afectó tanto, pero así fue. Y también fui consciente de que había intentado convencerme de que la gente que había conocido en California eran mis nuevos hermanos y hermanas, pero que eso era una simple ilusión: no lo habían sido nunca, y jamás lo serían. Hay personas en la vida que no se pueden sustituir. Son irremplazables.

Pese a la discreción con que lo contaba, su historia resultaba un ejemplo de extraordinaria generosidad emocional. Sin embargo, mi radar de detectar mentiras seguía sin indicar nada. Percibí que el muchacho hablaba en serio.

Entonces, Aidan se concentró en algo situado detrás de mí. Me volví para ver de qué se trataba. Marlinchen y sus hermanos se acercaban. La visita había terminado.

—Papá está haciendo muchos progresos —anunció ella, complacida, cuando nos alcanzó—. Ha dicho mi nombre. Bueno, el diminutivo.

Aidan no abrió la boca.

—Eso es estupendo —conseguí comentar yo, un par de segundos demasiado tarde.

Veinticinco

—$\mathcal{H}$e hablado con Gray Diaz —dijo Genevieve al otro lado de la línea.

Era domingo y me había tomado unas horas para mí, para ir a casa y mirar el correo y escuchar el contestador. En mi domicilio reinaba la calma que se percibe tras una ausencia; la bayeta de la cocina, seca y acartonada, era un fósil endurecido sobre el fregadero, y los papeles seguían donde los había dejado, como documentos en un museo. También me esperaban una bolsa de tomates junto a la puerta de atrás, regalo de mi vecina, la señora Muzio, y un mensaje en el teléfono. De Genevieve.

—Bien, ya sabíamos que querría hablar contigo —le dije—. Eres mi ex compañera y la persona a la que fui a visitar después de mi presunto crimen.

—No se trata de eso —respondió Genevieve—. Sarah, ese tipo cree en serio que fuiste tú.

—Eso también lo sabíamos, ¿no?

—Pero con ése es distinto —insistió—. He sido policía casi veinte años y me los he pasado oyendo a los colegas hablar de sus casos, de sus sospechosos y de sus intuiciones. Sé cuándo siguen una teoría por probar y cuándo lo hacen por convicción. Y este tipo tiene una fe ciega, Sarah. Cree firmemente que tú mataste a Stewart.

No le había dicho nada del Nova y de los análisis que efectuaba el Gabinete de Investigación Criminal a petición de Diaz y, desde luego, no pensaba hacerlo ahora. Ello no haría sino aumentar su preocupación.

—Tú no puedes hacer nada al respecto —le dije.

—Podría volver.

—No —repliqué con firmeza. Se refería a volver y confesar. Justamente lo que no quería que hiciese—. Piensa en lo que estás diciendo. No habría vuelta atrás.

Al otro lado de la línea, Gen guardó silencio y comprendí que estaba haciéndose una idea de lo que significaba la posibilidad de una condena a cadena perpetua. Aproveché la ventaja:

—Hemos llegado hasta aquí, Gen. Demasiado lejos para dejarse llevar por el pánico y echarlo todo a rodar.

El gato del vecino, un siamés flacucho, se coló con andares majestuosos por la puerta trasera buscando sobras. Guardé silencio y dejé que Genevieve asimilara mis palabras. Enseguida vería que yo tenía razón. Siempre había sido sensata, igual que yo siempre había sido intuitiva.

Finalmente, Genevieve respondió:

—Cuando todo esto acabe, vendrás a verme, ¿verdad?

—¡Cuenta con ello! —respondí, aliviada.

Cuando colgamos, me levanté del suelo, donde me había sentado, y me encaminé a la cocina. Abrí una lata de atún y la vacié en un plato viejo, desportillado.

El examen del coche era, probablemente, lo peor de la investigación de Diaz. ¿Qué más le quedaba por hacer? ¿Registrar mi casa? Diaz no era tonto. Sin duda comprendería que yo no era del tipo de persona que lleva un diario y que, en el caso de que lo hiciera, no iba a escribir en él confesiones explícitas que me inculparan: «Querido diario, estoy muy contenta de haberme cargado a Royce Stewart y también de haber quemado su casa». No, Diaz no podía creerme tan tonta.

Abrí la puerta mosquitera de atrás con esfuerzo —cada vez resultaba más difícil— y dejé el platillo con el atún en el escalón. Al acecho en la hierba, el siamés me dirigió una mirada recelosa, como si temiera que yo pretendiera envenenarlo. No me cabía duda de que cuando me marchara, se acercaría y comería.

No volví a la casa, sino que bajé al sótano. Allí, en el cajón de las herramientas, estaba la pequeña pistola de calibre 25 que me había obligado a aceptar la hermana de Genevieve. Yo no la había usado nunca y, por lo que sabía, jamás se había empleado en un delito, pero no me sentía cómoda teniéndola allí. Por improbable que fuese que Diaz consiguiera una orden de registro de la casa, era hora de que el arma desapareciese. El río me ayudaría a librarme de ella. Un paseíto hasta el puente y la pistola se deslizaría suavemente por el fondo del río, quedaría retenida en algún obstáculo natural y allí permanecería, invisible e intacta, durante una pequeña eternidad.

Pero cuando estuve de nuevo en la casa, observando cómo comía el siamés de esa manera delicada y voraz típica de los gatos, caí en la cuenta de que conocía a alguien que necesitaba el arma un poco más que las aguas del Misisipí.

Ya era tarde para la cena, pero en el pasillo del piso de Cicero aún flotaba un agradable olor a comida. La puerta del apartamento del fondo estaba abierta y, mientras me acercaba, saludé con un gesto al chico que se hallaba en el umbral. Me correspondió ladeando ligeramente la cabeza.

Cambié de mano la bolsa de papel marrón y llamé con los nudillos a la puerta de Cicero. No obtuve respuesta.

¿Estaría durmiendo? Era demasiado temprano, pensé, y volví a llamar.

—Te buscan ahí fuera —dijo el chico. Lo miré y vi que se apartaba del umbral. Enseguida oí que Cicero se despedía de los ocupantes del apartamento.

—Hasta luego, Shorty.

—¿A quién llamabas Shorty? —le pregunté cuando llegó a mi altura. Cicero abrió la puerta, que no estaba cerrada con llave.

—A la novia del chico —respondió. Era imposible que supiera por qué me había alterado la mención de ese nombre, el apodo de Royce Stewart.

—Mira —dije—, te he traído unas cosas. De lo que podríamos llamar la economía sumergida. Te gustan los tomates, ¿verdad?

—Me encantan —asintió, bajando ligeramente la cabeza para echar un vistazo a la bolsa—, y éstos huelen de maravilla. Son las hojas, claro.

—Ya lo sé. —El aroma astringente de las hojas del tomate, tan diferente de la dulzura del fruto, también era una de mis fragancias preferidas.

Cicero se dispuso a llevar la bolsa a la cocina. Yo rebusqué en el bolso.

—La otra cosa que te traigo es ésta —anuncié, mientras sacaba del bolso la pistola del 25; el niquelado brilló a la luz de la lámpara. Antes de ofrecérsela, la había limpiado, engrasado y disparado sin bala para comprobar que funcionaba correctamente.

—¡Cielo santo, Sarah! ¿Es de verdad? —Cicero había vuelto la cabeza y miraba el arma.

—Sí, lo es —le confirmé—. Era de... de una especie de pariente política —añadí. Al fin y al cabo, consideraba a Genevieve un miembro de mi familia, prácticamente.

—¿Es que toda la familia de tu marido anda metida en el delito? —me preguntó él, bromeando sólo a medias.

No le respondí directamente.

—La pistola no está registrada a nombre de nadie, que yo sepa, y si se ha cometido algún delito con ella, fue hace mucho tiempo y en otro estado —le dije—. Iba a desprenderme de ella, pero tú la necesitas más.

—¿Te parece que la necesito? —preguntó Cicero. Creo que hasta entonces no lo había visto sorprenderse de nada. Realmente, existe una primera vez para todo—. ¿Para qué iba yo a querer un arma?

—Tienes un negocio que mueve dinero en metálico —le respondí—. Y vives en un bloque de viviendas protegidas.

—Gracias por pensar en mí, pero no. No me gustan las armas.

—No tienen por qué gustarte —insistí—. Pero en un lugar como éste...

—Por si no lo sabes —me interrumpió—, muchos inquilinos de viviendas protegidas son padres trabajadores. O jubilados. El índice de asistencia a las iglesias...

—Ya veo por dónde vas —repliqué mientras dejaba la pistola entre los dos encima de la mesa, en una especie de custodia psicológica . En realidad, no importa mucho dónde vivas. Guardas dinero en casa y hay gente que lo sabe. Eso es arriesgado en cualquier barrio.

—No —insistió—. Aquí, la gente se echa una mano y todos respetan lo que hago. He ayudado a muchos de ellos. —Cicero vio que me disponía a responder una vez más y levantó las manos—. Entiendo lo que me dices, de veras, pero no pienso armarme contra mis propios pacientes.

—Abres la puerta a desconocidos, sin preguntarles nada —murmuré.

—Abro mi puerta a personas necesitadas, ancianos, indigentes...

—¿Puedes decirme honradamente que nunca has tratado a nadie herido durante la comisión de un delito o que no podía acudir a un hospital porque lo buscaban las autoridades?

—Nunca hago esa clase de preguntas —se limitó a responder.

—A eso me refiero —dije yo.

—No me preocupa. Sé juzgar bastante bien a la gente.

—¿De verdad? ¿Sabías que soy policía?

La pregunta pareció flotar en el aire entre nosotros largo rato. Cicero permaneció en silencio, cavilando. Tras sus ojos oscuros, empezaba a dar crédito a lo que oía.

—Y la primera vez que viniste aquí —dijo por último, pausadamente—, ¿pretendías reunir información para detenerme?

—Sí —respondí.

—Lo del oído era un pretexto.

—Sí.

—Ya —murmuró—. Vete.

No aprecié cambio alguno en su expresión.

—¿Qué?

—Me mentiste. Viniste a mí buscando ayuda. Yo te acogí sin dudar, y tú me mentiste.

Tenía en la punta de la lengua la excusa de que él nunca me había preguntado abiertamente cómo me ganaba la vida, pero me sonó débil y ridícula.

—También he mentido por ti —respondí—. Te he preservado de ser detenido y encausado.

—¿Por qué? ¿Porque te doy pena?

—No, claro que no —me apresuré a contestar—. Simplemente, no creí que merecieras ir a prisión.

—Por si no has captado la sutileza, ya estoy en una prisión —espetó Cicero—. Pero captar sutilezas no es tu fuerte... —Noté algo diferente en él, un cambio en el tono—. Crees que no me has mentido porque nunca me has dicho tajantemente que no fueras policía. Igual que te dices a ti misma que no tenemos una relación porque ya no te acuestas conmigo.

Me sentí como si hubiera tragado demasiada agua fría.

—Cicero... —empecé a decir, pero ya vi que era inútil—, ¿te quedarás la pistola, por lo menos?

—No —se limitó a responder.

Recogí el arma de la mesa y noté que me ruborizaba. Cicero me observó.

Ya en la puerta, me volví y le pregunté:

—¿Esto tiene que ver con lo que le sucedió a tu hermano?

—Adiós, Sarah.

Veintiséis

Cuando regresé a la casa aquella noche, Marlinchen me sorprendió invitándome a tomar una copa de vino fuera, bajo el magnolio. Me disponía a decirle que no creía conveniente que se habituara a tomar vino al final del día, pero debía de haber previsto mi objeción, pues rectificó enseguida:

—Una copa de vino, tú, claro; yo tomaré una gaseosa o algo así.

Cuando salíamos, estuve a punto de darme de bruces con Aidan, que se hallaba en el porche, a oscuras.

—¿Qué haces aquí fuera? —le preguntó Marlinchen.

—Estaba tomando el fresco —dijo Aidan.

—¡Ah! —Marlinchen aceptó la explicación.

Vi la forma de un mechero sobre los pantalones del muchacho. Me di cuenta de que se disponía a fumar un cigarrillo a escondidas e intervine para cubrirlo.

—Ayer me fijé en una cosa, Marlinchen —comenté y dirigí la mirada al tejado—. La casa...

—¡Oh, cielos! —exclamó ella, siguiendo mi mirada—. No me digas que necesita alguna reparación carísima...

—No. Sólo pensaba que quien se encargó de las reparaciones después de la caída del rayo hizo un trabajo excelente. Lo he observado desde todos los ángulos y ni siquiera se nota dónde está el arreglo. ¿Dónde cayó, exactamente?

Fue Aidan quien intervino:

—¿Que cayó un rayo en la casa? ¿Cuándo fue eso? —preguntó.

—Tienes que acordarte —dijo Marlinchen, sorprendida—. Cuando éramos pequeños. Hizo un ruido enorme.

Aidan, sin embargo, no parecía recordarlo.

—¿Tanto tiempo hace? ¿Estás segura de que fue cuando yo vivía aquí todavía?

—Sí, sí —insistió Marlinchen—. Fue antes de que naciera Colm. La noche en que mamá se puso tan nerviosa. Lloraba, ¿recuerdas? —Cuando quedó claro que su hermano no recordaba, ella sacudió la cabeza y murmuró—: Los chicos, hay que ver. No los despierta nada.

Y entonces, la voz de Colm interrumpió la conversación.

—¡Marlinchen!

Ella esbozó una mueca, como si se disculpara. Se inclinó ligeramente hacia la ventana abierta y gritó a su hermanito:

—¿Qué quieres?

—¡No encontramos el papel de Donal! ¡Ya sabes, la hoja de inscripción!

Marlinchen asintió. Fuese la matrícula para la escuela de verano o la autorización para participar en una competición deportiva, parecía saber a qué se refería.

—El deber me llama —dijo—. Vuelvo enseguida.

—Espera —la detuve—. No me has contestado todavía. ¿En qué parte del tejado cayó el rayo?

Marlinchen, ya con la mano en el tirador de la puerta, volvió la cabeza.

—Lo siento. Hace tanto tiempo que ya no me acuerdo.

Entró en la casa y me quedé a solas con Aidan.

—Mira —le dije—, si fuera cierto que cayó un relámpago en la casa, seguro que no habrías seguido durmiendo como si tal cosa.

—Tienes razón —asintió el muchacho—. Una vez, cuando vivía en Georgia, un rayo cayó en un árbol a treinta metros de donde estaba. El ruido fue tan tremendo que me infundió el temor de Dios, y eso que treinta metros es una distancia bastante respetable.

—Quizá no estabas en casa esa noche —apunté—. ¿No podría haber sucedido mientras estabas en el hospital?

—¿En el hospital? —repitió Aidan.

—Cuando perdiste el dedo —expliqué—. Debió de ocurrir más o menos en la misma época, por lo que cuenta tu hermana.

Aquello no sirvió para despejar la perplejidad del chico.

—No recuerdo que me ingresaran siquiera —respondió—. Al fin y al cabo, sólo era un dedo. Es horrible pero, ante una lesión como ésta, poco se puede hacer: detener la hemorragia, salvar el dedo si es posible y, si no, amputarlo. Por algo así, no van a llevarte a la unidad de cuidados intensivos...

—Claro —asentí. El muchacho tenía razón. Sin embargo, ¿no había dicho Marlinchen que su hermano había estado ausente durante una temporada?

Unos pasos apresurados anunciaron el regreso de la muchacha, que no tardó en aparecer.

—¿Vamos? —me dijo.

Nos encaminamos hacia el magnolio, bajo el cual nos sentamos a contemplar la espléndida vista de las aguas del lago iluminadas por el claro de luna. Sentada con las piernas cruzadas, descorché la botella de vino y serví un poco en un vaso de plástico. El primer trago casi me quemó la garganta. Marlinchen comentó efusivamente:

—Esta tarde, aparte de las dificultades para hablar, papá tenía un aspecto excelente, ¿verdad?

—Desde luego —asentí, aunque apenas tenía con qué compararlo, como no fuese con las fotos que había visto de un Hugh más joven y más sano.

Tomé otro trago y me tumbé en el suelo, boca arriba. Permanecimos calladas un buen rato. La silueta oscura del último capullo de magnolia se mecía encima de mí y una sombra negra nos sobrevoló, silenciosa y grácil, siguiendo la ribera del lago. Era un cárabo listado en pleno acecho nocturno.

—¿Te encuentras bien, Sarah? —preguntó Marlinchen finalmente.

—Sí. ¿Por qué lo dices? —respondí.

—Hace un rato, cuando has llegado, parecías un poco... —hizo un gesto vago con la mano—, un poco ausente.

Al ver que yo no respondía, continuó hablando, aunque esta vez eligió las palabras con más cautela:

—No hablas nunca de tu marido. Es como si estuviera muerto, y no en prisión.

Un solitario pétalo de magnolia, con la punta de color blanco cremoso y el extremo interior de un magenta apagado, se desprendió del árbol y cayó entre las dos.

—Cuando hablamos de Shiloh —murmuré—, sólo te conté que estaba en Wisconsin. No recuerdo que te dijera que estaba en la cárcel.

A pesar de la penumbra, vi perfectamente que empezaba a ruborizarse, como de costumbre.

—Sentía curiosidad y te busqué en Internet —explicó.

—Claro —asentí—. Pero también habrías podido preguntarme. Te lo habría contado.

Sin embargo, sabía muy bien que mi mención a Shiloh, aquella noche, había tenido el propósito de llevar a engaño a la muchacha y me avergoncé de ello. Las verdades desnudas, sin adulterar, no eran moneda común entre la familia Hennessy, y mi actitud no había contribuido a mejorar las cosas, precisamente, con mi aportación de medias tintas. Era probable que, en el aspecto moral, esto hubiese marcado una diferencia.

—Debería haber sido más sincera contigo —añadí—. Lo siento.

—Bueno, no te preocupes —dijo ella.

—Supongo que no hablo de él porque apenas tenemos contacto. Hace meses que no me escribe.

—¡Qué horrible! ¿Cómo es eso?

Tomé entre los dedos el pétalo de magnolia y lo froté con el pulgar. Tenía una textura entre el terciopelo y la cera.

—Le recuerdo cosas que desearía olvidar —respondí—. Cuando lo buscaba, descubrí algo acerca de él que Shiloh habría preferido que no supiese, y reabrí en él una vieja herida.

—¿Qué fue lo que descubriste? —quiso saber Marlinchen.

—Es un asunto privado de Shiloh. No puedo contarlo.

—Entonces, ¿qué harás cuando lo liberen?

—No lo sé —confesé.

En sus facciones se dibujó una mueca de profunda sorpresa. No era la respuesta que esperaba.

—¿Creías que los adultos siempre conocemos las respuestas?

—No, claro —reconoció ella—. Es sólo que... Siempre pareces tan segura de todo...

—Pues no. Desde luego, a los policías no nos animan a reflexionar a posteriori sobre nuestros actos, pero sé que doy pasos en falso constantemente. —Pensaba en Cicero y en la pequeña pistola que en aquel momento reposaba en la guantera de mi coche—. Una pretende echar una mano, pero a veces parece que la gente no quiere que la ayuden.

Marlinchen asintió como si supiera a qué me refería, aunque yo dudé de que así fuera.

—¿Has pensado alguna vez en ganarte la vida de otra manera? —me preguntó.

—No.

—¿Por qué no?

—Es lo único para lo que me he preparado —respondí, pero no se dio por satisfecha.

—Pero, ¿por qué? —insistió.

—Por qué, ¿qué?

—No siempre ha sido tu única alternativa. Debiste de tomar la decisión de prepararte para policía en algún momento determinado. ¿Por eso abandonaste la universidad? ¿Para entrar en el cuerpo?

—No. —Acompañé la respuesta con un movimiento de cabeza—. Cuando terminé el instituto, lo último que me pasaba por la cabeza era que me haría policía.

—¿Qué te hizo cambiar de idea?

Los que ingresan en las fuerzas del orden tienen una lista de respuestas preparadas; en general, son las mismas que ofrecen en las entrevistas previas a la tramitación de la solicitud de ingreso: «Quiero ayudar a los demás, cada día se presenta un nuevo reto, no soporto la idea de trabajar en una oficina...»

No empleé ninguna de ellas.

—No lo sé —respondí de nuevo—. Bueno, sí, pero es una historia muy larga. Larga y aburrida.

Debí de lograr que sonara suficientemente aburrida, porque Marlinchen no insistió. Al cabo de unos minutos, de tácito acuerdo, nos levantamos y emprendimos el regreso hacia la casa.

Mucho más tarde, cuando los chicos ya se habían acostado y todo quedó en calma, me acerque a los grandes ventanales de la casa de Hugh Hennessy y contemplé la vista. Todavía le daba vueltas a la historia incoherente sobre el rayo que había caído en la casa y a la incapacidad de Aidan para recordar el menor detalle del suceso.

Aunque de ascendencia católica, no tenía instrucción religiosa; sin embargo, de pequeña me obsesionaba algo que enseñaban a los demás chicos en la escuela dominical: que al principio el mundo era perfecto y después el mal había penetrado en él, en un relámpago. Era una metáfora, pero durante años me lo creí a pies juntillas.

En esta ocasión veía a los Hennessy en los mismos términos, víctimas de una maldición inesperada y repentina. La familia llevaba una vida idílica y, de pronto, un rayo había caído sobre la casa, Aidan perdió un dedo debido al ataque de un perro feroz y Elizabeth se ahogó en las aguas del lago. ¿Era todo aquello simple mala suerte?

Marlinchen cumpliría pronto dieciocho años; entonces pasaría a ser la tutora de sus hermanos menores y mis responsabilidades terminarían ahí. Más me valía olvidar la sensación de que en aquella familia había sucedido un hecho terrible mucho antes de que yo entrase a formar parte de sus vidas. Sin embargo, no estaba segura de poder relegar esta idea.

La muchacha me había preguntado por qué había decidido hacerme policía. Tenía razón; no había ido a parar a aquel trabajo por casualidad. Lo había elegido siguiendo lo que Genevieve llamaba mi impulso de lanzarme de cabeza a ayudar al prójimo.

Aquella noche, cuando ya estaba a punto de caer dormida, oí el ulular de un cárabo listado sobre el lago. Sonó muy parecido a un grito humano.

Veintisiete

Cuando dejé Minnesota a los dieciocho años para aprovechar una beca de baloncesto en la UNLV, no preveía que en el futuro sería policía. No miraba mucho más allá del baloncesto y de la universidad, en este orden de importancia. De lo único que estaba bastante segura era de que nunca más volvería a vivir en Minnesota. Había crecido en Nuevo México y me consideraba del Oeste; estudiar en la universidad de Las Vegas sería como volver a casa, me dije.

No lo fue. Las Vegas era variada, brillante y animada, pero todo ello de un modo que no podía interesar a una chica de dieciocho años con poco dinero y sin coche, que no conocía a nadie. Y aquel año, además, no jugué mucho en los partidos. Aunque no fue una sorpresa, de todos modos me hizo sentirme incómoda. Asistí a mis clases e intenté interesarme por los cursos de educación general y civilización occidental que componían el plan de estudios de primer curso. No lo conseguí. No me sentía estudiante ni atleta. No tenía la menor sensación de estar labrándome un porvenir.

Entonces fui consciente de algo que no había previsto: sentía añoranza de mi pueblo. Los álamos temblones y los pinos blancos del Iron Range, su hierba tierna y su tierra roja horadada de minas, los lavaderos de mineral verde azulados como piedras semipreciosas; de algún modo, sin que yo me diera cuenta, todo aquello se me había metido en la sangre.

Cuando tía Ginny sufrió el ataque y murió aquel verano, su ausencia me desequilibró más de lo que entonces imaginaba. En otoño, volví a la facultad con normalidad, pero allí ya nada tenía sentido para mí. Al cabo de dos semanas, escribí una carta al entrenador y tomé un autobús de regreso a Minnesota con las ganancias de mi trabajo de verano enrolladas en forma de cheques de viaje en el macuto. No sabía qué era lo que necesitaba tan imperiosamente, pero de algún modo estaba segura de que lo encontraría en Minnesota.

Mientras tomaba una Pepsi fría y dulce en una cafetería, frente a la estación de autobuses de Duluth, eché un vistazo a las ofertas de trabajo. Una empresa de extracción de taconita de un pequeño pueblo buscaba un aprendiz de limpieza y mantenimiento para el taller; era uno de los escasos puestos que no requerían experiencia previa en aquel sector. En la página siguiente estaban los anuncios de «casa para compartir».

La casa de tres habitaciones en la que me instalé ya estaba ocupada por dos mujeres de veintitantos años. Erin y Cheryl Anne eran enfermera y recepcionista médica, respectivamente, e íntimas amigas. Hacía más de un año que vivían en la casa y habían perdido a su anterior compañera de piso, que «había sucumbido al matrimonio y a la vida real», en palabras de Cheryl Anne. Desde el primer momento se mostraron cordiales y agradables conmigo, y yo respondí de igual modo.

Y allí nos quedamos atascadas: en la cordialidad. El paso del tiempo y el hecho de que yo pagara un tercio del alquiler no consiguió amortiguar la sensación de que me había entrometido en su hogar, fundado desde hacía tiempo. En ocasiones, cuando divisaba el parpadeo azulado del televisor en el salón, me unía a ellas para ver algún programa, pero rara vez hablábamos. Así pues, durante mis primeros días de trabajo, unas semanas de bochorno en pleno veranillo de finales de septiembre, cuando terminaba la jornada me acercaba andando a la biblioteca pública, pequeña y escasamente abastecida, en busca de novelas policíacas de bolsillo.

Cuando pienso en aquellos tiempos, eso es lo que recuerdo: la sencillez de todo ello. En lugar de ir al supermercado, hacía la compra en la tienda del barrio, cuyo pasillo central estaba lleno de productos no perecederos baratos: barras de pan de molde tan llenas de conservantes que duraban semanas, mermelada de fresa, espaguetis y macarrones de 99 centavos que se quedaban pegados por mucho esmero que pusiera en prepararlos. También recuerdo las veladas en el porche, bebiendo una cola casera con cubitos de hielo que sabían a frigorífico mientras las últimas luces del día menguaban por el oeste.

303

—¿Qué haces ahí, Sadie? —me preguntó mi padre en una de nuestras contadas conversaciones por teléfono—. Tu tía ha muerto y ya no te queda ningún familiar en el pueblo.

—Tengo amigos —fue mi respuesta— Y también un empleo.

Lo del trabajo era verdad, por supuesto, pero hasta aquel momento no había pasado de cruzar cuatro palabras amistosas con los vecinos.

—Es que no lo entiendo. Dejas la universidad sin ninguna razón aparente y te marchas a vivir a un pueblo que ni siquiera es el tuyo. Y seguro que no asistes a esas clases nocturnas, ¿verdad que no?

—No.

—¿Cómo se te ocurre instalarte allí, en ese pueblo perdido?

—Pues bien que te pareció suficiente para... —empecé a replicar, pero no terminé la frase.

—¿...suficiente para que te enviara ahí cuando tenías trece años? —la completó él—. ¿Se trata de eso, pues? ¿Estás resentida?

—No, no. Mira —retorcí el cordón del teléfono en torno a mi pulgar—, sólo intento tener una vida. Forjarme una vida, eso es todo.

En el silencio que siguió a mis palabras, casi oí sus pensamientos de que aquello no era vida, un trabajo de obrera y una habitación de alquiler. Sin embargo, poco más podía decirme ya. Tenía diecinueve años; era una adulta.

—¿Qué me dices de las Navidades? —preguntó—. ¿No te gustaría venir a casa para celebrarlas?

Nuevo México en Navidad. Las luces de los farolillos improvisados con bolsas de papel marrón y velas en su interior, y las sopaipillas y la rica salsa mole de una fiesta de Nochebuena tradicional...

—¿Buddy también vendrá? —pregunté.

—Sí —dijo mi padre—. Tiene una semana de permiso.

Di otra vuelta al cordón del teléfono.

—No puedo ir —respondí.

—¿Por qué no? Seguro que no trabajas.

—La mina funciona todos los días del año —aduje—. Parar las máquinas y volver a ponerlas en marcha sale muy caro. Además, soy la última trabajadora que han contratado. Es demasiado pronto para que pida un permiso navideño.

Deseaba que mi padre se lo tragara, pero no era tonto.

—Hace años que no os tengo a ti y a tu hermano juntos bajo el mismo techo —insistió—. ¿Por qué lo haces, Sadie?

El desconcierto de su voz parecía de todo punto genuino.

Se me estaba amoratando el pulgar de la fuerza con que le había enroscado el cable del teléfono. «Ya sabes por qué. He intentado explicártelo, pero no has querido escucharme.»

—Lo siento —dije—. De verdad, es que no puedo.

Y

Llegó enero y, con él, el frío más intenso. Se hacía de noche tan temprano que cuando salía del trabajo ya había oscurecido y, en un ambiente tan gélido, no apetecía salir a ninguna parte después de cenar. Mi principal entretenimiento eran las novelitas policíacas que sacaba de la biblioteca los sábados por la tarde, en lotes que me proporcionaban varias semanas de lectura.

Un día me equivoqué de sección en la biblioteca, encontré una edición de bolsillo de *Otelo* e, inmediatamente, quise llevármelo prestado. Debería haber comprendido que algo andaba mal en mi vida.

Al dejar la escuela, estaba convencida de que nunca más volvería a torturarme con la lectura de cualquier obra que recomendase un profesor de literatura. Sin embargo, allí, entre los carteles educativos de la biblioteca pública y envuelta en su ligero aroma a desván, sentí un escalofrío de placer y de nostalgia al recordar que aquélla era la única obra de Shakespeare con la que me había disfrutado de verdad. El mundo en el que vivían Otelo, Yago y Casio, aquel mundo de deberes marciales y de honor a veces pervertido, tenía algo que me inspiraba. En casa, durante esas noches gélidas, leí y releí *Otelo*. Tuvieron que enviarme dos reclamaciones antes de que devolviera el libro a la biblioteca.

Si se hubiera tratado de una película, *Otelo* me habría cambiado la vida. Habría seguido con otras obras de Shakespeare, me habrían encantado y, finalmente, habría conseguido el ingreso en la universidad. Sin embargo, no sucedió así. Cuando terminé de leerlo, volví a las novelas baratas que siempre había preferido.

Y luego, en primavera, descubrí otra actividad que me complacía.

Υ

En el taller de mantenimiento trabajaba con una chica de origen armenio, de cintura gruesa y cabellos oscuros, aspecto agradable y fácil conversación. Se llamaba Silva y parecía vivir con un solo objetivo: el baile de los sábados por la noche en el club de veteranos de guerra.

Me había invitado a acompañarla en más de una ocasión, pero yo no había querido comprometerme. Un baile en el club de veteranos me sonaba demasiado a un bingo parroquial, pero una noche de abril decidí que no había ningún mal en comprobarlo.

A las nueve y media, reinaba un sorprendente bullicio en los alrededores del local y el público se desparramaba por las escaleras junto con la música y las luces del interior. La animación de la multitud me sorprendió, pero no tardé en descubrir el secreto.

En teoría, en aquellos bailes no se servía alcohol. Lamentablemente, como suele suceder en las poblaciones pequeñas, la mayoría de los jóvenes que se hallaban en el salón presentaba cierto grado de intoxicación etílica. Entre las sombras del aparcamiento corrían las botellas y, si no tenías la suerte de conocer a alguien que traía una, siempre estaba Brent, un emprendedor vecino que aparcaba su Buick LeSabre cerca del club y vendía licores que llevaba en el portaequipajes. Yo, incómoda y con la sensación de ser una intrusa, no tardé en recurrir a él.

El alcohol no había ocupado nunca un lugar en mi vida, salvo en alguna salida nocturna con otras chicas de la facultad, en Las Vegas. El único whisky que me tomé junto al Buick me cayó hondo. Agradablemente hondo. No mucho después, un chico al que no conocía me pidió un baile y yo acepté. Silva, sonrojada del ejercicio y de placer, pasó por mi lado y me lanzó un guiño. Noté que el mundo empezaba a difuminarse. Me gustó. Hasta aquel momento, no me había dado cuenta de la existencia tan marginada y monástica en la que me había refugiado. Era una especie de carga que sólo en aquel momento empezaba a quitarme de encima.

Aquella semana recibí mi primera liquidación de haberes, la que señalaba el final de mi periodo inicial de seis meses en la mina. Me sentí una nueva rica y, en mi momentáneo estado de exaltación, se me ocurrió una cosa: si aquello de que el mundo se hiciera algo borroso resultaba agradable, no había razón para no hacerlo difuminarse un poco más. Mucho más.

—Hola, Sarah. ¿Quieres que te lleve?

Era una luminosa mañana de principios de mayo. Kenny Olson había arrimado a la acera su gran furgoneta Ford al llegar a mi altura. Estábamos a un kilómetro del trabajo; sujeté el bolso contra las costillas y rodeé el coche a toda prisa para ocupar el asiento del acompañante.

Kenny era uno de los agentes de seguridad de la mina. Lo de seguridad significaba, sobre todo, mantener fuera de las tierras de la empresa a los cazadores y ahuyentar a los chicos que acudían a saltar desde las peñas a la balsa estéril de la mina y a bañarse en ella. Era el hombre más afable que he conocido y prácticamente nunca denunciaba a los intrusos, sino que se limitaba a echarlos. Además de su empleo en la mina, trabajaba de celador del calabozo de la Oficina del Sheriff en fines de semana alternos. En sus ratos libres, andaba de caza y de pesca. Aunque nos llevábamos más de treinta años, habíamos simpatizado bastante.

—Gracias. ¿No tendrías que estar ya en el trabajo? —le dije mientras me acomodaba. Kenny hacía normalmente el horario del primer turno de mineros, de siete a tres. El personal auxiliar, como yo, entraba una hora después, a las ocho.

—He avisado de que llegaría tarde. He llevado a Lorna al médico.

—¿No estará enferma? —pregunté.

—No, no. Era el médico del oído. Le van a poner un audífono —me contó mientras doblaba una esquina en una curva muy abierta—. Ahora podrá oír todas las tonterías que digo. Acabará perdiéndome todo el respeto.

—Eso no sucederá nunca —le aseguré con una carcajada. Dejé el bolso entre los pies y añadí—: ¿Sabes que he empezado a ahorrar para un coche?

—Sí, ya me contaste algo —comentó Kenny.

—¿Ah, sí? —repliqué, desconcertada—. ¿Cuándo?

Cruzamos dando botes los badenes de la entrada al aparcamiento de empleados; los mediocres amortiguadores de la furgoneta incrementaron el zarandeo. En silencio, Kenny aparcó en un hueco al final de una fila. No respondió a mi pregunta y pensé que tal vez él también necesitaba un audífono aunque, hasta entonces, nunca me había parecido que tuviera problemas de oído.

Situó la palanca de cambios automática en punto muerto y apagó el motor. Acto seguido, se volvió para mirarme.

—No recuerdas haber subido a la furgoneta este fin de semana, ¿verdad? —me dijo.

Abrí la boca y volví a cerrarla. Me vino a la cabeza un recuerdo, pero muy confuso. El sábado por la noche había ido a bailar, como de costumbre. Y había vuelto a casa en el coche de unos amigos. ¿O no había ocurrido así?

—Fue entonces cuando me contaste que querías comprarte un coche. No supe si hablabas en serio. No parabas de decir cosas. Estabas bebida.

Eché un vistazo a la cabina.

—¿No vomitaría aquí dentro? —pregunté. Era la única razón que concebía para la mirada reprobadora que vi en los ojos azul claro de Kenny.

—No —dijo él—. Pero cuando te vi llegar, caminabas tambaleándote. Estabas borracha como una cuba.

—Bebí un poco más de la cuenta —aduje—. Suele suceder.

—Una vez vi a una chica que murió en el mismo porche de su casa, con la llave en la mano. Estaba demasiado bebida para acertar en la cerradura y se tumbó a dormirla allí mismo, a una temperatura de diez grados bajo cero. Yo tuve que informar a sus padres —me contó Kenny.

—Sé cuidar de mí misma —lo tranquilicé—. Y, de todos modos, estamos en primavera.

Kenny observó a Silva, que cruzaba el aparcamiento.

—Ese empleo en la mina no es gran cosa para ti, ¿sabes? —me dijo—. ¿Nunca piensas en el futuro?

—Sí, claro. Me gustaría trabajar en el tajo.

El tajo era donde se trabajaba de verdad, donde los mineros usaban palas y conducían camiones de carga tan enormes que las ruedas eran más altas que yo.

—Te gustaría trabajar en el tajo... —repitió Kenny con cierto escepticismo.

—Las mujeres pueden trabajar de minero —afirmé.

Kenny meneó la cabeza antes de responder.

—No se trata de eso. No es una cuestión de activismo feminista, Sarah, no finjas que lo dices por eso.

—Alguien tiene que hacer el trabajo —insistí—. Y está mucho mejor pagado que lo que hago ahora.

Kenny suspiró.

—No te preocupes por mí, ¿de acuerdo? —dije finalmente. Me colgué el bolso en el hombro y me dispuse a entrar.

A primeros de junio, una tormenta inesperada descargó quince centímetros de nieve en pleno día. Fue un jueves, con la perspectiva del fin de semana por delante. La nieve reciente originó una improvisada batalla de bolas de nieve entre los del turno de ocho a cuatro. Con una de ellas, le acerté en plena cara a Wayne, un larguirucho aprendiz mecánico. Él me atrapó y me coló un puñado de nieve por el cuello de la camisa. Entre chillidos, llamé a Silva para que me ayudara, pero ella estaba desternillándose de risa.

El lunes por la mañana, Silva estaba de humor más sobrio.

—¿Qué sucede? —le dije al ver que no respondía a mis intentos de iniciar una conversación.

—¿No te preocupa Wayne? —me preguntó.

Wayne. Por lo que recordaba, había bailado con él el sábado por la noche. Más de una canción. A partir de ahí, había un vacío en mis recuerdos hasta el domingo por la mañana, cuando Cheryl Anne entró en mi habitación hecha una furia. Por la noche, alguien había descolgado el secador de pelo de su gancho y lo había dejado en el lavamanos; Cheryl Anne quería saber si yo tenía alguna idea de qué podía haber sucedido o de por qué ese alguien lo había dejado allí.

—¿Wayne? —repetí.

—¿No te acuerdas? —dijo Silva. Aquélla empezaba a ser la pregunta que más detestaba—. Le rompiste la nariz.

Sacudí la cabeza, perpleja.

—Imposible —respondí, pero de inmediato empecé a dudar de mi propia afirmación.

—Él va diciendo que fue un chico, y sus amigos lo corroboran, porque le avergüenza de que se lo hiciese una chica, pero sabe bien que fuiste tú. Cuentan que Wayne te estuvo arreando de lo lindo toda la noche. ¿Tampoco te acuerdas de eso?

Me llevé la mano al moratón que tenía en el brazo desde el sábado por la noche. No le había dado importancia, achacándolo a un golpe contra algo, quizás en mi encuentro con el tabique del baño y el secador. Esta vez me fijé en que se apreciaban claramente las marcas de unos dedos. La mano de Wayne. Escuché una voz masculina que me susurraba al oído. Rígida, decía. No. Frígida. Una vaga idea de lo sucedido empezaba a cobrar forma en mi mente.

—Si él hubiera hecho caso de lo que le decía —inicié una frase, a la defensiva—, tal vez...

—Ni siquiera recuerdas cómo sucedió —me interrumpió Silva—. No sabes ni lo que dijiste tú, ni lo que dijo él.

Tenía razón. Me leía el pensamiento. Pero en aquel momento, su voz me recordó la de Cheryl Anne.

Tonta presumida, pensé, y aparté la mirada para concentrarla en los cordones de las botas. Me incliné, tiré de ellos y los até con un lazo.

Wayne nunca me echó en cara el incidente, lo cual confirmó mis sospechas de que él llevaba parte de la culpa, al menos, de lo sucedido aquella noche. De todos modos, decidí cortar con la bebida.

Sólo logré mantener mi resolución unos cuantos meses. No lo suficiente.

—La mitad de los jóvenes del pueblo se emborracha los viernes y sábados por la noche. ¿Por qué no los sermoneas a ellos?

Era verano. Había seguido a algunos de los chicos de mantenimiento a una de las balsas, donde iban a saltar desde las peñas. No llegaba a ser un deporte extremo, pero lanzarse desde las rocas que se asomaban al agua se había convertido en una especie de tradición entre los jóvenes de la población. Las empresas mineras intentaban ahuyentar a los muchachos por el asunto de las responsabilidades, pero en realidad no ponían mucho empeño.

Yo no sabía nadar y sólo me había sumado a los chicos porque esperaba que, en vista del chubasco veraniego que estaba cayendo, al final decidirían cambiar los planes de ir al lago por otra actividad más seca y más segura. No fue así. Lo peor de la tormenta había pasado, me aseguraron, y de todos modos iban a mojarse, ¿no?

Así pues, los había acompañado y, conforme progresaba nuestro consumo de alcohol, los argumentos para que me atreviera a saltar empezaron a parecerme más razonables. Nadar no tiene secretos, me decían; una vez en el agua, el instinto te lleva. Y si me veían en dificultades, vendrían a sacarme. Además, ya estaba mojada.

No sólo fue el valor que proporciona el whisky; también empezaba a advertir que habría comentarios despectivos hacia mi sexo si no hacía lo mismo que los chicos. Así pues, estaba a punto de saltar cuando nos bañó una luz blanca más pegada al suelo y de mayor duración que un rayo. Eran los faros de la camioneta de Kenny.

A los demás los mandó a casa, pero a mí me sentó en la cabina del vehículo, con los cabellos mojados y sollozando.

—Seguro que tú también saltabas desde las rocas cuando eras joven —protesté.

—No es eso lo que me preocupa —replicó él—, sino que bebas tanto. Vas a crearte mala fama, Sarah.

—¿De qué me hablas? —protesté—. No me he acostado con esos chicos. Con ninguno de ellos, joder. Si alguien afirma lo contrario, miente.

—No, no es eso lo que se dice —me aclaró Kenny—. Comentan que eres una borrachina y una impertinente.

—¡No es justo!

—Te dedicas a beber y bailar con esos chicos, Sarah, y vienes con ellos a las balsas cuando ninguna otra chica lo hace. ¿Qué esperas que piensen de ti?

—Que me gusta bailar y beber y subir a las balsas. Si alguien cree que le debo algo, es cosa suya.

—Si sales malparada, no importará de quién sea la culpa —insistió él—. Eres una chica alta y fuerte, pero un día eso no te bastará. Una mañana despertarás y serás la última en saber que la noche anterior cogiste una cogorza y te lo montaste con todos.

Nunca había oído a Kenny reñir a nadie de aquella manera. Fue como recibir un bofetón en pleno rostro. Seguía siendo, al menos para él, una niña a la que podía increpar. Tragué saliva y no permití que notara cómo me habían dolido sus palabras.

—Se cuidar de mí misma —repliqué con un hilo de voz.

—Siempre dices lo mismo, pero no lo demuestras —sentenció Kenny.

Una noche de viernes de ese mismo mes, cuando volví a casa bebida, acalorada y sedienta, rompí un vaso de la alacena de la cocina. Mientras sacaba la escoba y la pala para recoger los cristales, pensé que estaba siendo una compañera de piso considerada.

Sin embargo, por la mañana, Cheryl Anne y Erin repararon en unos añicos que me había dejado en mis torpes esfuerzos. También inspeccionaron el cubo de la basura y encontraron los restos rotos, no de un vaso, sino de una copa de champán aflautada que era un recuerdo de la boda de la hermana de Erin. Las dos sugirieron que era hora de que me buscara otro sitio para vivir.

Encontré una vacante en una casa de huéspedes de tres plantas. El traslado habría sido mucho más sencillo en la amplia camioneta de Kenny, pero últimamente apenas nos dirigíamos la palabra.

Con el mes de agosto, llegaron los días más calurosos del verano, y los más húmedos. Quien no tenía aire acondicio-

313

nado en casa, estaba en la calle. Mi habitación en el tercer piso parecía almacenar todo el calor; por eso, cuando llegó el fin de semana, yo también hice planes para pasar el mayor tiempo posible lejos de mi dormitorio. El bar tenía refrigeración y, después de cierta hora, los camareros andaban demasiado ocupados para reparar en la presencia de una jovencita en un rincón del local.

Un domingo por la mañana, desperté en un calabozo con un dolor de cabeza tremendo. Cuando bajó el celador, resultó ser Kenny.

—¿Qué he hecho? —pregunté.

—Si tú no lo recuerdas —respondió él—, ¿por qué habría de decírtelo yo?

Pasaron por mi cabeza media docena de posibilidades, ninguna de ellas halagüeña. Pensé en Wayne y su nariz rota. Pensé en el bonito Nova gris oscuro que acababa de comprar y que me había jurado a mí misma que no conduciría nunca bebida. ¿Y si había tenido un accidente y me había dado a la fuga? «Por favor, Dios mío, no lo permitas», supliqué.

Kenny se aplacó.

—No has hecho nada grave —me informó—. Sólo se te acusa de ebriedad y conducta desordenada.

—Bien —asentí, sentada en el banco con las manos colgando entre las rodillas—. Puedo hacer una llamada, ¿verdad?

Pensé que tendría que llamar a un fiador. ¿Con quién más podía contar? ¿Con Silva? ¿Con el viejo de la habitación del fondo de la casa de huéspedes, aquel hombre que arrastraba los pies y apestaba a tabaco y cuyo nombre aún desconocía? Kenny era mi mejor amigo pero, evidentemente, no podía esperar que me ayudase en aquel apuro.

—Tendrías derecho a esa llamada si te hubieran detenido —respondió—. Pero anoche no te detuve; oficialmente, no estás aquí.

—¿Qué?

—Te traje para que se te pasara la curda y para que reflexiones un poco.

Debería haberle estado agradecida, pero reaccioné con indignación. Me levanté y, de inmediato, me subió la presión y noté la cabeza a punto de estallar.

—¿Acaso te he pedido algún favor? —repliqué, y le tendí las manos como si fuera a esposarme—. Si he hecho algo malo, detenme. Si no, déjame salir. —Al ver que Kenny movía la cabeza en gesto de negativa, insistí—: Vamos, si crees que lo merezco, arréstame. Así, al menos, podré llamar a alguien, depositar una fianza y salir.

Kenny volvió a decir que no.

—No voy a detenerte ahora, por la misma razón que no lo hice anoche —declaró—. No quiero que conste una detención en tu ficha, porque podría perjudicar tus perspectivas futuras.

—¿Perspectivas de qué?

—De ser policía —dijo Kenny.

Dejé caer las manos a los costados. Si me hubiera contestado «de ser astronauta», mi sorpresa no habría sido mayor. Cuando hablé, lo hice con un hilo de voz:

—¿Bromeas?

—Eres demasiado lista para trabajar en una mina y demasiado rebelde para ir a la universidad —respondió Kenny—. Posees una gran energía, pero no le sacas ningún rendimiento. Necesitas un trabajo en el que puedas volcarla.

—Supongo que no hablarás en serio —protesté—. En cualquier caso, aquí no necesitan personal. Probablemente, ni siquiera hay vacantes en ese programa tuyo de auxiliares civiles en fines de semana alternos.

—En efecto, tienes razón —confirmó Kenny—, pero en las ciudades Gemelas siempre andan buscando gente válida.

—¿Lo dices en serio?

315

—Sí.

Durante unos instantes, ni siquiera noté el dolor en las sienes. Kenny pensaba que podía ser alguien como él y, al darme cuenta de ello, el asombro hizo que se desvaneciera toda mi cólera. Evidentemente, se equivocaba.

—Escucha, Kenny —le respondí—. Gracias, pero no tengo madera para eso.

—¿Cómo lo sabes? —preguntó.

—Lo sé, y basta. Estás interpretándome mal. —Permanecí un momento en silencio y al cabo añadí—: De verdad, lo siento.

Cuando vio que hablaba en serio, Kenny sacó las llaves del bolsillo.

Transcurrieron las semanas y llegó septiembre. Kenny había vuelto a su trabajo. Los días laborables patrullaba las minas y los fines de semana, las calles y los calabozos. Yo me entregué de nuevo a la actividad que mejor se me daba: beber los fines de semana.

Hacia las tres de la madrugada de una típica noche de sábado, me encontré en una postura que me resultaba familiar: arrodillada ante la taza del retrete. Cuando vomitas con cierta regularidad, le pierdes el asco. Al acabar, me limpié la comisura de los labios con la mano. Incluso de rodillas, me tambaleé ligeramente; noté la humedad de un sudor malsano en la nuca y agradecí el frescor del aire nocturno que entraba por la ventana de guillotina. Había terminado de cepillarme los dientes y estaba lavándome la cara cuando, al otro lado de la ventana, una mujer lanzó un grito.

Me quedé paralizada, completamente inmóvil salvo por las gotitas que resbalaban por mi rostro. Finalmente, me acerqué a la ventana.

—¡Eh! —grité—. ¿Quién anda ahí fuera?

La ventana del baño daba a una ladera cubierta de hierba que ascendía hasta las vías del ferrocarril. La zona estaba a oscuras, excepto a mi derecha, lejos, donde se divisaban las luces de las señales del tendido.

—¡Eh! —volví a gritar. No obtuve respuesta.

—Maldita sea —mascullé mientras buscaba a tientas la toalla. Deseé oír unas risas de borrachos, o una voz áspera que dijera: «Sí, sí, estoy bien». Deseé sentirme irritada. Lo prefería a inquietarme por la mujer que había gritado en la oscuridad y ahora callaba.

Regresé a mi habitación, me desnudé y abrí la cama mientras me obligaba a olvidar el asunto. Las voces de los animales podían confundir, me dije. Como la del gato montés, por ejemplo; su grito se parecía mucho a un chillido femenino. O la del cárabo listado.

Pero no había sido ningún gato montés, ni tampoco un cárabo listado.

Si había alguien allí fuera y realmente estaba en apuros, habría vuelto a gritar. Habría respondido a mi llamada.

«Eso no lo sabes», me dije.

¿Pero qué ayuda podía prestar yo, por el amor de Dios? Todavía estaba medio borracha. Sin duda, alguien más habría oído el alarido. Alguien, más cercano al punto del que había surgido, correría a intervenir.

«No puedes estar segura de ello. No sabes si alguien más lo ha oído. Lo único que sabes es que tú, sí.»

—¡Hijo de puta! —mascullé, harta, y busqué apresuradamente unas prendas más recias que la ropa que había llevado para salir a tomar unas copas.

Salí de la casa por la puerta de atrás. Por aquella época, mi única arma era una linterna, grande y bonita, con un cuerpo de metal cromado de color cereza en el que cabían cuatro pilas grandes, una detrás de otra. Mientras subía la ladera, con pasos algo inestables todavía, la moví de un lado y a otro, barriendo con el foco los arbustos y las sombras.

—¿Hay alguien ahí?

Cuando terminé de buscar detrás, rodeé la casa. Era posible que el grito procediese del frente y que me hubiese llegado por la ventana del baño por algún efecto acústico al rebotar el sonido en la ladera de manera que parecía proceder de allí. Volví sobre mis pasos y salí a la calle. Me encaminé hacia el pueblo sin dejar de enfocar la sucesión de verjas, entradas de vehículos y jardines delanteros, teniendo buen cuidado de evitar las ventanas a oscuras, tras las cuales dormía la gente. Luego, cuando llegué al pueblo, me descubrí buscando en los callejones y en los huecos de las puertas de las tiendas. Nada. No había ni rastro de problemas; las calles estaban tranquilas como un decorado de cine en horas nocturnas.

318

Terminé en la plaza mayor, completamente sobria y absolutamente sola en medio del pueblo. La noche casi había terminado. Faltaba menos de una hora para que amaneciera.

Cuando llamé a su puerta, a las siete y media de la mañana, Kenny ya estaba vestido para ir a la iglesia, con americana y corbata y engominado. Acogió mi aparición, linterna en mano todavía, con una expresión ligeramente burlona.

—Creo que quiero ser policía —le dije.

Veintiocho

—*N*o veo que podamos llevar este asunto ante un juez —dijo Kilander.

Era la mañana siguiente a que Marlinchen y yo habláramos junto al lago y, en aquel momento, procedía a lo que ya había hecho un buen número de veces desde la mañana en que anuncié a Kenny Olson que quería ser policía: a discutir con un fiscal si había posibilidades de llevar con garantías un caso al tribunal.

Sin embargo, la conversación no tenía carácter oficial. Kilander y yo nos habíamos encerrado en su despacho para dar cuenta del almuerzo de comida rápida que yo me había encargado de llevar: ensalada de pollo al curry con lechuga, un bollo redondo y té helado. Acababa de contarle lo que sabía de los Hennessy: las palizas de Hugh, el exilio de Aidan y la inexplicable ojeriza de Hugh por su hijo mayor.

—Es una historia horrible, no cabe duda —dijo Kilander—. Pero el propósito de la ley de menores y de familia no es el castigo, sino la mediación. Ninguna agencia de protección de menores pretendería llevar a juicio a un padre por malos tratos si los hechos han tenido lugar hace tiempo y no han producido lesiones permanentes.

—Eso ya lo sé —respondí mientras abría por la mitad el panecillo, que no había tocado hasta aquel momento, y lo untaba con mantequilla. Más que nada, me proponía ganar algo de tiempo. Lo que me disponía a revelar a Christian Kilander ni siquiera lo había compartido con Marlinchen, to-davía—. Lo que te he contado hasta ahora son, sobre todo, antecedentes. La historia no termina aquí.

—¡Ah! —murmuró Kilander—. ¿Quieres que anule mi comparecencia de la una y media?

Pretendía burlarse de mí, como yo ya sabía que haría. También sabía que adoptaría la posición de abogado del diablo, pero no me importaba. Aquella agudeza típica en él, su mente penetrante, era en parte la razón de que hubiera recurrido a él.

—¿Sarah? —me instó a responder.

—Creo que Aidan se disparó con un arma de su padre —declaré mientras dejaba el panecillo sobre la mesa, intacto—. Y creo que Hugh encubrió lo sucedido.

Por primera vez, Kilander esbozó una sonrisa.

—Siempre me vienes con las teorías más peregrinas —comentó—. Cuéntame cómo has llegado a esta conclusión.

Le hablé del dedo que le faltaba a Aidan y de la explicación que me había ofrecido Marlinchen al respecto: que el feroz perro del vecino había mordido al pequeño cuando tenía tres años y que, a consecuencia de ello, Aidan había estado ausente de casa «mucho tiempo», según la apreciación de la muchacha, y había vuelto sin el meñique de la mano izquierda.

—¿Por qué no la crees? —preguntó él.

—He visto la zona donde viven —respondí—. Tienen vecinos, pero no están cerca. El niño, que apenas contaba tres años, debería haber hecho una caminata larguísima para topar con ese hipotético perro.

Kilander no intervino.

—Por otra parte —continué—, Hugh Hennessy coleccionaba pistolas antiguas. Las guardaba en su estudio y las mostraba a los periodistas; las he visto en varias fotos de revistas. Sin embargo, tiempo después, cambió de actitud y empezó a demostrar aversión por las armas. Ya no quería tener ninguna en la casa. —Pensé en Cicero y reprimí el incómodo recuerdo—. Entretanto, decidió sustituir la moqueta del estudio. Tenía dinero suficiente para contratar a un profesional y no era un hombre mañoso, pero se empeñó en llevar a cabo el trabajo él mismo. Lo hizo fatal. Se nota que lo hizo sin ayuda. Los gemelos calculan que fue hace unos catorce años, cuando ellos tenían tres o cuatro.

»De esa época, entre sus primeros recuerdos, Marlinchen guarda uno bastante extraño. Cuenta que cayó un rayo en la casa, que el suceso trastornó a su madre hasta el punto de hacerla llorar y que a ella le provocó un pánico a las tormentas que aún le dura. A las tormentas y a los ruidos fuertes —añadí, haciendo hincapié en las dos últimas palabras.

—¿Y no podría tratarse realmente de la caída de un rayo? —inquirió Kilander.

—He visto la casa por fuera —expliqué—. No se aprecia el menor daño.

—Tal vez lo repararon —apuntó él.

—Eso pensé yo, pero Marlinchen ni siquiera fue capaz de indicarme dónde había caído. ¿Cómo es posible que se acuerde tan bien de la noche en que sucedió, pero no recuerde en absoluto haber visto los daños, ni la presencia de obreros que se encaramaran al techo para repararlo, ni nada por el estilo?

Kilander asintió.

—Hablando de reparaciones domésticas —proseguí—, además del cambio de moqueta, en la alfombra del pasillo del piso de arriba se aprecian tres círculos descoloridos de lejía, como si alguien hubiera quitado unas manchas. Cabe pensar que Hugh intentara limpiar unas manchas de sangre, con su conocida torpeza.

Kilander asintió, pensativo.

—Así, crees que el chico se hirió de un disparo con un arma de su padre y que no pudo salvar el dedo...

—A esa edad, ya debía de haber visto pistolas en la tele. Si era un niño curioso y desobediente...

—Y Hugh mintió para ocultar lo sucedido —continuó Kilander.

—Profesionalmente, habría sido desastroso para él que se divulgara —asentí—. Imagina lo que habría dicho la prensa: «Padre negligente deja un arma cargada en un cajón abierto; su hijo de tres años se pega un tiro con ella». En esa época, Hugh era bastante más popular; los medios se interesaban por él. Habría sido una publicidad nefasta para cualquier escritor, pero peor aún para él, que había escrito dos libros bastante difundidos sobre la familia y sobre el amor y la lealtad. Ser un hombre de familia era su..., ¿cómo lo decían sus publicistas? «Su marca de fábrica».

Kilander se echó en el plato el resto de la ensalada de pollo. Era más de lo que le correspondía, pero no protesté. Su desenfadada glotonería tenía cierto encanto.

—Así pues, Hugh intentó tapar lo sucedido —continué—. Los gemelos eran tan pequeños que no le costó reprogramar sus recuerdos. Si tus padres te cuentan algo machaconamente, acabas creyéndotelo. Pero al hablar con los chicos, resulta que sus recuerdos no encajan. Marlinchen recuerda lo del rayo. Aidan, no. Marlinchen dice que su hermano estuvo en el hospital una larga temporada. Aidan no lo cree. Aquí hay algo que no cuadra.

Kilander tomó un sorbo de té con expresión pensativa. Me puse en pie, me acerqué a la ventana y eché un vistazo antes de proseguir:

—Eso explica el maltrato —continué—. Hugh limpió la casa lo mejor que supo, pero quedaba Aidan. Era lo único que no podía barrer bajo la alfombra; su presencia constante, con la mano tullida, debía de exasperarlo. Creo que todo habría terminado bien si la madre no hubiera muerto y si Hugh no hubiera tenido la espalda fastidiada y una úlcera.

Me parece que estaba sometido a demasiada presión y que Aidan se convirtió en su cabeza de turco. La culpabilidad...

—¿Tienes alguna prueba material de todo esto?

—No —respondí—. Todavía no.

—¿Y si miras en los archivos del hospital? —apuntó Kilander—. Yo diría que el niño tuvo que recibir tratamiento de algún tipo, si la amputación fue limpia...

—¿Historiales médicos de hace catorce años? —moví la cabeza—. Seguro que están dentro una caja, en un almacén, quién sabe dónde. Pero necesitaría una autorización judicial para buscarlos y, con los indicios de que dispongo, no me la concederán. —Hice una pausa—. Por eso he preferido no contar nada de todo esto a los dos hermanos. Hasta que tenga una prueba sólida, no quiero trastornarlos.

—¿Y cuándo la tendrás, exactamente?

Touché.

—Bien —continuó—. Y ahora viene la pregunta del millón: ¿Y qué? —No esperó a mi respuesta—. Aunque encontraras pruebas incontrovertibles que respaldaran tu teoría sobre la pistola, seguiría siendo un simple accidente. Que Hugh mintiera a sus hijos no constituye un delito. Y esto es sólo una parte de la cuestión.

—¿Qué más hay? —quise saber.

—Has dicho que el tipo tiene afasia como consecuencia de un ataque cerebral, ¿no?

Asentí.

—Probablemente, es la peor discapacidad que podía sufrir, desde el punto de vista legal. Si es incapaz de comunicarse, no puede participar plenamente en su propia defensa. Incluso el juez más severo descartaría sin vacilaciones encausarlo.

—Yo no hablaba de presentar la acusación este mes, ni siquiera este año —comenté—. Pero empieza a reponerse. Es posible que acabe recuperándose por completo.

—O no —replicó Kilander.

Era hora de prepararse para la disertación de la una y media. Introdujo el plato y la servilleta en la bolsa de plástico en la que venía la comida. Yo también metí el mío y cerré la bolsa con un nudo, con la intención de echarla a una papelera de la oficina.

—Estás tomándote este asunto demasiado a pecho, Pribek —me advirtió Kilander—. Si con ello te sientes mejor, te diré que te creo cuando sostienes que aquí hay gato encerrado. Pero aunque tengas razón hasta en el menor detalle, no preveo un futuro ante tribunales para esta familia.

Por la tarde me llamó John Vang, mi antiguo compañero de patrulla. Investigaba un caso de violación, pero la víctima, una chica de dieciséis años, apenas había respondido con cuatro monosílabos al interrogatorio de un policía hombre. Vang opinaba que sería de gran ayuda que el segundo interrogatorio lo llevara a cabo una mujer, y me pidió si podría encargarme.

Me costó casi treinta minutos derribar el muro que la chica había levantado frente a Vang. Cuando lo conseguí, casi hubiera preferido no hacerlo. Tres agresores, todos ellos conocidos de la chica, la habían atacado en la lavandería de un complejo de aparcamientos. Cinco violaciones distintas, tres vaginales, dos anales. Cuando salí, me sentía helada a pesar del brillante sol de media tarde.

Tampoco se me borraba de la cabeza la conversación con Kilander. Sabía que Chris tenía razón, pero era en ocasiones como ésta cuando el sistema me dejaba perpleja. No estaba segura de cómo habría podido cada cual cambiar su comportamiento, pero estaba muy claro que a Aidan le había fallado todo el mundo. Sabía que existían muchos programas de ayuda a niños y familias que aportaban una gran cantidad de dinero y de tiempo a la protección de los menores, pero a veces parecía que lloviera directamente encima del océano y que ni una sola gota cayera donde más se necesitaba.

Sonó mi móvil y respondí, con una mano en el volante.

—¿Detective Pribek? Soy Lou Vignale, del distrito uno.

—Hola, Lou. ¿En qué puedo ayudarlo?

—Tengo aquí una chica que dice ser una de sus confidentes. Se llama Ghislaine Morris.

—¿Ghislaine? —Llevaba mucho tiempo sin acordarme de ella—. Sí, la conozco. ¿Qué ha hecho para que la detengan?

Vignale no había mencionado que estuviera arrestada, pero yo intuía que así era. Por lo visto aquel día no había de suceder nada propicio ni alentador.

—Ha robado en una tienda —explicó Vignale—. La sorprendieron en los almacenes Marshall Field's, disimulando unos objetos de regalo bajo la colcha de su carrito de niño. Pero asegura que colabora con usted en un caso y que probablemente querrá ponerla en la calle enseguida.

—¿Eso ha dicho? —Me pasé la mano libre por la cabeza. ¡Lo que faltaba! Tal vez Shiloh tenía razón y no debería haber conservado el número de teléfono de la chica—. Ghislaine se confunde —respondí—. En estos momentos no colabora conmigo en nada.

—Ya me ha advertido que quizás diría eso —adujo Vignale—. Y ha pedido que le recordara lo de ese tipo del distrito tres. Habló de no sé qué médico...

Abrí la boca para decir algo y volví a cerrarla. ¡Joder! Ghislaine era una manipuladora y desde luego nada estúpida. Si seguía por aquel camino, iba a fastidiarme el trabajo.

—Los vigilantes de Field's la atraparon en la tienda, ¿verdad? —pregunté—. Entonces, supongo que recuperaron sus objetos intactos, ¿no?

—Sí, pero de todas formas quieren presentar cargos.

Era un procedimiento bastante corriente, pues a los grandes almacenes les gusta desanimar a los ladrones. Barrunté que no sería fácil disuadir al gerente de presentar la denuncia, pero igualmente tendría que ir a pedírselo.

—Pasaré a llevarme a Ghislaine tan pronto como haya hablado con el gerente —respondí a Vignale—. Dígale que espere ahí, ¿de acuerdo?

—Bien —asintió él. En su tono de voz se advertía una desaprobación más que notable, pero no añadió nada más, salvo un escueto—: Se lo diré.

Tres cuartos de hora después, aguardaba junto a una puerta auxiliar mientras el agente Vignale iba a buscar a Ghislaine.

La puerta reforzada se abrió y apareció la muchacha. A pesar de su ropa corriente —camiseta, unos vaqueros cortados y unas brillantes zapatillas de plástico sin tacón— olía a perfume nocturno; había estado probándose colonias en la sección de perfumería.

—¡Adiós! —dijo en tono alegre a Vignale, que no respondió. Ghislaine se volvió hacia mí—. Gracias por venir tan deprisa, Sarah.

—De nada —respondí cortésmente—. ¿Dónde está Shadrick? —pregunté, pues lo único que Ghislaine llevaba consigo era una bolsa de compras.

—¡Ah! Mi amiga Flora vive cerca. Le he pedido que se encargara de recogerlo y de llevarlo a casa.

—¿Has venido al centro en autobús?

—Sí —contestó.

—Entonces, necesitarás que te lleve a casa.

Ghislaine me dirigió una mirada de soslayo. Se daba cuenta de que mi generosidad estaba fuera de lugar, en aquellas circunstancias.

—¿Lo harías? —inquirió.

—Voy en esa dirección, de todos modos —mentí.

—Encantada, pues —murmuró, e hizo gala nuevamente de su contagioso buen humor. Cuando salíamos de la comisaría, señaló la bolsa y comentó—: No te preocupes, esto es legal.

—Ya lo sé —respondí—. Por lo general, los que hurtan en tiendas no se molestan en robar la bolsa.

—No es para tanto —adujo ella con una mueca burlona, mientras abría la puerta y subía al coche—. Lo que me llevaba era una tontería. En dinero, no debía de llegar ni a los cien pavos. De lo contrario, no habrías podido arreglarlo.

Salimos a la calle y empezamos a circular por las calles de una sola dirección del centro de Mineápolis. Me dirigí hacia el barrio de Ghislaine, que también era el de Cicero, pero lo hice por calles secundarias, evitando el núcleo urbano y las calles con tráfico de autobuses.

—No es el camino más directo para ir a mi casa —observó ella, y bajó la visera de su lado, buscando un espejo.

—Ya lo sé —respondí—. He pensado que podríamos dedicar un par de minutos más a charlar.

Bajé el volumen de la radio y Ghislaine me miró fijamente.

—¿Charlar de qué? —inquirió.

—Hemos de hablar de lo que le contaste al agente Vignale, eso de que eres confidente mía y de que me estás ayudando en el asunto del «médico» del distrito tres.

—Bueno, no le dije ninguna mentira —puntualizó.

—De acuerdo: yo te pregunté por él, tú me contaste lo que sabías y yo te compensé. Pero ésta fue toda la colaboración. Salvo esto, no me has ayudado en nada más.

Ghislaine volvió la mirada al frente, como si el tráfico resultara fascinante.

—Así pues —proseguí—, a menos que me equivoque, cuando le has pedido al agente Vignale que me lo «recordara», en realidad me estabas amenazando con delatar a Cisco a menos que me presentara enseguida y pagara tu fianza.

Parpadeó y leí en sus ojos una mezcla de emociones contradictorias. Enseguida, su inseguridad se convirtió en determinación y se lanzó al contraataque.

—Bueno, es que me pareció interesante que no me llegara ninguna noticia de su detención —replicó, alzando la voz en un tono de inocente conjetura que se advertía falso—. Me decía: «Pero si yo se lo conté a Sarah... Me pregunto qué habrá sucedido». Entonces pensé que tal vez debía contárselo a alguien más. —Ghislaine sonrió, toda inocencia—. O sea, ¿qué mejor lugar para un agorafóbico que una celda? No tendría que salir a ninguna parte durante años.

—Cicero no es agorafóbico.

—¿Cicero? —repitió Ghislaine, y en aquella sola palabra había todo un mundo de especulaciones. «¡Mierda!», pensé. Sin querer, había empleado su nombre auténtico—. Vaya, ese tipo... —continuó con tono descarado e insinuante—, ¿no será tu nuevo novio, verdad?

Ghislaine me había visto por el barrio; nuestro encuentro en el autobús lo confirmaba. Y sabía prestar atención a todo lo que oía, lo que la convertía en una buena confidente. Me pregunté cuánto sabría, realmente, de mis repetidas visitas al piso de Cicero. Estaba claro que estaba bastante al corriente. Había adivinado que amenazándolo a él conseguiría lo que deseaba y yo, sin pretenderlo, se lo había confirmado al evitar su arresto.

Detuve el coche junto al bordillo.

—¿Qué haces? —preguntó ella, echando un vistazo a la calle secundaria en la que estábamos, con edificios de viviendas de ladrillo pardo en las dos aceras.

—Te bajas aquí —espeté.

—¡Pero si estamos a más de un kilómetro de donde vivo! —protestó Ghislaine.

—Sí, ya lo sé —respondí y me volví a mirarla, apoyando el codo en el volante—. El paseo te sentará bien. Necesitas estar un rato a solas para ordenar tus ideas y para pensar si es muy inteligente por tu parte intentar fastidiarme.

Ghislaine, sobresaltada, abrió ligeramente sus labios de coral.

—Te lo voy a decir alto y muy clarito para que lo entiendas bien: yo no te explico cómo hago mi trabajo, y tú no haces preguntas —continué—. No vuelvas a citar mi nombre para librarte de las detenciones por pequeños delitos, ni a mencionar el nombre de Cicero Ruiz. No se lo digas ni siquiera a un vigilante de aparcamiento. Si lo olvidas, me encargaré de que termines en el paraíso del agorafóbico. —Llevé la mano al cambio de marchas y añadí—: Ahora, ya puedes ir bajando.

Ghislaine apretó los labios, pero se apeó del coche sin soltar la bolsa de plástico. Tardó un momento en cerrar la puerta.

—No sabía que fueses tan dura, agente Pribek —comentó con acritud.

Alargué la mano, tiré de la puerta hasta cerrarla y arranqué. Mientras me alejaba, la oí gritar:

—¡Si te gustan los tullidos, Sarah, las Ciudades Gemelas están llenas de blancos que lo son! ¿Por qué no te acercas por el hospital de veteranos de guerra y escoges uno?

Veintinueve

$\mathcal{T}$ranscurrieron varios días. La presencia de Aidan en la casa de los Hennessy ya no me alarmaba, por lo que empecé a pasar menos tiempo allí y siempre dormía en casa.

No obstante, a última hora de la noche me descubría inquieta haciendo *zapping* en el televisor. De vez en cuando, me detenía en alguno de los canales educativos y en una ocasión vi un reportaje sobre el trabajo de la policía forense en el que aparecían unos técnicos que observaban la acción de un reactivo en una mancha de sangre y examinaban fibras al microscopio. Cambié de canal enseguida. Aparte de eso, intentaba no pensar en Gray Diaz. Ni en Cicero Ruiz. Mi esbozo de carta a Shiloh había quedado enterrado bajo los periódicos y las facturas pendientes de pago. El trabajo, en general, transcurría sin incidentes destacables.

Una de esas jornadas laborales terminó con un desplazamiento a la zona del lago para volver a interrogar a un testigo de un caso antiguo sobre el cual habían aparecido nuevas pistas. De regreso, pasé por delante de una parada de autobús y vi a una figura familiar que esperaba. Era Aidan Hennessy. Me acerqué, reconoció el coche y vino a saludarme.

—¿Qué tal? —dijo, mientras se protegía de los rayos del sol poniente con la mano.

En aquel momento, me sorprendió advertir el cariño que le había tomado. En cierto modo, con Aidan me sentía más cómoda que con los demás miembros de la familia, lo cual era extraño, si tenía en cuenta cómo habíamos empezado. Había pasado mucho más tiempo con Marlinchen y la apreciaba, pero nunca me había sentido del todo a gusto con ella. Sus cambios de humor, su infinita cautela, su manera de sopesar siempre las propias palabras y las de los demás... A veces me cansaba. Aidan era lacónico, nada complicado y, en aquel grupo familiar, era con quien más me identificaba.

—¿Quieres que te lleve a algún sitio? —ofrecí, y Aidan subió al coche.

—No voy a casa —explicó—, voy a la tienda. Esta noche he prometido hacer la cena y he de comprar unas cuantas cosas.

—Muy bien, puedo acercarte hasta allí —asentí—, e incluso llevarte de vuelta a casa, si primero me acompañas al centro. Tengo que pasar por comisaría antes de terminar la jornada.

—Hecho —aceptó Aidan—. No tengo prisa.

Aceleré, intentando entrar en la 394 por delante de una furgoneta que circulaba a buena velocidad y, cuando lo hube logrado, Aidan comentó:

—He encontrado trabajo.

—¿En serio? —pregunté, sorprendida—. ¡Qué bien! ¿Dónde?

—En una guardería, pero de plantas, no de niños. No pagan demasiado bien pero así podré ayudar en casa. —Alzó la coleta y se la cambió de lado en el cuello para refrescarse la piel de la nuca.

Recorrimos varios kilómetros en silencio. Los rayos del sol que se ponía iluminaron el parabrisas, que adquirió su nuevo color tornasolado.

—Tienes los cristales de las ventanas como empañados —observó Aidan, frotando el parabrisas con el dedo.

—Ya lo sé.

—No se va. —Parecía alarmado.

—No te preocupes —dije—. Es permanente.

—Este coche debe de gustarte mucho.

Permanecí callada.

Cuando llegamos a comisaría, Aidan subió conmigo en el ascensor hasta la sección de detectives. No pronunció palabra en todo el tiempo que permanecimos allí, aunque vi que lo miraba todo con interés, tal vez sorprendido al comprobar lo mucho que se parecía a cualquier otra oficina. Desvié el buzón de voz del teléfono al busca, hablé un instante con Vang y, acto seguido, Aidan y yo nos marchamos.

En la tienda encontró lo que buscaba: un pollo entero, patatas y cebollas. También compró una lata de cola para cada uno y pagó con el dinero de la cuenta familiar para gastos de la casa. Salimos otra vez al exterior, al calor de primera hora de la noche, y nos detuvimos en seco, mirando alrededor.

El Nova no estaba. Por pereza de no cruzar los pasillos en busca del lugar de aparcamiento más cercano, me había limitado a dejar el coche a la entrada del recinto. Era como si se lo hubiera tragado la tierra.

—¿Dónde demonios está? —grité.

—Allí —dijo Aidan. Señalaba un camión con un remolque de caballos junto a la puerta. Me había confundido, creyendo que el camión era el último vehículo del aparcamiento y que no había más coches detrás, pero al fijarme mejor observé que por las ventanillas del enorme camión Ram se veía el techo del Nova.

—Me parece que ese tipo ha aparcado mal —dije—. No puede tener un vehículo tan largo ocupando dos espacios. Tal vez debería denunciarlo. —Cruzamos el aparcamiento camino del remolque.

—¿Llevas encima un bloc de multas? —preguntó Aidan, escéptico.

—Soy una agente de la ley —respondí al tiempo que rodeábamos el remolque de caballos—. Cualquier papel que redacte será válido ante los tribunales. Creo.

—¿Crees? —dijo Aidan, echándose a reír.

—Pues claro —respondí—. ¿Dónde está la lista de la compra? Ya verás cómo... ¡Por Dios!

Di un respingo y un pequeño chorro del refresco de cola se derramó de la lata. Como movido por un resorte, un perrazo se había lanzado desde el asiento trasero del camión a la ventanilla y ladraba y gruñía a pocos centímetros de nuestra cara, aunque al otro lado del cristal, afortunadamente.

—¡Joder! —exclamé. El doberman siguió ladrándonos, con su morro puntiagudo aplastado contra la ventanilla manchada de baba, mostrando los dientes. Entonces miré a Aidan. Había dejado caer la bolsa de la compra y estaba doblado por la cintura, con las manos en los muslos para sostenerse.

—¿Te encuentras bien? —le pregunté.

—Sí —asintió, aunque estaba muy pálido—, estoy bien. —Intentó reírse—. Soy un tío duro, ¿verdad? Me da miedo un perro encerrado en un camión.

—A mí también me ha sobresaltado —le aseguré.

Se agachó, cogió la bolsa y respiró hondo para tranquilizarse.

—Vamos —dijo.

No habló hasta que estuvimos de nuevo en marcha. Entonces, comentó en voz baja:

—Siempre me ocurre lo mismo con los perros. Por lo que me pasó en la mano.

—¿Te acuerdas del día en que perdiste el dedo? —pregunté, asintiendo—. Me refiero a si lo recuerdas de veras.

—Tengo una imagen grabada, como si fuera una foto —dijo—. Veo la mano con el dedo medio arrancado, y la sangre que empieza a brotar. El perro no me lo separó del todo, se quedó colgando, pero supongo que no era... ¿cómo expresarlo? Recuperable. Así que el médico terminó el trabajo.

Aidan me miró para saber si aquel relato espantoso me había afectado y, como no vio que palideciera, continuó:

—En la base del dedo, debajo de la herida principal, había otra marca de diente, supongo que en el punto en el que me agarró por primera vez y tiró antes de morder a fondo y llevárseme el dedo. En mi recuerdo, es sólo una marca que empieza a llenarse de sangre. Ahora es una cicatriz. —Aidan extendió la mano izquierda algo inclinada para enseñarme la marca rosa justo debajo del muñón.

—¿Qué perro era? —inquirí volviendo los ojos a la autopista.

—Un pitbull, creo —contestó Aidan—. Eso es lo que recuerdo más, la cara blanca y las orejas hacia atrás.

—Pues los pitbulls son un tipo de perro que no parece encajar mucho en un barrio como el tuyo —comenté.

—Sí —convino—, es extraño. Ya lo sé.

Al cabo de un momento, cuando volví a hablar, le formulé una pregunta que lo sorprendió porque, aparentemente, no guardaba ninguna relación con las anteriores.

—Cuando vivías en Georgia, ¿con qué te divertías?

—¿Divertirme? —se extrañó—. Allí no había mucha diversión. En la granja de Pete había pocas cosas que hacer. Sin carné de conducir no podía moverme de allí y, cuando tuve edad para sacármelo, al cabo de poco me largué a la Costa Oeste.

—¿Has cazado alguna vez? —quise saber—. ¿Has practicado tiro?

—No, no he ido nunca de caza —respondió—. Una vez disparé con una escopeta, contra unas latas colocadas sobre una tapia.

—¿Qué sentiste con el arma en la mano? —inquirí.

—Nada, me aburrí. —Aidan se encogió de hombros—. Después de probarlo una vez, ya no me interesó volver a hacerlo.

—¿Te pusiste nervioso?

—La verdad es que no —aseguró—. ¿Qué pasa? ¿Estás reclutando alumnos para la Academia de Policía?

—No —conteste y sacudí la cabeza—. Además, en mi trabajo apenas tengo que disparar. Te enseñan a utilizar un arma antes de mandarte por ahí, desde luego, pero con un poco de suerte no tienes necesidad de usarla. Yo nunca he disparado a nadie.

—Pues se me ocurre que quizá deberías hablar con Colm —prosiguió Aidan—. Creo que, si no fuera por la oposición rotunda de Hugh, ya tendría ocho armas de fuego.

—Sí, Colm me contó lo de tu padre y su aversión a las pistolas.

Los Hennessy eran como una familia contemplada a través de un prisma. Nada discurría en línea recta. A Hugh le gustaban las pistolas antiguas y había tenido un par de ellas en su estudio; no, Hugh no toleraba las armas de fuego y nunca tendría una en casa. A Marlinchen la asustaban los ruidos, pero Aidan no tenía miedo de las armas. En cambio, lo que sí le daba mucho miedo eran los perros. Aquello desmontaba mi teoría sobre lo sucedido en el estudio. No sabía si algún día le encontraría sentido.

—¿Y tú? —me peguntó Aidan, interrumpiendo mis pensamientos—. ¿Has salido de caza alguna vez?

—¿Yo?

—Bueno, como te criaste en los montes de Iron Range... Por allí mucha gente se dedica a la caza y a la pesca —concluyó la frase.

—Cuando vivía en Nuevo México, me aficioné durante una época a la ballesta de mi hermano mayor —expliqué, moviendo la cabeza en gesto de negativa—. Una vez disparé a un venado con ella. No recuerdo si lo hice deliberadamente, por instinto, o si fue un accidente, pero sé que desde entonces no he querido saber nada más de la caza. La mera idea de abatir una pieza me resulta insoportable. —Me puse un mechón de cabello detrás de la oreja—. Pero mi oposición a la caza no es radical. Me refiero a que sigo comiendo carne.

—Mejor —dijo Aidan—. Así podrás quedarte a cenar con nosotros esta noche.

La cena de Aidan —pollo asado con puré de patatas y ensalada verde— fue simple y resultó satisfactoria, aunque carecía del punto de sazón de los platos que preparaba Marlinchen. En la mesa, los chicos hablaron de los exámenes finales, del inminente verano y de sus planes para visitar la tumba de su madre en el ya cercano aniversario de su muerte.

—Donal, a lo mejor te apetece ver un rato la tele —dijo Marlinchen cuando terminamos de comer—. Aquí vamos a hablar de unos temas algo aburridos.

Al oír una frase de este tipo muchos niños se ponen en guardia, porque saben que se van a comentar las cuestiones realmente interesantes de los adultos. Donal, en cambio, dio por buenas las palabras de su hermana y se marchó.

—Hoy he hablado con la señora Andersen sobre papá —empezó Marlinchen cuando su hermano hubo salido.

El nombre me sonaba y al cabo de un instante recordé de qué: lo había visto en un tablón de anuncios del hospital Park Christian. Era la asistente social del centro.

—¿Cómo está? —preguntó Colm.

—Bien —respondió—. Sigue mejorando a buena marcha, eso ya lo sabéis. En realidad, la señora Andersen me ha dicho que ya podría vivir en casa.

Aidan se revolvió en el asiento a mi lado, pero no dijo nada.

—Todavía necesita rehabilitación física y terapia del habla —continuó—, pero todo eso puede hacerse aquí. La señora Andersen nos ayudará con esas cosas. Hemos convenido en que volverá a casa la semana que viene.

—Espera un momento —intervino Aidan—. ¿Así, sin más? Esto es un tema del que deberíamos hablar.

—De haber tenido otra alternativa, lo habría comentado con vosotros antes de aceptar —explicó Marlinchen—. Pero no la tenemos. El seguro de papá no cubre la hospitalización si el propio centro médico recomienda tratamiento externo. —Con el tenedor, pinchó un trozo de lechuga de su plato, pero no comió—. Ya sabéis cómo está la situación económica. No podemos pagarlo nosotros.

—Y la rehabilitación física y del habla y los cuidados en casa, ¿no tendremos que pagarlos? —quiso saber Aidan.

—Ésta es la cuestión —respondió Marlinchen, irguiendo la espalda, confiada—. La póliza de papá cubre ese tipo de tratamientos externos. Los terapeutas vendrán aquí y el cuidado en casa será un poco diferente. No tendremos a nadie permanentemente, pero papá necesita ahora un nivel de asistencia moderado. —Cuando vio que nadie parecía entender sus explicaciones, añadió—: Eso significa que necesita asistencia en el cincuenta por ciento o menos de sus actividades diarias.

Si alguien estaba molesto con mi presencia en aquella reunión familiar, no observé ningún signo de ello. Por mi parte, no hice el menor amago de moverme.

—Y la situación mejorará a medida que papá avance con la recuperación —prosiguió Marlinchen—. Teniendo en cuenta que somos cinco los que vamos a estar con él, no resultará tan complicado. Todos echaremos una mano.

—Yo, no —dijo Aidan.

Marlinchen hizo un educado gesto de sorpresa, como si creyera no haber oído bien.

—He encontrado trabajo —declaró Aidan—. Colaboraré con dinero, pero no puedo servirle la comida y sentarme a hablar con él fingiendo que no ha..., como si...

Liam clavó los ojos en la alfombra como si estuviera avergonzado. El rostro de Colm era una máscara insondable.

—Aidan —susurró Marlinchen en tono suplicante. Durante un breve período dorado, en su mundo todo había sido perfecto. Aidan había regresado y su padre también estaba a punto de volver. Ahora, la fachada empezaba a desmoronarse.

—¿Qué quieres de mí, Linch? —preguntó Aidan—. ¿Que diga que ya no me importa o que finja que nunca ocurrió?

Eso era precisamente lo que Marlinchen deseaba: tapar todo lo desagradable con una especie de hierba artificial psicológica.

—Sé que tienes motivos para estar resentido —suspiró la muchacha—, pero papá ha sufrido un ataque. Podría haber muerto. Eso cambia a la gente, profundamente. En muchos aspectos, es posible que lo haya ablandado.

Es posible. Tal vez. Gran parte de lo que Marlinchen decía eran deseos de buena voluntad, absolutamente ajenos a la cruda realidad.

—Si pudieses ser un poco comprensivo —prosiguió—, quizá tendríamos la posibilidad de empezar de nuevo. Todos nosotros.

—No cambiará y yo no quiero vivir bajo el mismo techo que él.

—Me parece que no te entiendo —dijo Marlinchen—. ¿Y dónde te instalarás?

—Ahí fuera —respondió Aidan, señalando el garaje del fondo.

—No, ni hablar —intervino Colm inesperadamente—. Ese espacio es mío. No pienso sacar mis cosas para hacerte sitio.

—Colm, tu gimnasio no tiene nada que ver con esto.

—¡Pues claro que sí! —insistió Colm un tanto encendido.

—Tal vez debería marcharme —dije, aunque nadie pareció oírme.

—Si no quiere echarnos una mano con papá —prosiguió Colm—, no tiene por qué quedarse. Y si no quiere vivir con papá...

—¿Quieres dejar de hablar de tu hermano como si...?

—... que se busque un apartamento o lo que sea, hombre.

—... no estuviera presente? —terminó Marlinchen.

—¡No! —gritó Colm, sofocado como si hubiera estado corriendo al aire libre en un frío día de invierno—. Mira cómo habla de papá, como si no fuera su padre. Lo llama «Hugh» y se niega a ayudarnos con...

—¡Pero si está ayudando! —lo interrumpió Marlinchen—. Ha encontrado trabajo y...

—¿Y a nosotros qué nos importa su trabajo? ¡Ya está bien! —exclamó Colm, en voz aún más alta—. ¡No necesitamos su dinero! ¡Nos va bien así!

—¿Nos va bien? —repitió Marlinchen—. Dime, ¿qué haces tú? ¿Y cómo sabes que nos va bien? No eres tú quien utiliza el talonario de cheques de papá ni quien recorta los cupones y compra en las tiendas.

—¡Linch! —intervino Aidan en voz baja—. Tranquila.

—¡Yo no le he pedido que vuelva! —insistió Colm—. ¡No me importa si se queda o se marcha!

El muchacho echó la silla hacia atrás ruidosamente, se puso en pie de un salto y abandonó la cocina, en la que se produjo un silencio tal que incluso se oyó el tictac del viejo reloj suizo del pasillo. Después, el inicio de un anuncio en el televisor de la sala familiar llenó el silencio.

—Le ha salido del alma —comentó Liam secamente.

Aidan apartó la silla de la mesa y, dirigiéndose a Marlinchen, dijo en voz baja:

—Ríñeme si quieres, pero me voy a fumar un pitillo.

Aturdida, Marlinchen sacudió negativamente la cabeza, indicando que no pensaba sermonear a su hermano sobre los peligros del tabaco. Aidan se levantó y se alejó de la mesa.

—No lo entiendo —dijo Marlinchen cuando nos quedamos solas, al tiempo que se secaba una lágrima—. De verdad que no entiendo a Colm. Aidan le enseñó a nadar y a jugar a béisbol. Hubo una época en que Colm quería ser Aidan.

Miré por la ventana y vi que el hermano mayor deambulaba de un extremo a otro de la terraza. De vez en cuando, echaba la cabeza hacia atrás y exhalaba el humo.

—¿Por qué no me dejas hablar con Colm? —le dije.

Del otro lado de la pared del garaje llegaban unos golpes apagados, como un latido sincopado. Los oí antes incluso de abrir la puerta.

Dentro, el pesado saco de boxeo que colgaba de las vigas saltaba bajo los golpes de Colm. Llevaba los mismos pantalones largos Adidas que durante la cena, pero de cintura para arriba se había quedado con una estrecha camiseta sin mangas y tenía las manos protegidas con unos guantes de boxeo negros.

No soy aficionada, pero sabía lo suficiente de pugilismo para ver que Colm lo hacía bastante bien. No cometía el error típico de los principiantes de mantenerse lejos del saco pensando que lo mejor es pegar con el brazo lo más extendido posible. Se acercaba a la distancia adecuada y lanzaba ganchos y *uppercuts*, aplicando todo el peso de su cuerpo a cada uno de los golpes. Tampoco extendía excesivamente el brazo en los directos, con lo que eran muy rápidos, como debe ser.

—¿Quieres que lo sujete? —le pregunté. La fuerza de sus golpes hacía oscilar el saco.

—Me gusta que se mueva porque simula un oponente vivo que puede esquivarte —respondió Colm. Retrocedió y lanzó una patada alta al saco.

—Simula un oponente que no tiene brazos y que no puede huir —apunté.

Colm entrecerró un poco los ojos ante mis palabras y el *uppercut* que siguió al gancho sólo rozó el costado del saco, sin impactar de pleno en él. Me acerqué a sujetarlo y coloqué las manos a cada lado, a la altura de mis hombros.

—Si el saco está quieto —le dije—, te será más fácil practicar los golpes.

Siempre me he sentido a gusto en los gimnasios y con los chicos que los frecuentan. Con toda probabilidad, Colm y yo, en el fondo, teníamos mucho en común. Nos habría costado muy poco congeniar.

El chico, sin embargo, fruncía el ceño. Lanzó una poderosa patada frontal, concentrando la energía en el talón, con la intención de echarme hacia atrás y hacerme caer. A punto estuvo de lograrlo; si no lo consiguió, fue porque yo advertí su propósito, deduje que se preparaba para golpear con todas sus fuerzas, y tuve tiempo de apoyar todo el peso de mi cuerpo en el saco para que no me derribara.

Colm cambió de táctica y lanzó otra patada alta que me golpeó en la mano, aunque la había colocado bastante arriba para que no la alcanzase. No fue un golpe fuerte. Si hubiera querido, probablemente podría haberme roto algún hueso, puesto que yo no llevaba guantes. Me estaba demostrando lo que era capaz de hacer y, por si me quedaba alguna duda, quiso dejarlo claro rehuyendo mi mirada a continuación.

—Tienes una flexibilidad pasmosa —le dije—. ¿Nunca has pensado en aprender ballet?

Irritado, retrocedió para lanzar una patada aún más alta y atizarme de nuevo en la mano. En esta ocasión, le agarré el talón y tiré de él. Colm perdió el equilibrio y cayó al suelo.

—¿Pero qué problema tienes?

Colm me miró con ira.

—¿Nunca has pensado en lo que tu padre hacía a Aidan

341

JODI COMPTON

cuando vivía aquí? —pregunté sin más preámbulos—. ¿En el daño que le hacía?

—¡Quizá se lo merecía! —sentenció Colm mientras se ponía en pie—. A los demás no nos ha ocurrido, sólo a él. ¿No te parece raro? ¿No has pensado que tal vez hizo algo que mereciera ese trato?

—¿Como qué? —insistí—. Cuéntamelo.

Un músculo de su barbilla se movió involuntariamente. Su rostro denotaba enojo y esfuerzo físico.

—No quiero hablar de esto —gruñó. Acto seguido, se encaminó a la puerta y salió del garaje.

¡Bravo! Otro triunfo de la gran comunicadora Sarah Pribek. La cuestión era que había sido yo quien había empezado aquello y no podía dejarlo inconcluso.

Encontré a Colm sentado bajo el magnolio. Se había quitado los guantes de boxeo y, cuando llegué a su lado, había empezado a desenvolver las vendas de colores que llevaba en los nudillos.

—Si la familia Hennessy tuviera un escudo de armas —comenté sentándome junto a él—, el lema sería «no quiero hablar de esto».

Muy a su pesar, una sonrisa burlona empezó a formarse en las comisuras de sus labios. Advertí lo guapo que estaba cuando sonreía y las pocas veces que yo había tenido ocasión de comprobarlo.

—Antes, en el garaje —dije—, estabas desequilibrado físicamente y te derribé con facilidad. También lo estabas emocionalmente y con dos preguntas he conseguido que te marcharas y me dejaras con la palabra en la boca.

Colm dejó caer al suelo las últimas vendas de su mano derecha.

—Y estabas desequilibrado porque estabas enfadado —proseguí—. Pocas cosas nos enojan tanto como el sentimiento de culpa.

La media sonrisa abandonó su rostro y en sus ojos se encendió un brillo de cautela.

—¿De qué estas hablando?

—Cuando tu hermano y tu hermana escondieron a Aidan en el garaje, fuiste tú quien lo delataste a tu padre —expliqué—, y debido a ello lo desterró de nuevo a Georgia. Y, antes de eso, dejaste que cargara con la culpa de un cristal que habías roto tú. Y cuando Liam y Marlinchen expresaron sus reservas ante la posibilidad de que yo detuviese a Aidan, a ti te faltó tiempo para traerme las esposas.

—Comprendo —dijo Colm con amargura—. Soy el malo de la película.

—No —le aseguré—, pero, a veces, lo que más nos cuesta perdonar a los demás es el daño que les hemos hecho nosotros. Para protegerte, tienes que decirte a ti mismo que Aidan debe de merecer lo que le sucede.

Colm arrancó un puñado de hierba que se desprendió con un crujido seco, dejando a la vista una tierra negra y poco compacta.

—Y hay algo más —añadí—. Creo que estás enfadado con Aidan porque te ha decepcionado.

—¿San Aidan? —se burló Colm, arrancando otro puñado de hierba—. ¿El héroe que ha vuelto a casa para aportar otro sueldo y ayudar a Marlinchen a cuidar de todo el mundo? ¿Cómo puede haber hecho algo malo?

—Lo que le sucedía te asustó —apunté.

Colm me miró intrigado.

—Años atrás, Aidan era tu ídolo —proseguí—. Era todo lo que tú querías llegar a ser. Entonces lo viste impotente ante los ataques furiosos de tu padre y aquello te asustó. Y como no podías echar la culpa a tu padre, ya que Hugh era el único progenitor que tenías, te cambiaste de bando. Estuviste de acuerdo con él en todo y te pusiste de su parte y te convenciste de que, si tu padre trataba a Aidan de aquel modo, era porque el chico había hecho algo malo. Porque si lo que le ocurría a Aidan no era culpa suya, podía sucederle lo mismo a cualquiera de los demás, tal vez incluso a ti.

Vi que Colm tensaba los músculos del cuello. No esperaba que llorase, pero aquella rigidez incómoda en la garganta era una señal prometedora.

—Y te convertiste a ti mismo en una caricatura de la dureza —añadí—. Quisiste ser más fuerte de lo que Aidan nunca hubiese sido. Pero no se trataba de eso. Aidan no habría resuelto el problema siendo más alto, más fuerte, más rápido o más duro, y tú lo sabes.

Arranqué a mi vez un puñado de hierba, molesta por tener que desempeñar el papel de psicóloga de pacotilla. Entre Colm Hennessy y yo podíamos acabar con todo el césped que cubría el terreno bajo el árbol preferido de su madre.

—Me gusta pelear —explicó Colm—. El boxeo, la lucha, el levantamiento de pesas. Me gustan esas actividades por lo que son, como deporte.

—Te creo —asentí—, pero tienen sus límites. Si quieres que el regreso de Aidan no te altere tanto, tienes que hablar con él en vez de recluirte en el gimnasio con el saco de boxeo.

—Sí —dijo en voz baja—. Sí, de acuerdo.

Me sentí aliviada. Había conseguido lo que me proponía cuando había ido a su encuentro. Y, en aquel momento, lo que quería era marcharme antes de que se me escapase algo inoportuno y perdiera todo lo que había ganado.

—Muy bien —dije—. Volvamos a la casa.

Treinta

*L*a doctora Leventhal, psicóloga del departamento, era una mujer de unos cincuenta y cinco kilos con unos bonitos rizos gris metálico y un leve acento británico erosionado por los muchos años que llevaba viviendo en América. No había tenido la oportunidad de trabajar con ella o, para ser más precisos, nunca me lo habían pedido. Por eso, me sorprendió un poco que al día siguiente, cuando asomé la cabeza por la puerta de su despacho, supiera mi nombre.

—Detective Pribek —dijo—, no se quede ahí. No estoy ocupada.

Iba impecable, con un traje rosa pálido y una pequeña estrella de David de oro colgada al cuello de una cadena y, aunque yo vestía ropa y calzado adecuados para el trabajo, de repente me sentí como una cenicienta.

—Solo quería hacerle una pregunta rápida —apunté—. En realidad, no necesito nada.

—Adelante —me instó—. Si puedo, la ayudaré.

—Voy a plantearle una situación hipotética —expliqué—. Si a alguien se le ha contado repetidamente, desde los tres o cuatro años, que a esa edad un perro lo mordió y le causó graves heridas, ¿puede esa persona desarrollar un recuerdo diáfano del incidente, aunque éste no llegara a suceder? ¿Un recuerdo que sea casi visual?

Esperaba que, como psicóloga, me daría una respuesta prolija y no concluyente, pero no fue así.

—En efecto —dijo la doctora Leventhal—. Que el niño en cuestión sea tan pequeño ayuda mucho. Existe un acuerdo general en que los tres o cuatro años constituyen el umbral de la memoria, pero se sabe de adultos, incluso, que han inventado recuerdos a instancias de los psicólogos.

—¿Y por qué querían los psicólogos que inventaran recuerdos?

—Para un estudio —respondió—. A veces, se recurre a un hermano o hermana del sujeto para que le inculque un «incidente de la infancia» que nunca ha ocurrido. En tales circunstancias, los individuos objeto del estudio tienden a convenir que el incidente se produjo y a veces añaden incluso detalles que «recuerdan». —Hizo una pausa—. La posibilidad de que lo hagan depende, en parte, de lo fantasiosos y crédulos que sea. También depende de quién intenta convencerlos: las palabras de un hermano mayor siempre serán más tomadas en consideración que las de un hermano pequeño. En su caso, ¿quién es el «persuasor»?

—Uno de los progenitores —respondí.

—Entonces, no le quepa duda de que lo daría por cierto —respondió la psicóloga—. La memoria puede ser esclava de las necesidades emocionales. Si un niño tiene el intenso deseo de creer lo que le han dicho, puede construir un recuerdo y desarrollar un temor relacionado con ese recuerdo. —La doctora Leventhal descruzó las piernas y volvió a cruzarlas—. Debería preguntarle una cosa: el niño en cuestión, ¿ha recibido algún tipo de ayuda para poner en orden sus recuerdos? ¿Hipnoterapia, tal vez?

—No. —Sacudí la cabeza—. ¿Es eso malo?

—Bien, si no se practica correctamente, a la hipnoterapia se le atribuye la construcción de recuerdos falsos. Con mucha frecuencia, lo encontramos en terapeutas especializados en vejaciones sexuales. Cuando el paciente, sometido a hipnosis, quiere «complacer» al terapeuta, a menudo acepta las sugerencias de éste y contesta afirmativamente a preguntas como, «¿hay alguien más contigo en la habitación?»

—No es el caso —dije—. El chico no se ha sometido a terapia de ningún tipo.

—No pretendo cargarme la hipnosis de forma indiscriminada —observó la doctora Leventhal—, pero es una técnica de la que seguimos ignorando tanto... Y poco conocemos también de la memoria, ya que hablamos de ella. Es un campo de investigación realmente asombroso. ¿Sabe lo que es un falso recuerdo?

Negué en silencio.

—Los psicólogos no siempre se ponen de acuerdo en su definición ni en su incidencia —dijo—. Pero, básicamente, un falso recuerdo es un mecanismo de defensa. Algunos pacientes que han sufrido traumas no son capaces de recordarlos, al principio. En cambio evocan sin dificultad otros incidentes más sencillos y aceptables.

—¿Como qué? —inquirí, interesada a mi pesar.

—Un paciente puede decir, por ejemplo, «me asomé a la ventana y vi un par de cuervos en el jardín del vecino» cuando, en realidad, vio a un hombre que pegaba a una mujer. El mente sustituye la imagen inaceptable por una aceptable. La encubre.

Debí de parecer asombrada, porque la doctora sonrió.

—La mente es muy poderosa en lo que a sus propias defensas se refiere —dijo.

—Es fascinante —asentí.

—Veo que le interesa el asunto, porque cuando hemos empezado a hablar, se había detenido en el umbral de la puerta y ahora ya está a mitad de camino de la mesa.

Advertí que estaba en lo cierto.

—La veo un poco asustada, detective Pribek —comentó—. Le aseguro que no ato a la gente a la silla ni la obligo a que me cuente su infancia.

—Estupendo —dije—. Se aburriría enseguida con los recuerdos de mi vida personal. Tuve una infancia bastante insípida.

—La gente tiende a suponer, erróneamente, que a los psicólogos sólo nos interesa lo anormal —dijo—. Las mentes sanas son tan fascinantes como las perturbadas. —Inclinó la cabeza levemente—. Me pregunto, sin embargo, si es del todo sincera cuando dice que sus años de niña fueron aburridos.

—Bueno, no recuerdo haber visto cuervos, la verdad, si es eso a lo que se refiere —repliqué en tono ligero.

Una compañera de trabajo contrajo inesperadamente un catarro estival y me tocó cubrir el turno de noche en comisaría dos jornadas seguidas. Ninguna de esas dos noches fui de visita a casa de los Hennessy. Al tercer día, miré el calendario y me pregunté por qué se me había grabado aquella fecha en la memoria. Lo recordé al cabo de un instante: era el cumpleaños de Aidan y Marlinchen.

Faltaba poco para el solsticio de verano y el sol todavía estaba muy alto cuando llegué a la casa, aparqué y crucé las puertas correderas que daban a la terraza. A aquella hora, Marlinchen solía preparar la cena, pero la cocina se hallaba vacía. Había cacerolas y utensilios en la encimera, pero nadie a la vista. Salí de nuevo, me dirigí a la puerta principal y llamé al timbre.

Cuando Marlinchen me abrió, la vi mucho mayor de lo que en realidad era. Vestía una camisa de seda color canela y una falda negra de tubo. Antes de que pudiera hacerle algún comentario al respecto o de que ella me dijera nada, me fijé en otro detalle.

Desde que los conocía, los Hennessy nunca habían utilizado el comedor. Por lo general, los niños comían en la mesa de la cocina, y allí me había dirigido en primer lugar a buscarlos. Pero en esta ocasión la familia se había reunido en torno a la mesa del comedor. Dos velas brillaban entre las fuentes de comida y todas las caras se volvieron a mirarme.

No vi entre ellos, sin embargo, la larga y desgarbada figura de Aidan. En cambio, en el lugar de honor de la mesa, la luz arrancaba destellos de un bastón metálico apoyado contra la silla. Levanté la mirada y me encontré con los ojos azul pálido de Hugh Hennessy.

—Sarah —dijo Marlinchen con una voz que expresaba tanta cautela como sorpresa.

—Hola —murmuré torpemente—. No pensaba que fuerais a cenar tan temprano.

—Para papá, es mejor cenar pronto —explicó Marlinchen—. Además, hoy está cansado. Ha salido del hospital esta misma tarde.

Desde el otro lado de la mesa, a unos seis metros de distancia, Hugh nos miraba a las dos. Probablemente no nos oía pero, aun así, me sentí muy incómoda y me volví hacia la puerta. Marlinchen, toda cortesía, me siguió al exterior.

—No esperaba ver aquí a tu padre, tan pronto —comenté.

—Esta tarde hemos firmado los documentos por los que me nombra administradora —dijo Marlinchen— y lo he traído a casa. Precisamente celebramos su regreso. Los cumpleaños, el fin de curso y el regreso de papá.

—Me dejas pasmada —admití—. ¿Y cuándo vas a presentarte a las elecciones a gobernadora del estado?

—Todo te lo debo a ti —se rió Marlinchen, complacida—. ¿Quieres entrar y acompañarnos? Hay tantísima comida...

—No, déjalo.

—¿Estás segura? —insistió.

Era evidente que estaban a media cena, pero mi negativa no se debía sólo a eso. Algo había cambiado en la escena: la familia reunida, la manera en que Hugh me miraba en silencio desde la cabecera de la mesa... El círculo se había cerrado y yo estaba de más.

—Completamente —respondí—. Gracias por la invitación.

—Bueno, gracias a ti por venir —dijo Marlinchen—. Nunca podré agradecerte bastante todo lo que has hecho por nosotros.

Era imposible no captar la nota de despedida en su voz. «Ha sido un placer conocerte», me estaba diciendo.

En lugar de dirigirme al coche, me volví hacia el garaje del fondo y la gravilla crujió bajo mis botas. Allí vivía ahora Aidan Hennessy.

Deseé comprender por completo la causa de que la presencia de Hugh me provocara tanta incomodidad. Yo había pasado mucho tiempo con individuos que habían hecho cosas peores que maltratar a sus hijos. ¿Por qué, pues, la mirada azul y malsana de Hugh me afectaba de aquel modo? Era como si supiese lo que yo sabía de él. Pensé que lo estaba imaginando, que era imposible que aquella fría expresión me estuviera diciendo: «Mi familia no es asunto tuyo. Déjanos en paz. Lo pasado, pasado está».

La puerta del garaje estaba abierta. Llamé con los nudillos en el marco y asomé la cabeza. Lo que vi me sorprendió. Aidan estaba trabajando en el viejo BMW. El coche tenía el capó levantado y el motor brillaba bajo la luz del techo. Al oír mi llamada, alzó la cabeza.

—Feliz cumpleaños —dije.

—Hola —me saludó—. Entra.

—¿Qué haces? —le pregunté, acercándome.

—Voy a convertirlo en el coche trucado definitivo —respondió Aidan, que no parecía descontento con el desafío que planteaba el vehículo—. Hace catorce años que no se ha movido.

—¿Catorce? —repetí.

—Eso dice Linch. Tiene acceso a todos los archivos de Hugh. —Se agachó junto al marco de la puerta—. Tal vez me esté embarcando en algo imposible. Escucha esto.

Dio un empujón al costado del coche y oí un leve chapoteo.

—Gasolina de hace catorce años —explicó—. Calculo que, cuando dejó de funcionar, debían de quedarle cinco o diez litros. Ahora quedarán apenas unas gotas. Tendré que vaciar el tubo del carburante. Todavía no me atrevo siquiera a preparar una lista de todo lo que será preciso hacerle. —Se incorporó—. Pero será un buen coche para Marlinchen, cuando por fin lo haya terminado. El cuatro por cuatro no le gusta nada.

Miré al interior a través de una ventana, igual que había hecho cuando había registrado toda la casa y el jardín la noche del regreso de Aidan.

—Está limpio por dentro —aseguró—. Salvo unas cuantas telarañas.

Tenía razón. No vi nada inusual y los asientos de cuero estaban bien conservados y sin desgarros.

—¿Dónde aprendiste mecánica? —pregunté.

—Siempre me han interesado los coches —respondió Aidan—, pero lo aprendí casi todo en Georgia. Pete tenía un camión viejo y maquinaria agrícola con los que me entretenía.

—Pues la mecánica es una habilidad muy útil —observé—. Pero tal vez sería mejor que pensaras en comprar un coche de segunda mano que funcione, en vez de reparar éste.

—Es posible —asintió. Aidan se puso en pie y se acercó a un estante. Entre las herramientas tenía el paquete de tabaco y el mechero. Sacó un cigarrillo y lo encendió.

Aproveché la oportunidad para mirar alrededor. La decoración interior del garaje había cambiado. En el extremo opuesto, el pesado saco de boxeo de Colm seguía colgado de las vigas, pero el banco de pesas estaba arrinconado para dejar espacio a un camastro cubierto por unas cuantas mantas de colores variados. Al lado, habían puesto una cómoda de contrachapado con cajones, encima de la cual había una sola foto enmarcada. Una bombilla en el techo iluminaba el espacio.

—¿No te molesta estar exiliado aquí? —pregunté a Aidan.

—Hugh actúa de una manera muy rara cuando me ve —respondió el chico, tras pensarlo unos instantes—. Como lo que hizo en el hospital. Por otro lado, la verdad es que no me molesta; me gusta tener mi propio espacio. No olvides que fui yo quien decidió no pasar mucho tiempo en su compañía. —Aidan tiró la ceniza en la tapa de un bote de mayonesa que hacía las veces de cenicero—. Además, no es que no pueda entrar en la casa. Con el bastón, Hugh tiene dificultades para bajar la escalera, por lo que casi siempre estará en el piso de arriba, al menos durante un tiempo.

—Comprendo —asentí.

Encontrar una situación ideal para los Hennessy era difícil y cada vez comprendía mejor lo que el juez Henderson me había dicho: nadie puede ordenar cómo ha de llevar sus asuntos una familia.

La foto enmarcada de la cómoda me llamó la atención y la miré más de cerca. En ella aparecía Elizabeth Hennessy, sentada bajo el magnolio con un niño de tres o cuatro años en el regazo. El cabello del pequeño era más claro que el suyo, y pensé que no podía tratarse de Liam ni de Colm.

—¿Eres tú con tu madre? —inquirí.

—Sí —respondió Aidan.

—¿Es la misma foto por la que te peleaste con tu padre?

—Sí, ésta es.

—Si no te importa que te lo pregunte —proseguí—, ¿dónde la escondiste para que Hugh no la encontrara?

—La tenía la tía Brigitte —respondió—. Se le envié por correo el mismo día y luego me la dio.

Desde entonces, la había llevado siempre consigo, incluso durante la época que vivió en la calle como fugitivo. La veneración que sentía por su madre era evidente y pensé que Hugh había demostrado ser muy perspicaz, aunque también cruel, cuando le había prohibido que los acompañara en la visita que realizaron a la tumba de la madre.

—Falta poco para el aniversario de la muerte de tu madre, ¿verdad? —pregunté. La última vez que había cenado con sus hermanos, lo habían comentado.

—El domingo —asintió Aidan—. Probablemente iremos todos al cementerio.

Saqué la cartera, busqué una tarjeta mía y se la tendí.

—Escucha —le dije—. Ahora tengo que irme. Marlinchen ya tiene estos teléfonos, pero así tú también los tendrás. Por si necesitas algo.

—¿Y ya no vendrás más por aquí? —quiso saber.

—Creo que me he quedado obsoleta —respondí con pesar.

Y cuando subí al coche y recorrí la larga calzada de acceso, contemplé la casa deteriorada por la intemperie que desaparecía en el retrovisor como si fuera la última vez que la viera.

Pero aquella noche, cuando me dormí, soñé que el condado de Hennepin había puesto una demanda contra Hugh Hennessy con la condición de que yo fuera la fiscal. Estaba en el juzgado y yo lo interrogaba en la sala de audiencias.

«Vi un par de cuervos», decía Hugh.

Aquélla no era la respuesta que esperaba. «¿Podría repetir lo que ha dicho?»

«Un relámpago alcanzó la casa», respondió.

Entre los asistentes, alguien soltó una risita. El juez dijo: «Controle a sus testigos, letrada».

Pero Hugh no se detuvo. «Fue un pitbull —dijo—. Vi un par de cuervos. Un relámpago alcanzó la casa. Vi un par de cuervos. Vi un par de cuervos. Vi un par de cuervos.»

Treinta y uno

*E*n la tumba donde estaba enterrada la madre de los hermanos Hennessy, un ángel de mármol presidía la lápida y reflexionaba, o se dolía, con expresión serena. Más abajo, la piedra rezaba: «Elizabeth Hannelore Hennessy, esposa y madre querida».

Era una luminosa tarde de domingo y me senté en el punto más elevado del camposanto, un mausoleo al que se ascendía por un tramo de escalinata de piedra. El sol avanzaba hacia poniente y me instalé bajo tres pinos que proporcionaban sombra mientras observaba la tumba de Elisabeth y aguardaba al visitante que sin duda visitaría el lugar en la fecha de su aniversario.

Durante los últimos días, había intentado quitarme de la cabeza a los Hennessy. Al principio, cuando Marlinchen se había presentado en la comisaría pidiendo una ayuda que yo pensaba que no podía brindarle, mi primer impulso fue mantenerme alejada de ellos. Ahora que Marlinchen era oficialmente la cabeza de familia y me había dado permiso para olvidarlos, en cambio, no lo conseguía. Me sacaba de quicio aquella contradicción que no era capaz de resolver.

La doctora Leventhal había corroborado la idea de que la mente de los niños pequeños es tan maleable que incluso puede fabricar recuerdos visuales. Sin embargo, los detalles del relato de Aidan eran tan realistas... El dedo que no estaba arrancado del todo, la sangre que manaba de la herida...

Desde la pequeña marca del diente que había visto llenarse de sangre hasta el hecho de que el dedo seguía unido a la mano. Era como si lo estuviera viendo en directo, con realismo de documental.

En cierto modo, me parecía imposible que Aidan hubiese inventado una imagen tan detallada y espeluznante de su mano herida. No me parecía un muchacho imaginativo. Su natural sencillo y directo era una de las características que más me gustaban de él. Las profundidades recónditas nunca me han atraído. Shiloh las tenía en abundancia y habían terminado por arruinarle la vida.

Además, una cosa era fabricar un recuerdo y otra muy distinta inculcar el miedo. A Aidan, los perros le daban pánico, y esto indicaba que mi teoría sobre lo sucedido en el estudio de Hugh y la pistola era errónea. No me importaba reconocerlo ya que, en cuanto a cometer equivocaciones se refiere, soy un verdadero as. En cualquier caso, este tipo de deslices pueden corregirse. El problema no era éste, sino Marlinchen y sus recuerdos de lo que había descrito como un relámpago, pero que a mí me sugería el disparo accidental de una pistola en la casa. Unos recuerdos que Aidan no compartía. O Marlinchen estaba equivocada o lo estaba Aidan, aunque los dos resultaban absolutamente convincentes cuando contaban las respectivas versiones.

Y luego estaba el viejo BMW. Hugh lo no había usado durante catorce años. La fecha coincidía con el tiempo en que habían cambiado la moqueta del estudio y con el momento en que se originaron los dispares recuerdos tempranos de Marlinchen y de Aidan. Era otra cosa más que llevaba a aquel periodo crítico de hacía catorce años. Al umbral, como lo había llamado la doctora Leventhal.

Mi primer pensamiento fue que Hugh había guardado el BMW lejos de las miradas porque Aidan había sangrado abundantemente dentro del coche y, a diferencia del estudio,

Hugh no había conseguido limpiarlo bien. Pero si Aidan se hubiera disparado sin querer en una mano, el primer gesto instintivo habría sido, sin duda, envolvérsela en una toalla y taponar la herida. Claro que habría sangrado, pero no tanto como para que Hugh no pudiese limpiarlo. ¿Acaso se le había ocurrido prever que, algún día, alguien podría inspeccionar el coche en busca de pruebas de que el accidente del hijo no había sucedido tal como el padre había contado? He conocido a gente paranoica, pero aquello me parecía exagerado.

Sin embargo, no era imposible. El problema residía en que yo sabía muy poco del carácter de Hugh. No podía hablar con él y lo que sus hijos explicaban era bastante limitado.

Lo que necesitaba realmente eran los recuerdos de un adulto que hubiese tratado de cerca a los Hennessy durante los primeros años de su matrimonio, alguien que los hubiese conocido bien en este periodo de sus vidas. Alguien que, como Aidan, hubiese sido proscrito de la casa y cuyo alejamiento de la familia hubiera ocurrido catorce años atrás, como todo lo demás.

Lo vi llegar al cabo de dos horas. Se trataba de un hombre delgado; había enfilado el sendero que se dirigía a la tumba de Elisabeth Hennessy con un ramito de narcisos blancos en la mano. El paso del tiempo había cambiado poco a J. D. Campion. Llevaba el cabello largo como antes, sujeto en la nuca con una coleta, y todavía lucía barba. Ni en la cabeza ni en la barba le habían aparecido canas y las flores que colocó en el jarrón estaban envueltas en el papel de celofán transparente que utilizan las floristerías para envolver los ramos.

Campion tenía buen oído. Yo me encontraba a unos cuantos metros cuando se volvió para mirarme.

—Señor Campion —dije—. Me llamo Sarah Pribek. Soy amiga de Marlinchen Hennessy.

—¿Marlinchen? —exclamó, sorprendido—. Entonces, ¿también conoce a Hugh?

—No exactamente —respondí—. Me gustaría hablar con usted.

—¿Me ha estado esperando aquí? —quiso saber.

—Sí —admití—. Es usted una persona difícil de localizar. He intentado ponerme en contacto a través de sus editores y mediante listines de teléfono, pero no he tenido suerte y se me ocurrió que...

Campion observó a un par de ardillas que se peleaban en una rama de la copa de un árbol.

—Me parece mucha molestia, sólo para verme —comentó despacio—. Y no habrá venido para hablar de las referencias védicas en *Camino de las sombras*, ¿verdad?

—Pues no —admití.

—Entonces, ¿cómo es que trata a Marlinchen pero no conoce a Hugh? —inquirió.

—Conocí a Marlinchen no hace mucho —expliqué—. Un par de meses atrás, Hugh sufrió una grave apoplejía.

—No he leído la noticia —adujo.

—Es que no ha salido en la prensa —repliqué.

—¿Tan grave fue?

Si satisfacía su curiosidad allí mismo, no tendría ningún incentivo para conseguir que me explicara todo lo que yo quería saber.

—Se lo contaré todo —aseguré—, pero tal vez podríamos ir a un lugar donde estuviéramos... —no podía decir «a solas» porque allí no había nadie que nos oyera— ... más cómodos.

Campion no mordió el cebo enseguida.

—Lo siento, pero aún no sé quién es usted —objetó.

—Soy detective de la Oficina del Sheriff del condado de Hennepin, pero no se trata de ninguna investigación oficial. Estoy ayudando a Marlinchen en un problema familiar.

—Dirigí la mirada colina abajo, hacia donde tenía aparcado el coche—. Como ya le he mencionado, me gustaría hablar del asunto con usted, pero tal vez éste no sea el lugar más adecuado.

—Tal vez no —convino Campion—. ¿Le parece bien que vayamos a un bar?

Siempre había sentido curiosidad por saber qué beben los poetas en los bares. La respuesta no me emocionó demasiado: cerveza Budweiser. Yo pedí una Heineken para no desentonar.

En mi profesión, puedo permitirme el lujo de decir «aquí soy yo quien hace las preguntas», aunque no tenga que expresarlo con palabras. Por lo general, interrogo a sospechosos arrestados o entrevisto a testigos intimidados por la gravedad de la situación en la que se han visto involucrados. En esas situaciones, las respuestas suelen fluir con facilidad y de manera unilateral.

En cambio, en el caso de Campion, para obtener información de él tendría que darle yo alguna. No porque se mostrara receloso, sino porque no había tenido contacto con la familia Hennessy desde hacía casi quince años. Hasta que le explicase algunos detalles de la situación actual de la familia, no entendería las preguntas que pensaba formularle. Por otro lado, me pareció que si no le contaba cómo estaban las cosas, se negaría a colaborar. No me conocía de nada y sólo tenía mi palabra de que estaba ayudando a Marlinchen.

Le referí el ataque de Hugh, la visita en que Marlinchen me había pedido ayuda para que buscara a su hermano Aidan y el regreso de éste, callándome sólo los malos tratos que Hugh le había infligido.

—Han pasado catorce años —dijo Campion cuando hube terminado—. No sé si le seré útil.

—Hábleme de catorce años atrás. —Bebí un trago de Heineken—. ¿Por qué se pelearon Hugh Hennessy y usted?

—No lo sé —respondió.

—Pues claro que lo sabe —repliqué llanamente. Campion no parecía de esos a quienes molesta que se llame a las cosas por su nombre—. Las amistades no se rompen para siempre sin un buen motivo.

—Tendrá que preguntárselo a Hugh, cuando se recupere —apuntó—. Sé que suena extraño, pero sigo sin saber por qué se enfadó tanto.

—Cuénteme cómo ocurrió.

—En aquella época, yo viajaba mucho. —Campion se recostó en el asiento—. Y Minnesota era una suerte de apeadero para mí, porque Hugh y Elisabeth estaban allí. Una noche, llegué tarde a la ciudad y fui a su casa. Llevaba cuatro meses sin verlos. Cuando me abrieron la puerta, Hugh no me dejó entrar. —Campion sacudió la cabeza como reviviendo el asombro—. Me acusó de ser una mala influencia para sus hijos y de envidiar su éxito, y terminó diciendo que no quería verme. Acto seguido, cerró la puerta y no la abrió más.

—Y entonces, ¿qué? —lo presioné.

—Me marché —respondió—. No iba a quedarme en la puerta llorando, como un perro que ha sido malo. Lo llamé al cabo de unos días para ver si se le había pasado, pero me pidió que no lo llamara más y me colgó el teléfono.

—¿Y nunca habló de ello con Elisabeth? —inquirí.

—No. Lo intenté, pero nunca respondía al teléfono. Siempre se ponía Hugh.

—¿Cree que Elisabeth tenía algo que ver con la ira de Hugh? —pregunté—. ¿Estaba celoso?

Campion se puso tenso y pareció que iba a ofenderse. Luego se relajó un poco.

—Supongo que si un hombre lleva flores a la tumba de una mujer diez años después de su muerte, no es ningún secreto que está colgado de ella —admitió—, pero Elisabeth tomó una decisión y yo la respeté. Además, nunca le habría sido infiel a su marido, y él lo sabía.

Campion sacudió de nuevo la cabeza, como queriendo olvidarse de un misterio que nunca se resolvería, y apuró el último trago de cerveza.

Después de pedir otra ronda, le pregunté:

—Si no fue por Elisabeth, ¿pudo haber sido por su hermana?

—¿Brigitte? ¿Qué ocurre con ella?

—Usted y Brigitte mantuvieron una relación, ¿no es cierto?

—No duró; pero sí, es cierto.

—Creo que a Hugh no le caía bien. Brigitte nunca estuvo de visita en la casa, ni los Hennessy iban a verla a ella.

Campion inclinó la cabeza, pensativo.

—Tiene que comprender —dijo al cabo— que Hugh era un tipo muy rígido, con una moral muy rígida, quiero decir. Brigitte tomaba drogas y se acostaba con quien le apetecía. Eso, a Hugh, no le gustaba. Por el contrario, Elisabeth y él se casaron cuando tenían diecinueve años. Un comportamiento muy anticuado, casi medieval, para la época.

—Lo sé. Pero si a Hugh le disgustaba tanto su conducta, ¿por qué cree que mandó a Aidan a vivir con ella?

—No tengo la menor idea —respondió Campion, frunciendo el ceño—. Me pide que haga conjeturas cuando ya ha quedado claro que, en el fondo, no conozco en absoluto a Hugh ni sé qué le mueve. —Contempló a una veinteañera de cabellos caoba brillante que se apoyaba en la barra con las manos y, medio saltando, besaba al camarero—. Me sorprende muchísimo que Gitte accediera a hacerse cargo del niño. Nunca tuvo mucho dinero y, por esa época, era madre soltera.

Yo iba a llevarme al vaso a la boca y me detuve a medio camino.

—¿En serio? Aidan nunca ha contado que viviera con un primo.

—Gitte me alojó una vez en su casa —asintió Campion—, varios años después de nuestro breve y ardiente romance. Ya sé que es un término pasado de moda, pero yo diría que en esa época cohabitaba con el padre de su hijo.

Sí, era un término pasado de moda, de los que utilizaban los veteranos de pelo cano en las salas de interrogatorios de comisaría, tan corriente en su tiempo como lo es hoy «pareja de hecho». Por lo general, se utilizaba para describir el tipo de convivencia que mantenían muchos habitantes de los barrios pobres que creían que en los cursillos de consejos matrimoniales se aprendía a escapar de los sartenazos o de las peleas a gritos. Campion no parecía haberlo dicho en aquel sentido.

—Me refiero a que vivían juntos y estaban realmente unidos, aunque no estuvieran casados. Era evidente que se trataba de una relación sólida.

Asentí.

—Así eran Brigitte y Paul. He olvidado su apellido. Era francés. Estaba claro que habían nacido el uno para el otro.

—Bueno, pues no les debió de ir tan bien —comenté—, si me dice que años más tarde ella era madre soltera.

—Paul no la dejó. —Campion sacudió la cabeza ante mi comentario—. Murió. —Bajó un poco la voz—. Lo vi con mis propios ojos.

Llegado aquel punto, yo había dejado de presionarle para que hablara. Llevaba dentro una historia que pugnaba por salir.

—Paul no se sintió incómodo con la visita de un antiguo novio, por lo que decidí quedarme una semana —explicó Campion—. Llevaban tres años viviendo juntos y Gitte era muy feliz. Paul trabajaba en la construcción. Era un tipo corpulento, medía un metro noventa, de constitución fuerte, pero era un buen hombre. Totalmente entregado a Gitte y al niño, Jacob, que a la sazón tenía dos años.

»El fin de semana, Paul y yo salimos a beber por ahí. Fuimos a un bar que le gustaba, un auténtico antro. En mis años mozos yo había estado en muchos bares pero, incluso así, me alegré de que estuviera a mi lado. Todo iba bien hasta que llegaron los vecinos de Gitte. Esos tipos eran unos auténticos hijos de puta, y disculpe que utilice este lenguaje a pesar de mi condición de escritor.

Sonreí para demostrarle que no me había ofendido.

—Los vecinos criaban pitbulls para peleas de perros —prosiguió—. A Gitte le daban un miedo tremendo, no sólo por lo que pudieran hacerle a ella sino, sobre todo, por el pequeño Jacob. Quería que los vecinos pagaran su parte de una cerca para separar los dos patios, pero aquella gentuza pensaba que si la vecina pedía una cerca, que la pagase ella.

»Aquella noche, Paul estaba dispuesto a pasar de ellos, pero empezaron a meterse con él y a hacer comentarios desagradables sobre Gitte. Y así empezó todo. Muchos parroquianos del bar se apuntaron a la pelea, yo incluido. No me gusta pelear, pero aquella noche Paul era mi compañero, habíamos salido de copas juntos, ya sabe a qué me refiero.

—Sí —asentí.

—A mí me machacaron enseguida, pero Paul... Nunca había visto a nadie pegar de ese modo y, en el fondo, parecía feliz, incandescente. —Campion sacudió la cabeza al recordarlo—. Fueron necesarios cuatro policías para reducirlo y meterlo en el coche patrulla. Yo fui tras ellos y vi que lo dejaban en el vehículo mientras continuaban el desalojo del local pero, en cuanto se sentó, Paul apoyó la cabeza contra la ventana y cerró los ojos, como si se hubiera despachado a gusto y la pelea lo hubiera dejado exhausto. —Campion hizo una pausa—. Los policías tampoco se extrañaron.

—¿Por qué habían de extrañarse? —pregunté.

—Estaba muerto —respondió Campion—. Cuando llegaron a la comisaría, no le encontraron el pulso. Fue una de esas raras enfermedades cardiacas que pasan del todo inadvertidas, de esas que hacen que un atleta caiga sin sentido al terminar una carrera. Más adelante, unos abogados llamaron a Gitte diciendo que podía demandar a los agentes por negligencia, pero ella sabía que no era culpa de la policía.

—Campion bebió otro sorbo de cerveza—. Me quedé un mes más en la casa, con ella y con Jacob. Quería ayudarlos, pero yo no era Paul. Gitte y yo no estábamos hechos el uno para el otro. Ya habíamos recorrido aquel camino juntos y yo seguí el mío en solitario. —Sacudió la cabeza—. Pero nunca olvidaré aquella tarde. Recuerdo cuando salí del bar detrás de Paul y de los policías y el sol poniente. Recuerdo que me quedé allí plantado en el aparcamiento, mientras Paul apoyaba la cabeza en el cristal y se moría. Siempre he querido escribir sobre ello, pero nunca he sido capaz de hacerlo.

Treinta y dos

El lunes por la mañana, a las ocho y media, me dispuse a esperar a la puerta del despacho de Christian Kilander. Era mi día libre y me había vestido con ropa cómoda, unos Levi's viejos y una camisa ancha de color crema que era de Shiloh. Al verme allí tan temprano, Kilander arqueó una ceja.

—¿A qué se debe este honor? —preguntó.

—Soy yo la que ya te debe un favor —dije—, pero necesito que me hagas otro. Tú estudiaste Derecho y tu primer empleo fue en la administración en Illinois, ¿verdad?

—Sabía que no era una buena idea hacer público mi currículum —respondió, sujetando la cartera y el café con una mano mientras abría la puerta con la otra.

—Y todavía tienes contactos allí, ¿verdad? —insistí y entré detrás de él. Kilander era un maestro de las relaciones profesionales. Yo dudaba de que dejara perder cualquier contacto útil.

Puso la cartera en el armario bajo y el café sobre la mesa.

—Ya veo adónde quieres ir a parar —comentó—. ¿Qué necesitas y de quién?

—Registros del censo de Rockford —respondí.

—Ya sabes que esos datos son públicos —señaló Kilander—. No tienes por qué pedir ningún favor. Si llamas y preguntas, te los darán.

—Eso, con mucha suerte.

Las bases del datos del gobierno: partidas de nacimiento y de defunción, actas de matrimonio y sentencias de divorcio, registros de la propiedad, matriculaciones en las escuelas, etcétera, son documentos de dominio público. Pero a menudo se archivan incorrectamente, o los apellidos están mal escritos. O el sistema informático está caído. Es preferible que una busque lo que necesita en persona, tomándose todo el tiempo necesario tiempo y recurriendo a toda su paciencia.

Pero si no puedes presentarte allí, necesitas a alguien que pueda echarte una mano, alguien que reconozca tu voz al teléfono. De otro modo, estarás condenada a escuchar una sucesión de voces incorpóreas: «Lo siento, señor. Lo siento, señora. No disponemos de esta información. No puedo hacer nada».

En resumen: si te vale con decir que al menos lo has intentado, ponte a llamar a esos funcionarios anónimos. Si realmente quieres obtener la información, busca un contacto personal.

—Muy bien, jovencita —concedió Kilander—. ¿Qué buscas, exactamente?

—Partidas de nacimiento, matriculaciones en escuelas, cambios de nombre. No sé qué necesito exactamente.

—O sea que lo tuyo es más la pesca de arrastre que con arpón —dijo—. De acuerdo, rescataré un par de números de teléfono. En realidad, voy a hacer algunas llamadas para facilitarte las gestiones. —Se sentó al escritorio y consultó su agenda—.¿Una jornada monótona, la de hoy, en la división de detectives? —preguntó sin alzar los ojos de la libreta.

—No —repliqué—. Tengo el día libre.

Ocupé una sala de reuniones vacía y dediqué todo el día a hacer y devolver llamadas telefónicas a Rockford. Cuando sonó el móvil a las cuatro y veinticinco de la tarde, esperaba otra llamada de Illinois. Precisamente por eso, no reconocí la voz masculina al otro lado del hilo.

—¿Detective Pribek?

—Al habla —dije.

—Soy Gray Diaz. Ya sé que es su día libre, pero me preguntaba si podría dedicarme unos minutos. Necesito que venga al centro.

El Gabinete de Investigación Criminal. Ya tenían los resultados.

—Muy bien —asentí despacio—. ¿Dónde está? Yo, ahora mismo, estoy en la central.

Diaz se había instalado cómodamente en el despacho de la fiscal Jane O'Malley, que estaba de vacaciones. Había cubierto la mesa de papeles, de modo que las fotos de los dos hijos y los sobrinos de la mujer presidían el caso de Royce Stewart.

—Gracias por venir —dijo—. Siéntese, por favor.

O'Malley tenía unos amplios sillones, bajos y mullidos, que había pagado de su bolsillo y en los que se hundían sus visitas. Yo los conocía bien y sabía que eran demasiado cómodos para resultarlo de verdad, sobre todo si Diaz continuaba de pie, cerniéndose sobre mí. Por eso preferí apoyar el trasero en el brazo de uno de ellos, en una postura a medio camino entre estar sentada y de pie.

Transcurrieron unos segundos hasta que Diaz aceptó que me quedara en aquella posición. Luego, se dirigió a la ventana y miró al exterior, aunque yo dudaba de que estuviera realmente observando algo.

—Permíteme que te tutee, Sarah —dijo—. No te he contado nada de mí. —Hizo una pausa—. Vine a trabajar a Blue Earth porque mi suegro está enfermo. Ha vivido en ese pue-

367

blo casi toda su vida y a su edad, mi mujer no quiere que
tenga que trasladarse a otro sitio. Pensar en una mudanza y
en marcharse de su granja le causaría tanto estrés que podría
sufrir un ataque, ¿sabes?

—Sí —respondí.

—Yo preferiría estar aquí, en Hennepin, trabajando con
vosotros. —Una nueva pausa—. Si trabajara aquí, tú y yo
seríamos colegas, Sarah. Podríamos investigar casos juntos.
—Se volvió hacia mí—. Me gustaría que las cosas fuesen así
y no tener que encontrarme contigo en estas circunstancias.

—Lo mismo digo —murmuré.

—Por eso, porque somos colegas —prosiguió Diaz—,
quiero darte una oportunidad. Estoy a punto de concluir mi
trabajo en el caso.

Yo permanecí en silencio. Diaz se acercó y se detuvo entre el escritorio de O'Malley y yo.

—La primera vez que te entrevisté, Sarah, te pregunté si
había alguna razón por la que hubieras podido estar en la
puerta de la casa de Stewart la noche que murió. Contestas-
te que no.

—Lo recuerdo —asentí.

Diaz se sentó en el borde de la mesa, como un profesor
que mantuviera una charla informal como una alumna después de la clase.

—Bien; ahora la pregunta es: ¿quieres modificar esa respuesta?

«Ahora no dudes», pensé.

—No —respondí—. No es necesario, no.

Diaz desvió los ojos hacia la ventana y luego me miró.

—Hemos encontrado sangre en la alfombrilla de tu
coche —anunció—. También hay una muesca diagonal en
el neumático trasero de la derecha, causado por algo sobre
lo cual pasaste. Es tan característica como una huella dac-
tilar.

Seguí callada, pero noté que los músculos de la garganta se me tensaban involuntariamente y tragué saliva.

—Sé lo que le hizo Royce Stewart a la hija de tu compañera, Sarah. Sé que, la noche en que murió Stewart, tú creías que tu marido había muerto y que Shorty había tenido la oportunidad de ayudarlo pero no lo había hecho. Se trata de unas circunstancias atenuantes en grado sumo. —Se inclinó hacia delante hasta que sus manos medio dobladas casi tocaron las mías—. Conozco tu historial, sé que eres una buena policía, Sarah, y deseo ayudarte. Pero, llegado este punto, deberías contarme qué ocurrió aquella noche. Si tú no das un paso y nos encontramos a mitad de camino, no podré ayudarte.

—Lo siento, Gray. —Carraspeé—. No tengo nada que añadir a lo que ya he dicho.

—Yo también lo siento, detective Pribek —dijo Diaz con un suspiro, al tiempo que se ponía en pie—. Seguiremos en contacto.

Al volver a la sala de reuniones, no podía recordar lo que estaba haciendo justo antes de marcharme. Consulté mis notas, pero no me proporcionaron ninguna pista.

—¿Estás bien?

Era Christian Kilander. No lo había oído entrar.

—Estoy bien —respondí, alzando la cabeza.

No mentía. La calma se había apoderado de mí inesperadamente y enseguida comprendí por qué. Gray Diaz había dejado claro que aquélla era la última oportunidad que me brindaba para sincerarme con él. Tal vez debería haberla aceptado, pero a esas alturas ya era demasiado tarde. Los paracaidistas, cuando se tiran del avión por primera vez, pueden vacilar en el momento del salto pero, una vez están en el aire, ya no está en su mano hacer nada. Suceda lo que suceda, un aterrizaje seguro o un impacto con heridas, se han quitado de la espalda el peso de la decisión. Yo había tomado la mía, como ellos, y lo que ocurriera en adelante ya no dependía de mí.

—Ha llegado esto para ti —dijo Kilander, presentándome un fax—. De Rockford.

Lo agarré. «Partida de nacimiento», rezaba el encabezamiento.

—No había nada más, lo lamento —añadió Kilander.

—No, está bien —aseguré, sin dejar de leer el texto—. A veces, sólo necesitas una cosa.

Vistas las cosas en retrospectiva, tal vez habría sido mejor que me hubiese tomado un tiempo para pensar en lo que había averiguado y que hubiera dejado reposar la información mientras dormía, pero no lo hice. Aquella tarde, a las cinco y media, monté en el coche y me dirigí al lago.

El tiempo era espléndido, un día soleado sin el menor asomo del lienzo gris de humedad que tan a menudo empaña las jornadas estivales de Minnesota. No me sorprendió encontrar a los hermanos Hennessy en el jardín, disfrutando de la magnífica tarde.

Los cuatro chicos se habían dividido en dos equipos y jugaban a fútbol junto al lago. Las parejas resultantes no estaban muy igualadas pero, probablemente, era la mejor solución: Aidan y Liam contra Colm y Donal. Más arriba, en el porche, Marlinchen se dedicaba a untar con salsa unas pechugas y unas alas de pollo antes de ponerlas en la barbacoa. Llevaba una camiseta blanca sin mangas, un pantalón corto, unas gafas de sol con la montura metálica y cristales de espejo verde plateado y un lector de cedés en la cadera. Al verme, se quitó los auriculares y se los dejó colgados del cuello.

—¡Sarah! —exclamó, contenta—. Estamos preparando una barbacoa para celebrar que se han terminado las clases. Habrá comida de sobra, si quieres quedarte.

Estaba de un humor excelente, pero aquello iba a cambiar.

—Me temo que he venido por motivos de trabajo —le dije.

—¿Qué trabajo? —preguntó.

—Tu padre ya ha recuperado cierta capacidad para responder «sí» o «no» a las preguntas, ¿no es cierto? Me contaste que cuando te nombraron administradora lo hicisteis de ese modo.

—Papá está descansando —se apresuró a replicar Marlinchen, mirando hacia el ventanal—. ¿De qué se trata?

—He de formularle unas preguntas que sólo él puede contestar —dije—. Sobre tu primo, Jacob Candeleur.

—Yo no tengo ningún primo llamado Jacob —señaló—. No tenemos primos, y punto.

Saqué la partida de nacimiento de la bolsa y se la tendí. Vi que leía los nombres: Jacob, Paul, Brigitte.

—¿Ves la fecha? —pregunté—. Jacob, Aidan y tú nacisteis con pocos meses de diferencia.

—¡Qué extraño! —dijo. La ansiedad cortés en su voz había dado paso al asombro—. No lo he visto nunca.

—A tu padre, la tía Brigitte no le caía bien y la mantuvo a distancia de sus hijos —expliqué—. Pero no es cierto que no hayas visto nunca a tu primo Jacob. Te has criado con él y se ha convertido en tu mejor amigo.

—¿Pero qué estás diciendo? —exclamó Marlinchen, aunque ya estaba empezando a comprenderlo. Sus ojos se volvieron hacia el chico alto y rubio que teníamos detrás y que, en aquel momento, dejaba que Donal le marcara un gol.

—Ése de ahí no es tu hermano Aidan —dije—, sino tu primo Jacob. Tu padre no lo mandó a vivir con la tía Brigitte cuando cumplió doce años. Lo que hizo fue devolvérselo. Aidan..., es decir, Jacob, comentó que a veces la tía Brigitte era un poco pesada, como si siempre hubiera querido ser su madre. Lo trataba como a su propio hijo..., ¡porque lo era!

—¿Qué es esto? ¿Una broma de mal gusto? —Marlinchen se quitó las gafas para mirarme a los ojos y pronunció las palabras como si hablara con un niño pequeño—. Lo siento, pero en tu teoría hay un enorme agujero, ¿sabes? Si ése es Jacob, ¿dónde está el verdadero Aidan?

—Si tuviera que arriesgarme a dar una respuesta —murmuré, sabiendo que aquélla era la parte más dura—, diría que está enterrado bajo el magnolio. Creo que se hirió accidentalmente con la pistola de tu padre, hace catorce años, y que tu padre lo llevó corriendo al hospital pero, como murió antes de llegar, lo trajo de vuelta a casa y lo enterró bajo el árbol favorito de tu madre. La elección del lugar fue seguramente una manera equivocada de darle consuelo.

—No —espetó Marlinchen.

—Tú tienes recuerdos del incidente: un ruido muy fuerte y que tu madre, muy alterada, durmió contigo esa noche. Para tranquilizarse.

—Fue una tormenta lo que la asustó —se obstinó Marlinchen.

—No —repliqué—. Todos decís que a tu padre no le interesaban los coches ni las reparaciones domésticas. Y, sin embargo, fue él quien puso la moqueta nueva y ha conservado ese coche catorce años diciendo que tal vez algún día lo arregle. Catorce años, Marlinchen.

—No te entiendo.

—Cuando Aidan se hirió, tu padre lo llevó al hospital en ese coche. La moqueta del estudio la cambió porque quedó empapada de sangre. Las salpicaduras más pequeñas del pasillo las quitó con lejía. Pero, ¿y el coche, donde Aidan perdió mucha sangre? No podía limpiarlo y por eso le daba miedo venderlo, porque temía que el comprador pudiese encontrar restos de sangre debajo de los asientos y en las alfombrillas. Tirar el BMW por un barranco y denunciarlo como robado no habría hecho más que empeorar las cosas. Si por casualidad el coche aparecía, despertaría la curiosidad de la policía. No, lo más seguro era limpiarlo cuanto pudiera y esconderlo en su propiedad.

Marlinchen lanzó una rápida mirada al garaje.

—No era un método de ocultamiento especialmente ingenioso —continué—, pero de todas formas no tenía por qué serlo. Mientras Hugh no vendiera la casa o el coche, nadie podía echar un vistazo siquiera a los indicios que pudieran quedar. —«Hasta ahora», pensé, y añadí—: Hugh sustituyó a Aidan por el hijo de su cuñada, aunque ignoro cómo la convenció. Tal vez se aprovechó de la preocupación de Brigitte por su apesadumbrada hermana, o también es posible que le diera dinero. Brigitte era pobre y madre soltera. Quizá pensó que el chico gozaría de una vida mejor con su hermana mayor y con Hugh. Pero imagina las consecuencias, si Brigitte no hubiese accedido. La carrera literaria de Hugh se habría visto terriblemente comprometida y a tus padres tal vez les habrían quitado la custodia de los hijos, lo cual os habría dejado en manos de los servicios sociales a saber cuánto tiempo.

—Muy bien, muy bien —dijo Marlinchen y levantó las manos para que me callara—. Ya veo adónde conduce tu teoría, pero es imposible. Yo tenía cuatro años y si alguien hubiera cambiado a mi hermano, yo lo habría notado.

—Todavía no tenías cuatro años y, a esa edad, los niños son muy impresionables. Lo que dicen sus padres es como la palabra de Dios —repliqué—. Hugh te sometió a un auténtico lavado de cerebro. Te dijo que Aidan estaba fuera. Se anduvo con rodeos varias semanas. Luego trajo a Jacob a casa y dijo, «éste es Aidan», hasta que Jacob y tú lo aceptasteis.

—Pero mi madre... —añadió en voz baja.

—Tu madre estaba al corriente —dije—. Imagino que no fue idea suya, pero al final acabó aceptando.

Aquélla también había sido para mí la parte más difícil: admitir la complicidad de la mujer que reposaba bajo el ángel de mármol del cementerio. Elisabeth tenía su parte de responsabilidad en el destino de Jacob pero, mientras que la culpa había envenenado a Hugh, había ablandado a Elisabeth. La mujer había desarrollado una auténtica veneración por el hijo de su hermana, estableciendo con él un vínculo entre dos almas heridas.

—De no ser porque ni Aidan ni tú ibais todavía a la escuela, el plan no habría funcionado —dije—. Aidan no tenía maestros ni compañeros de clase que vinieran a jugar a casa, ni tampoco hermanos mayores. No había nadie más a quien engañar. Salvo ellos, J. D. Campion era la única persona que había visto a Aidan Hennessy y a Jacob Candeleur. Más tarde, ese mismo año, tu padre se negó en redondo a dejarlo entrar en la casa, sin dar ninguna explicación de ese rechazo.

Marlinchen entreabrió la boca y pensé que aquel último detalle, que confirmaba algo que ella conocía de la vida de sus padres, la había convencido. Entonces se irguió, como aliviada.

—El dedo que Aidan perdió... —dijo, pronunciando las palabras como si fueran un silogismo—. Si el ataque del perro no existió, ¿cómo explicas lo demás?

—Sí hubo un perro y un ataque —respondí—. Los vecinos de Brigitte en Illinois criaban pitbulls, y entre las dos propiedades había una valla en muy mal estado. Jacob perdió el dedo porque un pitbull se lo arrancó de un mordisco; precisamente por eso, los perros le dan tanto miedo.

Junto al lago, Colm le quitó la pelota a Liam con una fuerte entrada. Marlinchen parecía contemplar el juego, pero dudé de que realmente estuviera viéndolo.

—Ese chico de ahí es zurdo —señalé—. Le falta un dedo en la mano izquierda.

—¿Qué estás diciendo? —Marlinchen dejó de prestar atención al partido.

—El dominio con una u otra mano empieza cuando el niño es muy pequeño —expliqué—. Si alguien alarga la mano para acariciar a un perro, es probable que para ello utilice la mano dominante y que el perro le muerda ésa, precisamente.

—¿Éstas son tus pruebas? —Marlinchen soltó una carcajada, pero no sólo para poner de relieve su incredulidad—. ¿Teorías sobre la mano que utilizará alguien para hacer según qué cosa? ¿Y en eso lo basas todo?

—No. Hay más. Esta partida de nacimiento es el único documento de Jacob que aparece. Nunca estuvo matriculado en ninguna escuela. No existe certificado de defunción, ni papeles de adopción. Simplemente, desapareció del mapa... porque estaba en Minnesota, claro.

—¿Así que tienes un documento? Eso no demuestra nada —replicó Marlinchen. Luego, sus ojos se iluminaron con el brillo de otra idea—. ¿Y no se te ha ocurrido pensar que quizá fue Jacob el que murió de pequeño? Tal vez a la tía Gitte se le ahogó en un descuido. Andaba siempre borracha o drogada...

—No hagas eso —la reconvine, sacudiendo la cabeza—. No permitas que tu padre piense por ti toda la vida. A pesar de que no llegaste a conocer a la tía Brigitte, nunca has puesto en tela de juicio lo que tu padre te ha contado de ella. Prefieres pensar mal de una desconocida que de tu padre, y eso a pesar de que has sido testigo de los maltratos físicos y psicológicos que ha infligido a Aidan.

Pese a su negativa a aceptar los hechos, la verdad de aquellas palabras surtieron efecto y Marlinchen no replicó.

—No estoy diciendo que tu padre sea un monstruo —continué—. Probablemente, con las prisas, cometió algún error en el aparcamiento del hospital y ese error se le escapó de las manos y le arruinó la vida. Cuando quiso darse cuenta de que la culpa y la pena estaban destruyendo a tu madre, era demasiado tarde para arreglarlo. Imagina qué habría pensado la gente, meses o años más tarde, de alguien que ha enterrado a escondidas a su propio hijo en el jardín de casa y que se ha apropiado del hijo de otra persona, borrándole la identidad. La estima y la carrera profesional de Hugh habrían podido sobrevivir a la muerte accidental de un hijo, pero su conducta posterior transgredía todos los límites morales y legales.

Me pregunté si no le habría hablado con demasiada franqueza, pero era urgente reintroducir la sinceridad en el mundo de los Hennessy, del que había estado ausente tanto tiempo.

Los niños seguían jugando junto al lago. Si habían advertido mi presencia, no habían sabido interpretar el lenguaje corporal. Probablemente pensaban que Marlinchen y yo manteníamos una educada conversación.

—El sentimiento de culpa de tu padre, primero por Aidan y después por tu madre, lo carcomió por dentro. En cierto sentido, lo hizo literalmente —no tuve que recordarle a Marlinchen la úlcera de Hugh—. ¿Nunca te has preguntado por qué la foto de tu madre con Aidan alteraba tanto a tu padre? —le pregunté—. Era el verdadero Aidan, a los dos años. Jacob no lo sabía, pero tu padre, sí. Cada vez que lo veía en el dormitorio de Aidan se ponía furioso. Le recordaba lo bien que había funcionado su plan. Tu madre nunca se recuperó de esa culpa. Murió como consecuencia de ella, ya fuera accidentalmente o... —me interrumpí.

Demasiado tarde. Marlinchen tenía las mejillas enrojecidas de ira.

—¿O qué? ¿A qué te refieres? ¿Sugieres que tal vez se suicidó?

Sí, de eso se trataba precisamente, pero en ese momento comprendí que aquello era demasiado para Marlinchen.

—No, no quiero decir eso —me apresuré a tranquilizarla—. Claro que no.

Demasiado tarde otra vez. No sirvió de nada.

—Creo que deberías marcharte —me dijo.

—Recuerda lo que me pediste la primera vez que nos vimos —repliqué. Empezaba a ponerme nerviosa—. Me pediste que encontrara a tu hermano. Precisamente eso es lo que intento hacer. Ahora eres la cabeza de familia legal de esta casa. Si no me dejas hablar con tu padre, al menos dame permiso para cavar bajo el árbol y encontrar a tu hermano. ¿No era eso lo que querías?

—Mis hermanos se encuentran todos en casa —dijo, señalando hacia el lago—. Mi padre también está en casa, cada vez más recuperado. Nos estamos acercando unos a otros e intentamos curar nuestras heridas. Para alguien como tú, eso es difícil de aceptar.

—¿Para alguien como yo? —repetí.

—Tu padre te echó de casa y te criaste con una desconocida. No puedes comprender lo que significa formar parte de una verdadera familia.

—¿Cómo dices? —pregunté, aunque lo había oído perfectamente. Sin embargo, si Marlinchen notaba que me había herido, no cejaría.

—Por eso ahora no puedes aceptar que seamos felices —prosiguió—. Preferirías que mi hermano hubiese muerto, que mi madre se hubiera suicidado y que mi padre acabara en la cárcel.

—Eso no es cierto —protesté.

—Lárgate —me espetó—. Estoy harta de tu mente morbosa y de tus teorías retorcidas.

Ya no tenía nada que hacer allí. Marlinchen no iba a calmarse, así que me encaminé a las escaleras.

—Y no vuelvas —me gritó Marlinchen—. Si apareces otra vez por aquí, llamaré a la policía.

Quise decirle que podía regresar con una orden judicial, pero probablemente no era cierto, ya que no disponía de pruebas sólidas. Además, en ocasiones hay que renunciar a decir la última palabra. Comprendí la causa del enfado de Marlinchen. Era miedo. Si no hubiera captado un brillo de verdad en mis palabras, éstas no habrían vertido ácido en un punto vulnerable de su mente. Con los músculos en tensión, monté en el coche y enfilé la amplia calzada de acceso.

La pequeña elevación de terreno en la que terminaba la calzada me permitió echar un vistazo al campo donde jugaban los chicos. Antes de salir a la carretera, me detuve unos momentos allí y volví la cabeza.

Aidan, en quien no podía dejar de pensar, hablaba con Liam, que agarraba la pelota. Una fina capa de sudor le cubría la cara y el pecho desnudo. Los chicos ocuparon su posición y Liam lanzó el balón a Aidan, que lo controló con facilidad y echó a correr. Su coleta rubia se balanceaba con entusiasmo bajo el sol de la tarde. Colm corrió, decidido a interceptarlo, pero Aidan lo regateó con facilidad e incrementó la velocidad, dejando atrás a su hermano y lanzándose directamente a la línea de gol.

El gran ventanal estaba vacío; Hugh no miraba al jardín y, por unos instantes, deseé que lo hiciera. Tal vez reconocería por primera vez algo que se había negado a ver desde hacía mucho tiempo.

Hugh creía firmemente en la familia. En sus novelas, así como en su vida, perseguía los ideales del clan: vínculos fuertes, lealtad y cariño. Había sido incapaz de verlo, pero Jacob Candeleur, sin llevar una gota de sangre Hennessy, representaba lo mejor de esos ideales. Desde su más tierna edad, había hecho gala de instinto de protección de sus seres queridos. Había sacado a Marlinchen del lago cuando ésta cayó en sus aguas heladas al romperse la capa de hielo. Se había enfrentado a los pendencieros que la habían tomado con Liam. Había renunciado a su nueva vida en California para estar con su hermana y sus hermanos.

Con Colm siguiéndole los talones, Jacob llegó a la línea invisible y determinada de antemano de la portería y marcó gol. Colm, que se dio por vencido con elegancia, extendió la mano para entrechocarla con Jacob, recogió la pelota y fue a reunirse con Donal.

Jacob no lo siguió. Se quedó quieto unos instantes, jadeando. Luego, cayó de rodillas y al momento se desplomó al suelo.

La escena tuvo un efecto evocador. Despertó en mí un recuerdo reciente.

—¡Oh, Dios mío! —exclamé.

Puse marcha atrás, retrocedí por la calzada a setenta kilómetros por hora y me detuve derrapando a tres metros de la terraza. Marlinchen me miró desde donde se había quedado, junto a la barbacoa.

—¡Llama a urgencias! —le grité, al tiempo que saltaba del coche.

No me habría extrañado encontrar en ella cierta resistencia, pero cuando volvió la mirada hacia el lago y vio que Jacob seguía sin moverse, rodeado de sus hermanos que lo observaban, me creyó.

—¿Y qué les digo? —preguntó Marlinchen.

—Parada cardiaca —respondí, mientras echaba a correr colina abajo.

Tal vez Brigitte nunca sospechó que la lesión de corazón que había acabado con la vida de Paul, su amante y padre de su hijo, podía ser hereditaria. O tal vez nunca había encontrado la manera de advertírselo al chico, que, a ojos de todo el mundo, no era hijo suyo. Probablemente tenía intención de decírselo algún día, pero su propia muerte se lo había impedido.

Cuando llegué junto a Aidan, Liam, que estaba arrodillado a su lado, me informó:

—Creo que no respira.

El chiquillo parecía asombrado, como si esperase que alguien lo contradijera, como si anhelara que alguien le dijese que un chico saludable de dieciocho años no deja de respirar así sin más.

—Aparta —le ordené.

Me arrodillé y moví a Jacob hasta ponerlo boca arriba. Retiré el collar de ojo de tigre y apliqué las yemas de los dedos a ambos lados de la nuez. Las arterias no respondieron al tacto. Eché la cabeza del chico hacia atrás y exploré las vías respiratorias. No estaban obstruidas. Le tapé la nariz y le practiqué la respiración artificial presionándole el pecho con tanta fuerza que le provoqué una contusión. Repetí la maniobra.

Cuando llegó el equipo de urgencias, los sanitarios preguntaron quién acompañaría al hospital a Aidan, que fue el nombre que dieron los chicos. Abrí la boca para decir que lo haría Marlinchen, pero ella se me adelantó:

—Ve tú, Sarah —dijo, muy nerviosa—. Ve con él, por favor.

La ardiente defensora de la familia Hennessy, la que me había echado de su propiedad, había desaparecido. Marlinchen volvía a ser una adolescente asustada y, para ella, yo era la autoridad. Todavía creía que yo podía ayudar a su hermano mucho más que ella misma. Aturdida, monté en la ambulancia.

Me quedé con Jacob Candeleur todo el tiempo que estuvo en el servicio de urgencias. Nadie se percató de que me colaba en la sala entre el revuelo de médicos y enfermeras en febril actividad. Me quedé de pie, apoyada en la pared, y

fui testigo de sus vanos esfuerzos. Allí estaba cuando certifi-
caron la muerte, a las 19.11 horas, y abandonaron la sala,
consternados.

El último en salir, un enfermero, al llegar a la puerta se
volvió a mirarme.

—¿Lo notificará usted a la familia? —preguntó.

—Ahora mismo —asentí.

Hugh Hennessy había pasado una temporada escondido
tras el muro de su enfermedad, amparado en su derecho a la
intimidad, ocultándose de la gente a la que tanto daño había
causado. Ese círculo de gente no hacía más que crecer. Aidan,
cuya muerte había sido fruto de su negligencia hacía ya
tiempo. Elisabeth, cuyo suicidio había contribuido a gestar.
Brigitte, a quien le había arrebatado el hijo. Jacob, cuya pérdida de identidad, en última instancia, había resultado fatal.
En cierto modo, incluso Paul Candeleur. Paul, el leal y dispuesto luchador, que le había transmitido esos valores a su
hijo sólo mediante la sangre, que no había vivido para ver
cómo iba a torcerse la vida del muchacho. Sentí que aquella
nueva muerte también dolería a Paul, dondequiera que estuviese.

Treinta y tres

$\mathcal{M}$arlinchen, acostumbrada ya a asumir responsabilidades propias de los adultos, aprendió aquel día otra más, que la gente no suele afrontar hasta los treinta o los cuarenta años. La guié en el proceso de sacar el cuerpo del hospital para llevarlo a un tanatorio y la ayudé a tomar las decisiones oportunas. Le aconsejé, además, que permitiera a sus hermanos, Donal incluido, ver el cadáver de Jacob.

—Así lo sucedido cobra realidad —le dije—. Los ayudará durante la fase de negación y más tarde comprenderán que pudieron despedirse de él.

Los chicos estaban aturdidos. Nadie lloró.

Fuera, en el aparcamiento del hospital, Marlinchen se sentó en el asiento del acompañanate, y con la vista clavada al frente, preguntó, alicaída:

—¿Te quedarás a dormir en casa, esta noche?

Creo que hay que ser norteamericano para comprender cómo afrontamos el luto y la pérdida la clase media estadounidense. En cualquier otro sitio, cuando una persona muere de repente, los allegados reaccionan con gemidos, lamentos y lágrimas, hay recriminaciones. Lo vemos todos los días en la CNN. En otros lugares, hay barra libre de alcohol, el teléfono no para de sonar y acuden los vecinos con comida y consuelo.

En casa de los Hennessy, el televisor de pantalla panorámica presidió toda la velada. Hasta Liam se rindió a él, sentado en el suelo con las rodillas pegadas al pecho, buscando consuelo en el opiáceo electrónico de los tiempos actuales.

Les cociné una cena sencilla: espaguetis con salsa de tomate y ensalada verde. Marlinchen preparó una bandeja para Hugh y, justo antes de acostarse, le dio una pastilla.

—Lo ayuda a dormir —explicó— y creo que esta noche no podré quedarme despierta para acompañarlo al baño o leerle algo si no puede conciliar el sueño.

—Me parece una buena idea —asentí. Parecía buscar mi aprobación incluso en pequeños detalles como aquéllos.

Justo antes de subir las escaleras, Liam se acercó a la ventana. No veía el lugar donde había muerto Jacob pero, a través del cristal, miraba en esa dirección.

—No lo entiendo —dijo—, es que no lo entiendo, joder. —Su rostro anguloso estaba contraído en algo que estallaría en dolor cuando dejase de intentar contenerlo y se permitiera sentirlo.

Le apoyé una mano en el hombro y no dije nada. Marlinchen y yo no habíamos hablado más de lo que le había contado aquella tarde acerca de Jacob Candeleur y del verdadero Aidan. Ignoraba cuándo estaría en condiciones de hablar del tema otra vez, o de contárselo a sus hermanos.

Me sentía inquieta y me costó dormir. Justo cuando lo estaba consiguiendo, en el sofá de la sala familiar, oí que alguien abría las puertas que daban a la terraza.

Fuera, en el claro de luna, estaba Marlinchen, vestida con una camiseta de manga larga y unos vaqueros gastados. Empuñaba la pala que Liam había utilizado para enterrar a *Bola de Nieve* y se dirigía hacia el magnolio.

Yo no tenía ninguna prueba fehaciente para demostrar la parte de mi teoría según la cual Aidan estaba enterrado allí; todo se reducía a una intuición. ¿Qué otro lugar de la finca

tenía ese aspecto de monumento? ¿Por qué Hugh había llevado a Marlinchen allí, años atrás, para decirle algo importante? ¿Por qué los chicos Hennessy sentían tanta atracción
por aquel árbol e iban allí a hablar y a reflexionar en silencio,
como si se dejaran guiar por los susurros de los muertos?

Me levanté y me vestí.

Marlinchen estaba tan concentrada en su trabajo que no
me oyó llegar. A pesar de su delgadez, aplicaba toda la fuerza de su cuerpo en la pala, como una pequeña excavadora.
Lloraba y cavaba a la vez.

—Marlinchen —le dije.

Alzó los ojos y, al claro de luna, vi que las lágrimas habían formado senderos plateados en sus mejillas. Incluso en
su dolor, se la veía hermosa.

—Deja esto ahora, ¿quieres? —sugerí—. Podemos hacerlo en otro momento.

—No —respondió—. Tienes razón en todo lo que has
dicho. La has tenido desde el principio y yo no te he hecho caso. —Levantó la vista hasta el ventanal de Hugh—.
¿Crees que si estuviera despierto me vería, aquí abajo?
—Sin esperar a que yo respondiera, prosiguió—: Ojalá sea
así. Ojalá me vea cavando y sufra un ataque de corazón, para
rematar la apoplejía. Ahora no movería ni un dedo por él.

—No es culpa tuya —le dije.

—No, la culpa es suya —replicó Marlinchen con vehemencia—. Llevo años protegiéndolo... Nunca le conté a nadie cómo trataba a Aidan... —Se interrumpió y sollozó, pero
no dejó de cavar. En el lago, un cárabo listado emitió un grito inquietantemente humano.

—No es culpa tuya —repetí—. Sientes mucho dolor y te
gustaría hacer algo ahora mismo para arreglar las cosas
pero, legalmente, es mejor que dejes que caven los técnicos.
Podrías golpear los huesos con la pala y romperlos y entonces las pruebas resultarían dañadas.

—¡Las pruebas! —Marlinchen soltó una aguda carcajada no muy distinta del sonido del cárabo—. No necesitamos ninguna prueba. Mi padre nunca será acusado de nada, está demasiado enfermo y por eso se librará. —Volvió a reírse, esta vez con más amargura—. Aidan murió por su culpa, y también lo considero culpable de la muerte de mi madre, pero nunca pagará por todo ello.

Volvió a hundir la pala en la tierra.

—Nada lo afecta —dijo—, nada lo hiere. Los profesores de Aidan, que debían controlar si había malos tratos... ¡No habrían querido enterarse aunque papá hubiese pegado a Aidan delante de sus narices y de toda la escuela! ¡Pero si los padres y madres llevaban sus libros a las reuniones de la escuela para que se los firmara! —sollozó—. Incluso yo lo protegía y lo defendía y no te di la información que necesitabas para no ponerlo en evidencia. —Se limpió la nariz con el revés de la mano en un gesto infantil—. Antes incluso de eso, yo lo cuidé. Cuando mamá murió, me ocupé de cocinar y de llevar la economía de la casa para que él tuviera tiempo de escribir, de dar clases y de pensar y de hacer lo que fuese, menos ejercer de padre.

El viento se levantó repentinamente y arrastró un persistente aroma de la barbacoa de aquella noche.

—Y justo cuando mis responsabilidades estaban a punto de terminar, sufre un ataque. Perfecto. De lo más oportuno. Y me atrapa otra vez. Se pondrá mejor, pero nunca estará del todo bien. Me veo aquí, preparándole comida y vigilando que tome la medicación, hasta que sea una cuarentona.

—No tiene por qué ser de ese modo.

—Lo será. Tú no lo entiendes —dijo.

El olor a humo se intensificó. Me extrañó, pues Marlinchen no había vuelto a encender la barbacoa.

—¿No hueles a humo? —le pregunté.

—Desenterraré los huesos y se los mostraré, para que vea que lo sé. Lo obligaré a aceptar lo que ha hecho. —Sin hacerme caso, volvió a hundir la pala en la tierra con fiereza. Me volví para mirar a la casa y distinguí un resplandor rojo e irregular que centelleaba en la oscuridad tras algunas ventanas.

—¡Hijo de puta! —masculló.

Mientras corría hacia la casa, Liam salió a la terraza trasera en compañía de Donal.

—¿Dónde está Colm? —pregunté.

—Dentro —respondió Liam con la voz algo ronca—. Sacando a papá.

Con el corazón en un puño, recordé a Hugh. Un maldito inválido en el maldito piso superior de una casa con una maldita escalera.

—Tenemos que sacar a papá —dijo Donal y se le quebró la voz.

Oí pasos detrás de mí y apenas tuve tiempo de alargar la mano para detener a Marlinchen, que quería entrar en la casa.

—¡De ninguna manera! —grité—. Vosotros os quedáis aquí, y lo digo muy en serio —añadí al ver rechazo en su expresión de ansiedad—. ¡Yo me ocupo de esto!

Dentro de la casa, el aire era caliente pero soportable, como si alguien hubiera puesto el termostato de la calefacción exageradamente alto, pero olía a humo y noté que me estremecía de nervios.

En el pasillo de arriba, el humo era más denso. Allí estaba Colm en la puerta de la habitación de su padre.

—¡Vamos! —me gritó—. ¡Ayúdame con papá!

Durante un momento, me resultó tentador, porque Colm era fuerte, pero noté el calor en la piel, cada vez más intenso, y pensé que los incendios se descontrolan muy deprisa, sin previo aviso, y que es imposible sobrevivir a ellos. No podía

386

correr el riesgo de que Colm muriera por mi causa, porque yo decidiese permitir que me ayudara y toda la estancia fuese pasto de las llamas mientras intentábamos sacar a Hugh.

—¡No! —grité, aunque estábamos muy cerca el uno del otro—. No es momento de heroicidades.

—Ha sido Donal. —Colm sacudió la cabeza, abatido—. Estaba fumando en el sótano, él ha causado el incendio. Si papá...

—Los bomberos sacarán a tu padre —dije—. Ellos tienen el equipo y la preparación necesarios.

Intenté transmitirle más confianza de la que realmente tenía. Probablemente, cuando llegaran los bomberos, sería demasiado tarde para que pudieran sacar de la casa a un inválido de ochenta kilos de peso. Colm vio la verdad en mis ojos. Abrió la boca para decir algo más pero fue presa de un ataque de tos.

—Así mueren los bomberos y los miembros de los equipos de emergencia —dije.

Echó una última y angustiada mirada a la habitación a oscuras de su padre y asintió. Le pasé el brazo por los hombros y lo conduje hacia la escalera.

De nuevo en la terraza, noté que la piel me quemaba como si la hubiera puesto en una sartén gigante. Era probable que Colm se sintiera de la misma manera. Lo empujé hacia el grifo, lo abrí y él se mojó la cara, el pecho y los brazos. Cuando retrocedió, yo me disponía a hacer lo mismo, pero en ese momento advertí algo que me inquietó.

—¿Dónde está Marlinchen? —quise saber.

Colm, con los cabellos goteando, se incorporó y miró a su alrededor. Liam tenía puestas las manos en los hombros de Donal y también parecía confundido.

—¡No! ¡Maldita sea! —exclamé, tan enfadada que, incluso en aquellas circunstancias, Colm dio un respingo al oírme.

387

Marlinchen había entrado a buscar a Hugh. Las palabras que había pronunciado junto a la tumba de Jacob, «ojalá sufra un ataque de corazón, no movería un ni un dedo por él», eran sólo eso, palabras. Tan pronto se había presentado el primer apuro, había vuelto a su actitud de siempre, sacrificando su bienestar por el de su padre.

—Muy bien —dije, volviéndome hacia los chicos—, a vosotros os quiero lejos de aquí, pero bien lejos. No paréis hasta llegar a la carretera y esperad allí, quietos. Si Marlinchen o yo no salimos, no vengáis a buscarnos. ¿Comprendido?

Los tres asintieron.

Me acerqué al grifo de un salto, me arrodillé y lo abrí. Puse la cabeza bajo el chorro hasta que tuve bien mojados los cabellos. Las gotas que me corrieron por el cuello estaban tan frías que me parecían hielo. Me quité la camisa, la mojé y volví a ponérmela. A continuación, entré de nuevo en la casa.

Tan pronto crucé el umbral supe que no conseguiría llegar al piso de arriba. La escalera era pasto de las llamas e intentar subirla sería suicida. El único acceso a la planta superior estaba bloqueado.

Salí de nuevo al jardín por la misma puerta trasera, rodeé la casa y me aposté debajo del ventanal de la alcoba de Hugh que daba al lago. Los racimos de uva del emparrado estaban muy juntos y la fruta se veía arrugada y grisácea. El emparrado. Había aguantado el peso de Jacob. También soportaría el mío.

Cuando me colgué de él, el marco de madera crujió y se bamboleó, pero resistió y empecé a trepar. Las hojas me rozaban la cara y aunque el olor de humo lo dominaba todo, capté el dulce aroma de los capullos todavía sin abrir.

Detrás de la persiana, la ventana corredera de Hugh estaba abierta de par en par. Aquello, pensé, debía de haber sido cosa de Marlinchen, para que entrara aire fresco en la habitación. Hugh estaba en cama y observé que su pecho se estremecía con una respiración temblorosa e irregular, bajo lo que parecían ataques de tos causados por el humo. Recordé el somnífero que Marlinchen le había dado y me pregunté si estaría consciente.

La luz se filtraba desde la habitación de matrimonio y la silueta de Marlinchen se recortó en el umbral. Llevaba una sábana arrugada en la mano y advertí que había abierto el grifo de la bañera y que estaba mojando sábanas y toallas para combatir las llamas que ya se habían extendido a la estancia de Hugh.

—¡Marlinchen! —grité.

—¡Sarah! —respondió y capté una nota de alivio en su voz. Había llegado la autoridad—. ¡Ayúdame!

—¡Ven conmigo! —chillé—. Vas a... —Estuve a punto de decir que iba a morir si se quedaba allí pero me interrumpí, por temor a que Hugh estuviera lo bastante despierto y lúcido como para oírme. Si lo estaba, pocas cosas podía haber más terribles que su situación: consciente pero incapaz de moverse, a merced de las circunstancias, dependiendo por completo de que otra persona lo salvara.

—¡Los bomberos ya están llegando! —dije, cambiando de táctica—. ¡Ellos lo rescatarán! ¡Pero tú tienes que salir ahora mismo!

—¡No puedo! —gritó, sacudiendo la cabeza antes de echar otra sábana mojada a las llamas que se aproximaban a la cama—. ¡Entra y ayúdame!

Entonces ocurrió algo que me encogió el corazón: Marlinchen cayó de rodillas entre toses, cegada por el humo. Pensé que era el final, que se daba por vencida.

—¡Marlinchen! —insistí—. ¡Ven conmigo!

Pero, incluso tosiendo, dijo que no con la cabeza.

Miré otra vez hacia la cama. De los ojos casi cerrados de Hugh escapaban unas lágrimas. Sabía que se debía al humo, pero me pareció que lloraba. Una imagen mental de mi difunto padre me cruzó la mente como un chispazo de electricidad estática, y un dolor tan intenso como una náusea me revolvió el estómago.

Tomé una decisión. No iba a mirar más a Hugh. No podía mirarlo y decir la verdad. Y si no decía la verdad, Marlinchen tal vez no sobreviviría.

—¡Escúchame! —aullé—. Esta noche pueden morir aquí tres personas. Será lo que ocurrirá si entro e intento ayudarte. O pueden morir dos personas. Será lo que ocurra si te dejó aquí. O puede morir una persona y las otras dos se salvarán.

Probablemente, Marlinchen no alcanzaba a verme por efecto del humo y de las lágrimas, pero volvió el rostro hacia mí. Se puso en pie y, a ciegas, avanzó hacia la ventana tambaleándose.

390

Mientras lo hacía, metí una uña por debajo del borde inferior de la ventana corredera, intentando mantener el equilibrio en el emparrado con una sola mano. Forcé el cristal y lo saqué de la guía del alféizar. Cedió y la esquina inferior del marco de metal saltó, me rozó la frente, causándome un arañazo superficial, y rebotó en la estructura combada del emparrado, haciendo temblar las hojas a su paso.

—Muy bien —tranquilicé a Marlinchen, que ya se asomaba al hueco de la ventana—. Voy a bajar un poco para hacerte sitio, pero no apartaré la mano de aquí —la había puesto encima de su pantorrilla—, para que sepas en todo momento dónde estoy.

Esperaba haberle inspirado confianza, pero a decir verdad, empezaban a temblarme las piernas de tanto mantener la posición en el emparrado.

—Saca una pierna y busca dónde apoyar el pie —le dije—. Nos descolgaremos despacio, paso a paso.

Un plan estupendo, pero totalmente inútil. Cuando Marlinchen apoyó su peso en la espaldera, toda la estructura cedió. Vi una luna blanca que volaba, humo y el lago; a continuación, todo el planeta me golpeó en la espalda y en la parte posterior de la cabeza. Marlinchen tuvo más fortuna. Yo frené su caída.

Treinta y cuatro

*E*l aroma familiar del pegamento de cianocrilato me hizo recuperar el sentido, pero no se trataba del olor viejo y persistente del humo. Éste era intenso y reciente. Tenía los ojos cerrados pero noté que alguien me tocaba la frente con una suave caricia.

—Debería tener acciones de ese producto —dije, sin abrir los ojos.

—¡Chist! —susurró una voz conocida—. No me muevas la mano.

Abrí los ojos y no me sorprendió ver a Cicero porque, un par de segundos antes, había reconocido su voz. Lo que no tenía tan claro era la secuencia de los acontecimientos que había llevado a que me encontrara de nuevo en su mesa de exploración.

Recordé el incendio en la casa de los Hennessy y, a partir de eso, retazos de sucesos. Recordé que Colm, a mi lado, me llevaba a una distancia segura de la casa en llamas y me animaba a apoyarme en él, y que yo lo hacía, agradeciendo su fuerza juvenil y de que hubiese desobedecido mi prohibición de que se acercara a buscarnos. Recordé la llegada de vehículos de emergencia a la casa y que yo intentaba ayudar porque no comprendía que estaba allí como paciente y no como miembro de los equipos de primeros auxilios. Recordé una atestada sala de urgencias, luego un lugar tranquilo, y que alguien me hablaba en voz baja y tranquila. La voz de Cicero.

—No puedo creer que estés encolando los trozos que han quedado de mí.

—Un truco de médico, sólo para uso de profesionales —dijo, recostándose en la silla.

—Pero creo que no me he hecho daño —aventuré. Recordaba la esquina afilada del panel de la ventana que me había arañado la frente, pero me había parecido un rasguño como el arañazo de un gato.

—Pues ha sido un corte importante. No te lo toques —advirtió al ver que me llevaba la mano a la frente—. Yo te lo enseñaré.

Retrocedió en la silla de ruedas y regresó con un espejo de mano que me puso delante de la cara.

—¡Joder! —exclamé. Entonces recordé que había tenido que parpadear varias veces para quitarme la sangre de los ojos; una sangre que se me había secado en la nariz, en las mejillas e incluso en el mentón.

—Tiene peor aspecto de lo que en realidad es. —Cicero retrocedió de nuevo con la silla—. Y te hiciste un pequeño chichón en la coronilla, pero tampoco es nada grave —me aseguró—. Te di hielo para que lo pusieras sobre el golpe, ¿no te acuerdas?

—No —respondí.

—Por lo demás, estás bien. Voy a traerte un poco más de hielo. ¿Puedes tirarme esa toalla?

Miré alrededor y vi en la mesa de reconocimiento, justo a mi lado, una toalla verde claro mojada. La agarré y empecé a incorporarme pero Cicero, desde la cocina, levantó la mano. El lanzamiento salió un poco desviado, pero él rectificó su posición y consiguió cazarla al vuelo. Cuando volvió, trajo más hielo en una bolsa, así como una jofaina de acero inoxidable llena de agua jabonosa y un paño limpio. Cogí la bolsa y me la llevé a la cabeza. No me costó localizar la herida, por el dolor sordo que sentía y también por los cabellos

393

mojados que la rodeaban. Cicero dejó la jofaina en la mesa y escurrió el paño. Comprendí lo que quería hacer.

—Puedo lavarme la cara yo sola, en el baño —aseguré.

—Ya sé que puedes —replicó—, pero quiero que te quedes sentada sujetando el hielo sobre la herida. De paso, te diré que estoy harto de sentir compasión innecesaria por ti; parece que hayas peleado diez asaltos contra Lennox Lewis cuando, en realidad, no es para tanto.

Como una niña, me entregué a sus cuidados y, mientras él me restregaba suavemente la cara para limpiar la sangre seca, cerré los ojos.

—Tengo que decirte una cosa —murmuró Cicero—. La última vez que estuviste aquí, mencionaste la muerte de mi hermano.

—No tenemos por qué hablar de eso. —Abrí los ojos.

—Sí —me contradijo—. Temías que te considerase como a los agentes que mataron a Ulises. —Su voz era serena y modulada, como siempre—. Pues no lo hago. Tú no tienes nada que ver con ellos.

—Nunca me has visto en el trabajo —objeté.

—Jamás hablé con esos tipos —explicó Cicero—. Nunca vinieron a verme para explicarme lo que había sucedido. Tú sí lo habrías hecho, ¿o me equivoco?

—Sí, habría venido a verte —respondí con toda sinceridad.

Cicero asintió y continuó su labor. Las sensaciones en la piel resultaban hipnóticas, como también lo era el sonido del paño empapándose y, luego, el del agua volviendo a la jofaina cuando Cicero aclaraba la tela y la escurría, una y otra vez.

—Lo que no me has contado con claridad es cómo te ha ocurrido esto —prosiguió—. Has dicho algo de un incendio en una casa y que te caíste desde una ventana durante un rescate, ¿es eso cierto?

—A grandes rasgos, sí —respondí—. ¿Por qué?

Cicero dejó el paño en el recipiente y me tendió una toalla para que me secase la cara.

—Siempre andas metida en situaciones peligrosas, Sarah —comentó—. Primero, sacaste a esos chicos del canal; ahora, esto.

—Sólo son dos veces —puntualicé.

—Dos veces desde que te conozco —me corrigió—, hace poco más de un mes.

—Forma parte de mi trabajo —aduje.

—No —replicó Cicero, sacudiendo la cabeza como un maestro que escucha un pretexto inaceptable de un alumno que no ha hecho los deberes—. Conozco el trabajo policial lo suficiente para saber que las cosas que tú haces no son las típicas.

—Pero es que yo no quiero ser típica.

—Cuando la gente se lesiona o se hace daño con frecuencia, es que le ocurre algo —prosiguió Cicero—. Con tales accidentes, en realidad lo que se pretende es llamar la atención sobre otra cosa, algo que no se puede mostrar directamente a los demás.

—No te entiendo.

—Sarah —dijo con cautela—, cuando tu marido y tú vivíais juntos, ¿te pegó alguna vez?

No, Dios mío —respondí—. Shiloh también era policía.

—Eso no significa nada —observó Cicero—. La vuestra es una profesión muy física que atrae a personas agresivas que...

—Todo eso ya lo sé, pero Shiloh nunca me ha puesto la mano encima —insistí.

—Es que tengo la sensación de que alguien te ha hecho daño. —Cicero hizo una pausa, como midiendo las palabras—. ¿Algo relacionado con el sexo?

Seguramente fue por lo tarde que era, o tal vez por la herida de la cabeza; el caso es que estuve a punto de negarlo y, en vez de eso, me oí decir:

—Pero eso fue hace mucho tiempo.

—¿Tu padre? —Cicero tenía los ojos clavados en los míos y me miraba con intensidad.

—Mi hermano —respondí—. Nunca se lo he contado a nadie —añadí—. Ni siquiera a Shiloh.

—Lo siento —dijo Cicero.

—Y no quiero hablar de esto nunca más.

—De acuerdo.

—Lo digo en serio.

—Muy bien.

—¿Te doy lástima?

—No.

—De acuerdo. No quiero hablar del tema nunca más.

Advertí que estaba sujetando un paño mojado en el que ya no había nada. Me lo aparté de la cabeza, lo desdoblé y en su interior encontré un trozo de hielo del tamaño de un diente. Era todo lo que quedaba de un cubito.

—Si en el trabajo hago cosas extremas —añadí—, es porque quiero..., quiero...

Me interrumpí: no encontraba palabras con las que explicarme.

—Hace poco conocí a un chico que trabaja en urgencias médicas —continué por fin, al tiempo que evocaba la imagen de Nate Shigawa— y sentí envidia de él. Su trabajo consiste en detener las hemorragias, pero el mío es distinto. Cuando yo llego, la hemorragia ya se ha terminado. A veces, hace mucho.

Pensaba en el Aidan Hennessy auténtico, que había muerto tan joven, y en su madre, a la que habían sacado de las aguas del lago.

—Pero que la hemorragia se haya detenido no significa que el dolor haya desaparecido —comentó Cicero—. Supongo que, en eso, sí que puedes ayudar.

—Sí, cuando me lo permiten —repliqué—. A veces, mucho más a menudo de lo que crees, las personas dicen que necesitan ayuda pero, en realidad, no la quieren.

El día, que había comenzado en la puerta del despacho de Kilander, empezaba a pasarme factura. Me sentía cansada, y no sólo físicamente. No sabía cómo se encontraba Marlinchen, ni tan siquiera dónde estaban sus hermanos y ella. Pensé que debía averiguarlo, asegurarme de que se hallaban bien y de que había alguien con ellos, pero aquella noche ya no podía hacer nada más. Me ocuparía del asunto al día siguiente.

—¿Qué hora es? —pregunté, volviéndome hacia el reloj. Faltaban dos minutos para las dos de la mañana—. Dios mío, lo siento —murmuré, al tiempo que me levantaba de la mesa de exploración—. Deberías estar acostado. Me marcho.

Cicero empezó a hablar pero lo interrumpí:

—Me encuentro bien, estoy en condiciones de conducir... —Me detuve al advertir algo—. Pero no he venido hasta aquí en coche, ¿verdad?

—¿No te acuerdas? —preguntó Cicero, sacudiendo la cabeza.

Cerré los ojos e intenté acceder a unas tenues imágenes mentales, pero era incapaz de verlas con claridad. Entonces me asaltó una idea imposible.

—¿Me has traído tú?

—Sí —dijo.

—Pero...

—Ya te dije que, si no había más remedio, podía tomar el ascensor —comentó—. No me asombra tanto haber podido bajar en el ascensor como que mi furgoneta arrancara.

Debió de verme muy sorprendida porque me miró divertido.

—Me llamaste desde un teléfono público próximo a Urgencias. Fuiste un tanto inconcreta con los detalles pero, al parecer, acababas de escapar de la sala de espera. Yo te dije que me esperaras allí. Iba a llevarte de regreso al hospital si era necesario pero, como te habían declarado paciente am-

397

bulatoria y no tenías heridas importantes, respeté tus deseos de venir aquí.

Cicero había salido de su guarida para ir a buscarme. Quería decirle que estaba orgullosa de él, pero advertí de inmediato que aquello lo haría sentir inferior, que sería como una palmadita en la cabeza.

—Estoy en deuda contigo —susurré.

—Me debes ciento veinte dólares, para ser exactos —replicó Cicero—. Ochenta por los cuidados médicos y cuarenta por haberme hecho bajar en el condenado ascensor.

Casi sonreí, aliviada ante su habilidad para traernos de regreso a la tierra.

—¿Sabes una cosa? —le dije.

—No llevas tanto encima. —Cicero acabó la frase por mí.

—Te lo traeré mañana —prometí.

—No hay prisa —aseguró él—. Pero ve con cuidado, ¿de acuerdo? Lo que yo puedo arreglar tiene unos límites.

Treinta y cinco

Ya en casa, dormí cinco horas y me desperté con la llamada del teléfono móvil. Tenía que presentarme y ayudar en el caso de la muerte prematura de Hugh Hennessy en el incendio de su casa.

Fui a la central y me tomaron declaración. Hablé largo y tendido de mi relación con los Hennessy, describiendo los acontecimientos de la noche anterior.

También me enteré de unos cuantos detalles. Lo que Colm me había explicado era correcto, aunque parcial: Donal había estado fumando en el sótano. Ante las hábiles preguntas de un investigador veterano especializado en incendios provocados, el más joven de los Hennessy explicó que no podía dormir y que se había levantado a medianoche y le había birlado un cigarrillo a su hermano mayor. Después de la explosión de Colm durante la cena, había visto que Aidan, muy alterado, encendía uno y se le ocurrió que los cigarrillos debían de ayudar en aquellas situaciones de estrés. Mientras estaba escondido en el sótano, Donal oyó movimientos arriba y pensó que alguien lo buscaba. Con las prisas, arrojó el cigarrillo encendido a un cubo de basura y corrió a su cuarto. No se había percatado del peligro de lo que acababa de hacer ni de que el sótano estaba lleno de material inflamable: allí sólo había muebles viejos y un colchón de espuma. El investigador me comentó que le sorprendía que la vieja casona no hubiera ardido mucho más deprisa.

Tras prestar declaración, corrí a ver a Marlinchen, que esperaba en el pasillo y me abrazó como si fuera una hermana de la que hubiese estado separada mucho tiempo. Campion también se encontraba allí, pues había oído la noticia por la radio. Aquella noche, más tarde, uno de los funcionarios del cuerpo de bomberos me permitió acompañarlo a la finca de los Hennessy. Allí encontré mi coche cubierto de hollín; aparte de eso, sin embargo, funcionaba perfectamente. Lo rocié con una manguera como medida provisional y lo llevé directamente al túnel de lavado.

Cuando estaba a punto de dormirme, recordé que había olvidado llevarle a Cicero el dinero que le debía.

Al día siguiente, hacia mediodía, cogí el coche y fui a las torres. En el piso veintiséis, salí del ascensor para encontrarme ante una escena como las que había tenido que afrontar con demasiada frecuencia.

Soleil se encontraba en el descansillo, apoyada en la pared. Su rostro era una máscara de dolor: estaba llorando a lágrima viva ante la puerta del apartamento de Cicero. Apostado en el umbral, un joven agente uniformado intentaba mantenerse impasible entre la conmoción y el desaliento que lo envolvían mientras, dentro del apartamento, sonaba una voz por un radiotransmisor. Noté que me fallaban las piernas. La última vez que había experimentado aquella sensación había sido en el depósito de cadáveres, al que había acudido a ver un cuerpo del que un ayudante del forense había dicho que podía ser mi marido.

Deseé no haber sabido todo lo que sabía, deseé ser una ciudadana más y poder engañarme a mí misma pensando que aquella escena podía indicar un robo o un simple asalto. Pero no, no podía tratarse de otra cosa que de un homicidio.

Habría podido dar media vuelta y escapar, irme a algún

lugar donde estar a solas para asimilar lo que había visto, pero no lo hice.

Nadie se cuestionó mi presencia allí. Los vecinos sabían que era la amiga de Cicero y, para los policías, era una detective de la Oficina del Sheriff. El agente uniformado apostado a la puerta me hizo firmar en el registro de movimientos y entré.

Me resultó raro que hubiese tanta actividad en el apartamento de Cicero, un lugar que asociaba con luces ambientales, el silencio, el orden y la figura de Cicero, a un nivel más cercano al suelo que el mío, pero cinética en su inmovilidad. Ahora estaban encendidas todas las lámparas y había gente no discapacitada que andaba de un sitio a otro y que se veía desproporcionada respecto a lo que había a su alrededor, con unos movimientos demasiado rápidos y que parecían fortuitos.

El apartamento estaba patas arriba. Habían volcado la arqueta que contenía el instrumental médico de Cicero y las fichas del archivador estaban tiradas por el suelo. En medio de la habitación, la silla de ruedas se hallaba inclinada hacia delante. Cerca, en la alfombra, había rayas y gotas de sangre seca, como si alguien hubiera sacudido un pincel.

El primero de los técnicos, un hombre llamado Malik, comenzaba a dibujar un plano del apartamento en el que después situaría la posición de cada objeto relevante, así como de las manchas de sangre. La otra técnica, una mujer corpulenta y pelirroja a la que no conocía, tomaba notas. El detective se encontraba apostado a un lado de la sala. Se trataba de Hadley.

Había sido mi último novio, antes de casarme con Shiloh. Ambos habían trabajado juntos en la Brigada de Narcóticos Interagencias y yo había colaborado una vez con ellos en el desmantelamiento de un laboratorio de anfetamina en Anoka. Hadley, que era negro, no destacaba por su estatura, aunque tenía unos reflejos muy rápidos que yo recordaba de los partidos de baloncesto uno contra uno. Llevaba el pelo más corto que cuando hacía operaciones encubiertas con los de Narcóticos y su aspecto estaba más en consonancia con su nuevo cargo como detective de Homicidios.

Sus ojos oscuros me descubrieron y alzó la barbilla a modo de saludo. No pudo hacer otra cosa porque estaba hablando por su teléfono móvil.

—Cuando los técnicos terminen... Sí, no lo sé —dijo. Se apoyaba alternativamente en uno y otro pie y la luz arrancó un reflejo de la pistola de calibre cuarenta que llevaba en una sobaquera—. Sí, muy bien —añadió y cortó la comunicación.

—Pribek —dijo—. ¿Te ha mandado el condado?

—¿Qué ha ocurrido aquí?

—El nombre de la víctima es Cicero Ruiz —explicó Hadley, pasando por alto el hecho de que no había contestado a su pregunta—. Parece que lo han matado para robarle. Una vecina ha dicho que aquí tenía algún tipo de negocio y que cobraba en efectivo.

«Te lo había advertido —pensé—. Te lo había advertido.»

Hadley señaló con la cabeza hacia la puerta, al otro lado de la cual, aunque no la veíamos, estaba Soleil.

—Es la misma vecina que nos ha llamado esta mañana —dijo—. Vio la marca en la puerta del apartamento.

Al entrar, no me había fijado en una marca de zapato rojiza de alguien que había salido al rellano después de pisar sangre.

—Tuvo un mal presentimiento y llamó a Cicero. Cuando vio que él no contestaba, nos telefoneó —terminó de explicar Hadley.

—¿La has interrogado a fondo? —quise saber.

—Todavía no. Precisamente por eso está ahí afuera, en el rellano, esperando —dijo Hadley, que se sacó del bolsillo el bloc de notas aunque no lo abrió—. Los demás vecinos han declarado que no vieron nada. —Señaló el instrumental tirado por el suelo—. Parece que el tipo era médico, pero esto no me cuadra nada. Un médico en un edificio como éste...

—Era médico —corroboré. Cicero ya no necesitaba que yo cumpliera mi promesa de silencio—. Prewitt me pidió que lo investigara. Tenía la consulta en este apartamento.

—¿Aquí visitaba a los pacientes? —preguntó Hadley.

—Eso nos dijeron. Mi trabajo consistía en encontrar pruebas para arrestarlo.

—Sí, pero hemos llegado un poco tarde —comentó Hadley.

Tragué saliva para luchar contra el nudo que se me estaba formando en la garganta.

—¿Sarah? —dijo Hadley.

Los detectives de Homicidios, más que los de otros departamentos, tienen que confiar en un artículo de fe: que a las víctimas de un crimen se las puede ayudar después de muertas. Yo nunca lo he creído del todo pero, en la conciencia, una voz me decía que hiciera mi trabajo y en aquel momento no lo puse en duda. Tragué saliva por segunda vez y pude funcionar de nuevo.

—¿Qué sabes de lo ocurrido?

—No demasiado —respondió—. Es posible que los asaltantes fueran dos —prosiguió—, pero dejaré que los técnicos lo decidan, basándose en las pisadas de los zapatos y en las huellas que puedan encontrar. Como he dicho, el móvil probable es el robo —se frotó el puente de la nariz—. No sé cuánto dinero ganaba el matasanos, pero me parece que no se rindió fácilmente.

—¿Le pegaron? —inquirí.

—Sí —respondió—. Vi el cadáver. Lo machacaron. Ven. —Hadley recorrió el pasillo indicándome con una seña que lo siguiera.

En el santuario de Cicero, las fotos del estante seguían en su sitio, pero habían sacado los cajones del mueble y los habían vaciado. El archivador había recibido un trato similar. En el suelo, a los pies de la cama, la alfombra presentaba manchas granates en una zona irregular de un metro de diámetro.

—Murió ahí —indicó Hadley—. Creo que el doctor conocía a sus atacantes. Al menos, los dejó entrar. La puerta no está forzada. Lo atacaron por sorpresa en la sala y lo tiraron de la silla. Ahí les plantó cara, sin duda, porque hay manchas de sangre. Y luego lo trajeron a rastras al dormitorio y aquí empezó la gran paliza. —Hadley señaló salpicaduras de sangre en la pared—. ¿Ves eso? Muchos golpes con un objeto contundente. O existía un rencor personal o, más probablemente, se negó a darles lo que buscaban.

Se me ocurrió que en la teoría de Hadley había un error. Cicero necesitaba el dinero que su actividad le proporcionaba, pero era demasiado práctico como para morir por él. Se habría rendido. Si le habían pegado hasta matarlo... Sacudí la cabeza. Hadley había hablado de rencor, pero a mí eso no me cuadraba. Cicero no tenía enemigos. Habría apostado lo que fuese a que no los tenía.

—Hemos encontrado el arma. Una barra de hierro de diez kilos, del juego de pesas. Sarah, ¿estás bien? —me preguntó Hadley.

En el cristal había un cabello negro atrapado en una mancha de sangre seca.

—Lo siento —dijo Hadley—. No me acordaba de que tú no ves estas cosas tan a menudo como yo. ¿Quieres volver a la sala?

—No, da igual —respondí, recuperando el habla—. Estoy bien. Me gustaría colaborar en esta investigación, si es posible.

Hadley asintió, sin sorprenderse ante aquella petición.

—Me encantará que lo hagas.

Una voz de mujer llamó a Hadley. Era la técnica del laboratorio que se hallaba en la sala.

—Disculpa —dijo Hadley.

Me volví hacia las fotos del altar de Cicero y pensé en lo que me había dicho después de hacerme la receta.

«Ya tengo bastantes problemas; sólo faltaría que me arrestaran», había dicho. Pero se equivocaba. Aunque hubiera cumplido un tiempo de cárcel, eso no lo habría matado. Tal vez nunca me habría perdonado que lo delatase, pero al menos estaría vivo. Había muerto porque yo había pasado por alto mis mejores intuiciones y había obedecido sus deseos.

Cuando me contó la historia de la joven paciente con problemas psiquiátricos y de la noche en que ella lo había llamado para que fuera a su casa, Cicero había dicho: «En el fondo, probablemente me sentía bastante solo, aunque hasta entonces no había sido consciente de ello». Lo mismo podía decirse de mí. Yo necesitaba su amistad y temía vivir con el recuerdo de su enojo; por eso había evitado que lo detuvieran. En definitiva, lo había protegido por egoísmo y, al hacerlo, lo había matado.

Desde la colección de fotos, un joven y despreocupado Cicero y su hermano Ulises me miraban. Ahora estaban muertos los dos. Uno a manos de la policía, el otro por culpa de una policía indulgente.

Pasé la hora siguiente inmersa en el trabajo. Hadley salió a hacer unas rápidas entrevistas previas a los vecinos a fin de separar a los que, como Soleil, sabían lo suficiente para que mereciese la pena llevarlos a la central y tomarles declaración formal. Yo me quedé en el apartamento y, con una cámara de los técnicos, fotografié meticulosamente el apartamento de Cicero, todos los objetos, todas las manchas de sangre, distanciando mi mente de lo que veía en cada encuadre.

Cuando casi había terminado, Hadley volvió de la sala.

—¡Pribek! —Su tono de voz expresaba tanta urgencia que Malik dejó caer el lápiz con el que escribía y yo bajé la cámara.

—Tenemos que suspender la investigación —dijo Hadley con el móvil en la mano—. Una pareja de agentes ha recibido una llamada de una farmacia en University Avenue. Un farmacéutico se puso en contacto con ellos por una receta sospechosa. Un par de chicos intentaron colársela, pero el farmacéutico supo de inmediato que era falsa. Lo que había escrito en ella no significaba nada. Eran garabatos parecidos a letras griegas.

Claro. El talonario de recetas.

—Y lleva la firma del médico. Cicero Ruiz, doctor en medicina. —Hadley me lanzó una sonrisa sin humor, como la de un tiburón—. Vinieron a vengarse del doctor. Él los había engañado.

Antes, Hadley se había equivocado. Detrás de la paliza no había la hostilidad ni los odios personales en los que basaba su teoría. Los chicos habían querido que Cicero les hiciera recetas y, cuando éste se había negado, le habían hecho daño para intentar acabar con su resistencia.

—Los chicos se han dado cuenta de que ocurría algo y se han largado justo antes de que llegara la policía. Hubo unas carreras y uno de ellos se cayó. Lo hemos detenido. —Hadley sacudió la cabeza—. Su amigo lo dejó tirado. No hay honor entre los ladrones.

Yo apenas lo escuchaba.

Comprendía que pudieran atacar a Cicero por el dinero. Todos los que acudían a su consulta sabían que cobraba en efectivo, y también todos aquellos a quienes esos pacientes hubiesen hablado del médico sin licencia que vivía en las torres. Pero el talonario de recetas....

—¿Sarah? —La voz de Hadley sonó impaciente.

—Disculpa —murmuré.

—Tienen al chico de la farmacia en la central y se ha avisado al resto de la zona para que estén sobre aviso por si el otro muchacho intenta comprar con esa receta, pero sólo tenemos una descripción, no un nombre. El único que lo puede identificar es su amigo. —Hadley se guardó el móvil en el bolsillo—. Así pues, necesitaremos que colabore.

Desde la ventana del coche de Hadley, contemplé el río de peatones que llenaba las aceras mientras el sol se reflejaba en los altos edificios en lontananza. Sentí como si una membrana me aislase del mundo exterior. Llevaba en la mano un papel arrugado, el historial médico que me había abierto Cicero de su puño y letra. Me habría resultado imposible explicar aquello a mis superiores. Aun así, mientras lo buscaba entre los papeles del archivador volcado, me sentí rastrera y mezquina, como si al hacerlo estuviera traicionado a Cicero o algo así.

Hadley me tocó la muñeca ligerísimamente con dos dedos.

—Me parece que este caso te está afectando demasiado. —Apartó la vista de la calle un instante para mirarme a los ojos y luego adelantó un camión de mudanzas—. ¿Lo que te preocupa es que el tipo fuera parapléjico?

—No —respondí—. Es que... —añadí, titubeando. Tenía algo que decir, pero no quería romper la membrana y permitir que aflorasen mis sentimientos—. Es que me parece horrible cómo se ha malogrado su vida.

Me metí el historial médico en el bolso. «Por favor, que no siga hablándome de esto», pensé.

407

—Lo sé —murmuró Hadley—. Según su vecina, él...

—Antes de que lleguemos a la central —lo interrumpí—, ¿quieres que preparemos una estrategia para el interrogatorio?

—Buena idea —asintió, mientras adelantaba a un Oldsmobile que avanzaba muy despacio.

Es una táctica tradicional: cuando dos personas cometen un delito, detén a una y haz que ésta delate a la otra. Si se presenta la ocasión, bríndale la oportunidad de saltar sobre su compañero e implicarlo en todo.

El caso era de Hadley y yo me avine a que tomara la iniciativa. Yo desempeñaría el papel más amigable del poli bueno.

El joven que nos esperaba en la sala de interrogatorios no tenía pinta de delincuente. Medía algo menos de metro setenta, tenía el pelo pajizo y lucía una irregular barbita de chivo. Sus párpados inferiores se veían caídos, lo cual le confería un aire apático, aunque en sus ojos brillaba un placer hostil, como si no tuviera la menor intención de colaborar con nosotros. Vestía unos vaqueros de algodón burdo y color oscuro que le quedaban grandes y una sudadera roja con capucha. En el pliegue de la piel entre el índice y el pulgar llevaba un punto tatuado de color azulado que, cuando movía la mano, parecía una araña arrastrándose.

Al vernos, lo primero que hizo fue bostezar.

—No te pongas demasiado cómodo, Jerod —dijo Hadley.

Jerod Smith, diecinueve años, de Mineápolis Sur. Tenía antecedentes por posesión de marihuana, nada serio. Por ello, era posible que el autor material de la muerte de Cicero fuese su amigo fugado.

—¿Quieres hablarnos de Cicero Ruiz? —empezó Hadley.

—¿Quién? —preguntó Jerod.

—Si has de mentir, te pediría al menos que tus mentiras fuesen inteligentes —gruñó Hadley, sentándose en el borde de la mesa—. La receta que le diste al farmacéutico llevaba el nombre de Cicero Ruiz, así que ya sabemos que lo conoces. —Hadley respiró hondo como para impresionarlo. No estaba perdiendo la paciencia ni mucho menos—. Ruiz muere y, al cabo de un rato, tú intentas comprar medicamentos en una farmacia con recetas expendidas por él. Esto tiene muy mala pinta. Creo que ha llegado el momento de que cooperes.

—Cuando nos fuimos de su apartamento estaba perfectamente —aseguró el muchacho tras encogerse de hombros. Luego sus labios se curvaron como si estuviera conteniendo la diversión—. Tal vez se cayó de la silla de ruedas y se golpeó la cabeza con algo. Quizá le dio un ataque, a esa gente le suele pasar. —Jerod alzó el brazo, con la mano fláccida, y se golpeó el pecho imitando a un espástico.

—Escucha, comemierda —le dije, inclinándome hacia él—, ¿crees que estás a salvo porque en Minnesota no hay pena de muerte? —No podía contenerme—. Eso no es para alegrarse. En la cárcel, los gusanos como tú no tienen novia; ellos son la novia. Y para cuando salgas, ya viejo, ese colgajo repugnante que tienes entre las piernas habrá estado inactivo unos cincuenta años.

Primero, Jerod abrió los ojos, sorprendido. Luego, me fulminó con la mirada y apretó las mandíbulas. A mi espalda, Hadley continuó:

—Ya lo ves, Jerod, tienes motivos para meditar tu situación. Será mejor que te demos un rato para que reflexiones.

Hadley se puso en pie y se dirigió a la puerta. Yo lo seguí. Ya sabía qué venía a continuación.

Una vez en el pasillo, Hadley se frotó la frente y me dijo:

—Mira, en el coche había mucho ruido y tal vez te oí mal, pero pensaba que había quedado claro que yo haría de

409

poli malo y tú de poli bueno y que le darías la oportunidad de que delatara a su compañero.

No parecía tan enfadado como yo sabía que estaba. Controlaba las emociones del mismo modo que lo hacía en la sala de interrogatorios.

—Ya lo sé —asentí—. Es que me ha cabreado mucho.

—Bueno, pues ahora tenemos que distribuir de nuevo la tarea —dijo Hadley. Observó a un empleado de archivos que pasaba junto a nosotros por el pasillo y continuó hablando—. Ahora, yo iré al grano enseguida. Luego, tú te impacientas y te das por vencida y yo estoy de acuerdo. A ver qué pasa.

Cuando volvimos a entrar, Jerod se mostró rebelde, aunque no se burló ni dijo nada. Tal vez acabara confesando.

—Bien, voy a explicarte la situación. —Hadley tomó una silla, con el respaldo hacia el detenido, y se sentó a horcajadas—. Vamos a hacer lo siguiente: tenemos que echar el guante a tu amigo, eso es lo primero. Si nos ayudas, te ayudarás a ti mismo a los ojos del juez.

Me apoyé contra la pared como si todo aquel proceso me aburriera profundamente.

—Ahora mismo, ignoramos de quién fue la idea de acudir al apartamento de Ruiz. Tampoco sabemos quién lo mató, ni si su muerte formaba parte del plan o se improvisó sobre la marcha. Todo eso está en el aire. —Hadley alzó una mano, como para advertir a Jarod que no lo interrumpiera, aunque el chico no había dado ninguna muestra de querer hacerlo—. No digo que nos cuentes nada que no sea verdad; lo que digo es que no sabemos nada de lo sucedido y como el señor Ruiz está muerto...

«El doctor Ruiz», lo corregí mentalmente.

—... sólo tenemos a dos personas que estuvieron en su apartamento y que nos pueden contar lo ocurrido —continuó Hadley—. Y tu amigo, a la salida de la farmacia, se largó mientras a ti te arrestaban. Es evidente que no merece ningún tipo de confianza, y me pregunto qué respeto por la verdad tendrá cuando lo detengamos. No sé cuál será su versión sobre quién hizo qué en el apartamento.

Yo intentaba parecer ajena a lo que decía mi colega, pero no pude por menos que notar que Jerod empezaba a ponerse un poco nervioso y contraía los músculos de la cara.

—Pues bien, esto es lo que queremos —continuó Hadley—: Queremos el nombre de tu amigo, la matrícula de su coche y toda la información que tengas que nos facilite su detención. Si conseguimos dar con él, tal vez podamos ayudarte. Pero si esperas demasiado y comete otro delito, si hace daño a alguien... —Hadley se echó hacia atrás como si el bienestar de Jerod hubiese dejado de importarle—. Si sucede algo así, será culpa tuya, porque habrás tenido la oportunidad de evitarlo y no habrás colaborado.

Jerod permaneció en silencio.

—¿Qué te parece? —lo presionó Hadley.

Jerod tenía la vista clavada en el suelo. Había llegado el momento de que yo entrase en acción.

—Olvídalo —le dije a Hadley.

Éste me miró con irritación, como si fuéramos colegas que no se llevaban bien, ni siquiera fuera de la sala de interrogatorios.

—¿No podrías concederme cinco minutos más...?

—No, no puedo —repliqué, alzando la voz—. Ya pillaremos al otro muchacho. Cometerá una estupidez, porque tiene menos control de sí mismo que una hoja a merced del viento; lo atraparemos, joder, y entonces los tendremos a los dos.

Hadley alzó las manos y las dejó caer de nuevo.

—Está bien. Cuando tienes razón, tienes razón —se limitó a decirme—. Así pues, llamemos a un agente de la Fiscalía de Menores para que lo encierre.

Se puso en pie y los dos nos encaminamos hacia la puerta.

—Espere —dijo Jerod.

Perfecto.

—Fue Marc —declaró—. Ir a ver a ese tipo fue idea de Marc, y fue él quien después le pegó con la pesa, como cuatro veces. Le pregunté qué demonios estaba haciendo, pero no me hizo ni caso.

Verdad o mentira, ¿quién podía saberlo? A Cicero ya no le importaba, y a mí no mucho más.

Hadley dejó el bloc en la mesa delante de Jerod.

—Primero, tendrás que darnos el nombre completo de Marc y alguna otra información —le explicó—. Después, redactarás una declaración sobre lo que, según tú, ocurrió en el apartamento del señor Ruiz.

—Doctor Ruiz.

—¿Qué? —Hadley me miró sin comprender.

—El doctor Ruiz. Era médico.

Jerod ya se había puesto a escribir. Cuando terminó de hacerlo, Hadley arrancó del bloc la primera hoja de su confesión; técnicamente, ya podíamos marcharnos y dar aviso por radio a las patrullas. Hadley se dirigió a la puerta, pero yo no me moví. Estaba siguiendo el hilo del pensamiento que mi compañero había interrumpido en la escena del crimen.

En el mundo sólo había tres personas que supieran que Cicero tenía un talonario de recetas en su apartamento. Una de ellas estaba muerta y otra era yo. Sólo quedaba la tercera.

Me puse en cuclillas junto a la silla de Jerod. Era una postura íntima y que fomentaba la confianza.

—Jerod —le dije en una voz más baja de la que había utilizado hasta entonces—, ¿cómo os enterasteis de que el doctor Ruiz tenía ese talonario de recetas?

—Ya se lo he dicho, todo fue idea de Marc —insistió Jerod.

—Y Marc, ¿cómo lo sabía?

—Sale con una chica que es de su mismo pueblo, en Michigan —respondió—. Ella le dijo que sabía dónde encontrar a un tipo que tenía dinero y recetas en su apartamento.

—Marc es de Dearborn, ¿verdad? —apunté, intentando mantener el mismo tono de voz.

—Sí. —Jerod parpadeó, sorprendido—. ¿Cómo lo sabe?

—Y esa chica, ¿cómo se llama? —Le formulé la pregunta sin responder a la suya.

—Es un nombre francés —Jerod pensó unos instantes—, como Charmaine, pero no es eso. Ella cree que son novios, pero no lo son. Lo único que le interesa a Marc es acostarse con ella.

—Gracias, Jerod —dije sin sonreír—. Especifica todo esto en tu declaración.

Una vez en el pasillo, Hadley me preguntó:

—¿A qué demonios venía eso?

Las manos me temblaban de rabia y las oculté tras la espalda para que Hadley no se percatara.

—La novia de Marc es una confidente esporádica llamada Ghislaine Morris —expliqué—. Tal vez ella tenga alguna idea de dónde puede haberse metido el chico.

—Bien —asintió Hadley. Había echado a andar por el pasillo y yo lo seguí—. Pero, ¿por qué le dijiste a Jerod que pusiera todo eso en su declaración?

—Porque fue ella la que desencadenó los acontecimientos —respondí.

—Pero eso no va contra la ley —replicó Hadley—. No podemos acusarla de nada.

—No, no podemos —convine—. Pero voy a coger un coche del parque móvil e iré a hablar con ella.

Nos detuvimos ante la máquina de café y Hadley llenó un vaso de plástico hasta el borde. Me miró y arqueó una ceja a modo de invitación. Le dije que no con la cabeza.

—Buena idea —convino Hadley—. Pero, ¿por qué un coche del parque móvil?

—El mío se ha quedado en el edificio donde vivía Cicero —expliqué— y he venido hasta aquí en el tuyo, ¿recuerdas?

Al enterarme de lo que le había ocurrido a Cicero, mi aturdimiento había sido tal que, al marcharnos de allí, ni siquiera me había acordado de mi vehículo. Si Hadley me hubiera llevado a una nave espacial, habría subido a ella sin pensarlo.

—Bien —suspiró Hadley—. Si esperas un momento, te acompañaré a hablar con la novia del chico.

—Cuanto antes vaya, mejor —dije, sacudiendo la cabeza—. Tú todavía tienes que ocuparte de la declaración de Jerod y de hacer el papeleo para que lo encierren.

Al llegar al parque móvil, elegí un sedán azul marino, de tamaño mediano y bien cuidado. Pensé que Gray Diaz debía de conducir un coche de aquel tipo. Enfilé la rampa de salida un poco más rápido de lo necesario y dos funcionarios que cruzaban el garaje con la gabardina abierta sobre el traje me lanzaron una mirada de reprobación.

Ya había decidido lo que haría con Ghislaine. Me proponía llevarla a la central y averiguar si sabía algo del paradero de su novio Marc. Pero antes daría un rodeo para pasar por la oficina del forense.

Había advertido a Ghislaine que, si amenazaba de nuevo con delatar a Cicero, la metería en la cárcel. La advertencia había sido en vano. Ahora había hecho algo peor que dar un soplo sobre Cicero a la policía y yo tenía las manos atadas. Como decía Hadley, Ghislaine no había hecho nada de lo que pudiera acusársela. Sin embargo, me quedaba un as en la manga: podía hacer que Ghislaine viera el cadáver de Cicero, que contemplara el resultado final de sus actos en un féretro de acero inoxidable.

Treinta y seis

*L*a chica que abrió la puerta en el apartamento de Ghislaine parecía su prima del pueblo: un poco más baja, un poco más corpulenta, con los cabellos más blancos que la pelusa del maíz y unos ojos azules pequeños y cautelosos. Llevaba una camiseta blanca de cuello de pico, sin sujetador, y un pantalón corto del que asomaban unas piernas blancas. Iba descalza. A su espalda sonaba la cháchara estúpida de un programa de televisión.

—He venido a ver a Ghislaine —anuncié.

—No está —dijo la muchacha.

—No te importará que entre y lo compruebe, ¿verdad? —Le mostré la placa y ella abrió los ojos desmesuradamente y retrocedió.

—Estaba dando de comer al niño —explicó mientras yo entraba.

—¿A Shadrick? —quise saber.

—No, a mi hijo —respondió, sacudiendo la cabeza—. Shad está con Ghislaine.

Un bebé de unos seis meses, vestido de un amarillo apagado y andrógino, ocupaba una silla alta colocada justo en la frontera entre el linóleo de la cocina y la moqueta de la sala.

—¿Ghislaine ha hecho algo malo?

—No —respondí—, pero me gustaría hacerle unas preguntas. Es testigo material de un caso.

Avancé hacia el corto pasillo, que me recordó el del apartamento de Cicero. Apenas me llevó unos instantes inspeccionar el cuarto de baño. Alguien había tomado una ducha a media tarde y todavía flotaba en el aire una nube de vapor. En la repisa del lavamanos se amontonaban cremas y cosméticos. Tras el cristal translúcido de la mampara de la ducha no había nadie.

En la primera alcoba, la cama estaba deshecha, pero no hasta el punto de hacer irreconocible la cara amarilla y gigante de Piolín en la arrugada colcha. En una pared había un banderín del equipo de los Packers y, debajo, unas baldas en las que no había más libros que los de texto del instituto. Unas miniaturas de caballos llenaban dos de ellas en su totalidad y en una tercera había un perro de peluche, tumbado de costado. Me encontraba, evidentemente, en un apartamento habitado por críos.

—Éste es mi dormitorio —dijo la muchacha.

—No he entendido tu nombre —observé.

—Lisette.

Otro improbable nombre galo aunque, a tenor de su aspecto físico, la muchacha no me pareció francesa sino de pura ascendencia sajona.

—¿Ghislaine y tú sois familia?

—No —respondió sacudiendo la cabeza—. Sólo compartimos piso.

Entré en el último dormitorio.

Ghislaine debía de tener dos o tres años más que su compañera. Se notaba en la decoración de su habitación, más femenina y menos infantil. La cama estaba hecha, con una colcha color rosa pálido y tres cojines con adornos de puntilla barata cuidadosamente dispuestos. Los juguetes de Ghislaine eran más caros: un reproductor de MP3, un cargador de teléfono móvil y una hilera de discos compactos. La puerta del armario estaba abierta y en su interior había varias chaquetas de cuero y trajes de fiesta. En un tablón de corcho como el de la casa de Marlinchen vi fotos de Ghislaine, casi

todas con chicos o con Shadrick y rara vez con otras mucha-
chas.

—¿Cuál de estos chicos es Marc? —pregunté a Lisette,
que me observaba desde el umbral de la puerta.

—Ninguno de ellos —respondió—. Él no hace este tipo
de cosas.

—¿Qué cosas?

—Dejar que le tomen fotos con Gish —puntualizó la
chica—. O aparecer como su novio. Marc es demasiado popular para eso.

—¿Ah, sí?

—Sí. Gish le deja las llaves del coche para que pueda ir a
fiestas a las que ni siquiera la lleva. Marc deja su ropa sucia
aquí para que ella la lleve a la lavandería, y siempre huele a
perfume de otras chicas.

—Y Ghislaine, ¿cómo se lo toma?

—Se desvive por complacerlo aún más. Conmigo se queja, pero a él no le dice nada. Cuando se lamenta y le aconse-
jo que lo deje, cambia completamente de discurso.

—¿En qué sentido?

—Dice que Marc está cambiando y que, en el fondo, la
quiere. Ghislaine cree que la quiere porque le regala cosas,
pero son siempre objetos robados. A Marc le gusta hacerse el
matón. —Lisette puso los ojos en blanco—. En fin, que ella
no quiere dejarlo y se dedica a pensar en qué más puede hacer para impresionarlo.

Exacto. Así pues, a Ghislaine se le había ocurrido algo,
algo realmente bueno, y el precio había sido la vida de Cicero.

—¿Marc ha venido por aquí, hoy? —inquirí.

Lisette movió la cabeza en gesto de negativa.

—Gracias —le dije.

Si un observador más imparcial que yo se hubiera apostado en el umbral de la puerta de la alcoba de Ghislaine y

hubiese observado los bonitos objetos de los que se rodeaba, los habría tomado erróneamente por una señal de su inocencia y de su ausencia de malicia. Pensaría en una veinteañera a quien gustaban los objetos bonitos, la ropa y salir de compras y que tenía la habitación ordenada, y le desearía suerte. Ese observador diría que era culpa de Marc que ella se esforzara tanto por complacerlo; alegaría que era culpa de la sociedad que las chicas de su edad se entregaran tanto a los chicos que las rondaban, que les dieran sexo y dinero y apoyo sin recibir nada a cambio, hasta caer en la desesperación.

Ésta había sido mi impresión, también, la primera vez que la había visto. No había dado crédito a la opinión que Shiloh tenía de ella, y la achaqué a sus prejuicios. Me había dejado llevar por su charla y por su contagioso afecto, sin percatarme de que debajo de éste crecía un tumor maligno.

En realidad, el gusto de Ghislaine por las cosas bonitas y la ropa buena era la causa de su malicia. Deseaba poseer más y, si para conseguirlo tenía que hacer daño al prójimo, para ella ese daño no era real. Para Ghislaine, los demás no eran personas reales. Al parecer, Shadrick sí lo era y Marc, también. Pero el resto de la gente eran instrumentos para ser utilizados. Como Lydia, a quien había delatado a la Brigada de Narcóticos. Como yo, a quien había utilizado para que no la arrestaran por hurto en una tienda. Como Cicero.

Al llegar a la puerta de la calle, Lisette advirtió que había cometido una indiscreción.

—Escuche —susurró—, no va a contarle a Ghislaine lo que le he dicho de Marc, ¿verdad?

—No —respondí—. No lo haré.

—¿Qué quiere que haga, si Ghislaine vuelve a casa? —preguntó Lisette, visiblemente aliviada.

—Nada —contesté—. Tarde o temprano, me pondré en contacto con ella.

Υ

—Hadley al habla.

—Soy yo —dije, sentada a la puerta del edificio donde vivían Ghislaine y Lisette—. No he encontrado a la novia. Ahora vuelvo a la central. ¿Has pensado qué vamos a hacer a continuación?

—Son más de las seis —replicó Hadley—. Me voy a casa.

—Creía que estábamos buscando a Marc —apunté.

—No podemos hacer mucho más —dijo Hadley—. He enviado una patrulla a su casa pero, como era de esperar, no ha aparecido por allí. Probablemente anda escondido, pero hemos transmitido su descripción a todas las patrullas. Alguien lo pescará.

Aunque Hadley no parecía cansado, seguramente se encontraba en la central desde las ocho de la mañana. Además, tenía razón. En situaciones como ésta, los detectives no se dedican a recorrer las calles en un coche patrulla con la vana esperanza de cruzarse con el sospechoso de turno.

—Oye, ¿quieres que espere a que llegues? —preguntó.

—¿Por qué?

—Porque tu coche sigue en las torres, ¿no? —inquirió Hadley—. Si quieres, te llevo en el mío hasta allí para que lo recojas.

—No te preocupes por eso. Quizá me quede un rato en la central por si llega algún parte. Ya iré a buscar el coche más tarde.

—Sarah, sé que ya te lo he dicho y, por lo general, no me repito, pero pienso que te estás tomando este caso demasiado en serio. —Hadley hizo una pausa—. ¿Conocías a ese tipo? Cuando apareciste por allí, no era la primera vez que visitabas la casa, ¿no es cierto?

«Estoy hasta de mentir. Por una vez me gustaría decir la verdad a una persona a quien aprecio y respeto.»

—Me habían encargado que recogiese pruebas para presentar cargos contra él —dije, eludiendo la pregunta principal—. Si hubiese actuado más deprisa, ese hombre estaría vivo y en la cárcel y...

—No —me interrumpió Hadley—. No es culpa tuya. Esos tipos se cargaron a Ruiz como quien sopla una cerilla que ya ha utilizado. A mí también me afecta. Estoy ya lo bastante cabreado con ellos como para, encima, tener que pensar que, por su culpa, una persona que me cae bien se quedará en comisaría hasta altas horas de la noche, corroída por la culpa de lo que habría ocurrido si hubiera actuado de otra manera.

—Gracias —dije—. No me quedaré hasta muy tarde, te lo prometo.

Aquella noche estuve en comisaría un par de horas, tomando café y charlando con los agentes del turno nocturno. Por la radio llegaron denuncias de delitos habituales y de actividades que tal vez podían ser delictivas. En las galerías comerciales Nicollet, un mendigo molestaba más de la cuenta a los clientes. En el aeropuerto, un chico que debía haber tomado un vuelo se había quedado en tierra. En la 35 Oeste, un coche se había detenido en el arcén sin poner los intermitentes y el conductor estaba borracho, dormido o se había desplomado encima del volante. Al final, me di por vencida y pedí a un agente de patrullas que terminaba el turno que me acercase hasta el edificio de Cicero. Antes de salir, comprobé los últimos partes de la radio y me llevé un emisor-receptor, por si acaso.

Por el camino, el agente y yo apenas intercambiamos unas frases y de lo que no hablamos en absoluto fue de crímenes.

—Curioso, ¿no? —dijo mi compañero eventual, al tiempo que levantaba una mano del volante para señalar el brillo dorado del cielo, por el oeste—. Son más de las nueve y el sol apenas acaba de ponerse.

—Hoy es el solsticio de verano —le recordé.

—Lo sé —replicó—, pero sigo sin acostumbrarme a ello. He vivido aquí toda mi vida y todavía me produce escalofríos ver que anochece tan tarde.

Cuando llegamos a las torres, ni siquiera alcé la mirada hacia las ventanas que, como ojos vacíos, se cernían sobre mí.

—Gracias —dije al apearme. Cerré la puerta del coche y enfilé hacia el aparcamiento donde esperaba mi Nova. Cuando vi su morro bajo, casi me pareció que me miraba con gesto huraño: últimamente, el Nova y yo pasábamos mucho tiempo separados, como si fuéramos un piloto y un copiloto mal avenidos.

Apenas me había puesto al volante cuando escuché una llamada por la radio, que crepitaba quedamente en el asiento del acompañante. La voz del agente emitía, en el cuidadoso lenguaje de las comunicaciones por radio, una petición para que acudieran refuerzos a una pequeña licorería de Central Avenue, no lejos de donde yo me encontraba, en la que se habían oído disparos.

Pisé el acelerador a fondo.

Al oír la voz del agente por la radio, me asaltó una intuición. De lo más profundo de mi ser surgió una pequeña onda de choque y noté que me acaloraba.

No me sorprendió que el comercio donde se registraba el incidente no fuera una farmacia. Tanto si se había dado cuenta de que las recetas de Cicero eran un galimatías como si no, Marc no era tan tonto como para volver a intentar colarlas, por lo menos en las Ciudades Gemelas. Sin embargo, necesitaba dinero y por eso recurría a una profesión que conocía. «Le gusta hacerse el matón», había dicho Lisette.

Se había ocultado hasta el anochecer y luego había entrado en acción. Un golpe más y después se marcharía de la ciudad.

El morro del Nova salvó con un bamboleo el desnivel de la entrada del aparcamiento de la licorería. Delante de la tienda había sólo un coche patrulla.

La agente me miró y vi que era muy joven. De hecho, la conocía: era Lockhart, la que había aparecido en el canal en el que se había ahogado el niño y que luego me había llevado a la central para que prestase declaración. Entonces la acompañaba Roz, pero en esta ocasión no la vi por ninguna parte. Lockhart ya había aprobado su examen y podía patrullar sola, pero era evidente que no tenía ningún control sobre la situación.

Sin embargo, lo intentaba. Respondió a mi pregunta con un asentimiento breve, alzando deprisa la barbilla, y volvió la mirada hacia la tienda.

—Creo que ahí dentro tengo a un asaltante armado —explicó—. El único cliente dice que salió corriendo al empezar el tiroteo y cree que el atacante era un joven de raza blanca.

—¿Dónde está el testigo? —inquirí.

—Allí, en la otra acera. Le he pedido que se quedara por aquí y luego he ordenado a gritos que todo el mundo sacara su coche del aparcamiento y se alejara.

Debía de tener una voz más potente de lo que su estatura daba a entender, porque un pequeño corro de testigos nos observaba y ninguno de ellos había intentado entrar en la zona que Lockhart había acotado.

—El cliente advirtió con el rabillo del ojo que el chico sacaba la pistola y echó a correr al momento —prosiguió la agente—. Oyó los disparos cuando llegaba a la puerta y asegura que no ha visto salir al atacante.

—¿Y qué hay de los otros clientes? —quise saber.

—El testigo está seguro de que era la única persona que había ahí dentro —dijo Lockhart—. Salvo el dueño, que se hallaba detrás del mostrador.

—¿El dueño no ha salido?

Lockhart negó con un gesto. Llevaba el cabello recogido con unos pasadores detrás de las orejas, pero la pequeña coleta de la nuca osciló con el movimiento.

—Tal vez haya una salida trasera —apunté.

La tienda esta una especie de caja, con barrotes en las ventanas y carteles de la lotería de Minnesota detrás de los barrotes, pegados desde el interior. Compitiendo con esos carteles por la atención del transeúnte había anuncios de cigarrillos, cerveza, licores y tarjetas telefónicas. Mierda, no podía ver nada de lo que ocurría en el interior, en el caso de que ocurriese algo.

Cabía la posibilidad de que el ladrón hubiese huido por la puerta trasera y nadie hubiera vuelto a verlo, pero el dueño, si estaba en condiciones de andar, ya debería haber salido y haberse dado a conocer.

—Me temo que el dueño esté herido. —Lockhart expresó en voz alta lo mismo que yo pensaba—. Voy a entrar.

—No. El servicio de emergencias médicas está de camino, ¿verdad? ¿Y la unidad de refuerzo?

—Tal vez sea demasiado tarde —objetó.

—Lo sé —asentí—. Entraré yo.

—Entraremos las dos —dijo ella.

—No —repliqué. La agente Lockhart era joven y poco experimentada, y yo no quería cargar con ella en mi conciencia—. Lo haré yo sola. Tú quédate aquí y cubre la puerta —añadí sin darle ocasión a protestar—. Voy a investigar la entrada trasera.

Pese a que entrar en acción sin esperar a la llegada de los refuerzos era dar mal ejemplo a Lockhart, saqué mi calibre cuarenta y empecé a rodear el edificio, despacio.

Me resultaba extraño pensar que casi eran ya las diez de la noche. Ni siquiera Venus brillaba todavía en el firmamento azul celeste y, como si le faltara potencia, apenas se notaba que el rótulo de neón de la tienda estaba ya encendido.

Al doblar la esquina del callejón trasero, vi un coche aparcado. Era un viejo sedán azul. Eché una ojeada a la matrícula, pero no la reconocí. No era el coche de Marc.

Vi que la puerta de atrás estaba abierta. Había llegado la hora de la verdad.

—¡Agente del sheriff! —grité, haciéndome a un lado—. ¡Si dentro hay alguien que pueda oírme, que se identifique, por favor!

Sólo me respondió el silencio.

—¡Muy bien, voy a entrar y estoy armada! —proseguí—. ¡Y dispuesta a utilizar el arma si me amenazan! ¡Es su última oportunidad!

Mis palabras parecían sacadas de un manual de entrenamiento sobre situaciones de riesgo. El sudor empezaba a empaparme las zonas de la piel que antes se humedecen, como los párpados inferiores y la nuca. Me sentí como una adolescente jugando a policías.

Más silencio. Crucé el umbral y avancé, despacio.

Lo primero que encontré fue un pequeño almacén en el que había estanterías de madera sobre las que se apilaban cajas de cartón. En mi campo visual no aprecié ningún movimiento, ni siluetas humanas. A mi izquierda había una puerta abierta. Daba a un retrete, donde había también unas cuantas cajas apiladas junto a la taza sucia y un dispensador de toallas de papel. En el aire flotaba un olor a humo de cigarrillo. Salvo por esto, el cuarto estaba vacío. Sólo tardé un segundo en comprobarlo.

Antes de pasar a la tienda propiamente dicha, capté otro olor. No a sangre, sino a licor derramado, dulzón y rancio.

Todo el jaleo había ocurrido en la tienda: estantes derribados, botellas rotas, destrucción. Una fina capa de líquido se extendía por el pálido suelo de linóleo y brillaba a la luz de los fluorescentes del techo. El licor derramado aún fluía y avanzaba hacia mis pies mientras lo miraba. Dentro del charco casi incoloro había riachuelos de sangre color óxido.

Seguí esos riachuelos hasta su origen, volví la cabeza en un acto reflejo y me obligué a mirar otra vez.

Era un joven de raza blanca. Aparte de eso, no sabía nada más. En la cabeza, a modo de máscara, llevaba una media de nailon que ahora se había convertido en una fina bolsa que contenía sangre y materia gris. En el interior de esa bolsa no se apreciaba nada que recordase unos rasgos faciales humanos. Su pistola, del calibre treinta y ocho, estaba tirada al lado del cuerpo.

Me volví para seguir la trayectoria del disparo. Parecía proceder del mostrador, lo cual era lógico si había sido obra del dueño de la tienda. De éste no había ni rastro, pero el mostrador medía más de un metro de alto. No me costó gran cosa recomponer el rompecabezas.

Para completar la escena, alcé la voz de nuevo al tiempo que me acercaba al mostrador.

—Soy detective de la Oficina del Sheriff —anuncié otra vez, al tiempo que rodeaba el extremo de la barrera—. Voy a pasar al otro lado del mostrador. Si estás ahí escondido y tienes un arma, suéltala. Se acabó lo que se daba.

El propietario yacía en el suelo, inmóvil y con los ojos cerrados, delante de una pared de botellas de tres cuartos de litro. Tenía la ropa empapada, pero no de sangre, sino de alcohol, y estaba rodeado de cristales rotos que le habían producido unos cortes superficiales de los que brotaba poca sangre. Su pecho subía y bajaba con tanta placidez como si durmiera, y junto a él había una escopeta.

El hombre, con su calva incipiente, la tez morena y las facciones mediterráneas, se parecía un poco a Paul, ese tipo sobrio al que recordaba vagamente haber conocido hacía siglos. Aquí, un tercer olor competía con el de la sangre y el alcohol. Era orina, a juzgar por la mancha en la parte delantera de los pantalones baratos del tendero.

Pistola contra escopeta. Probablemente, el joven asaltante había sacado el arma desde el otro lado de la caja registradora a una distancia de tiro aceptable para una pistola como aquélla, algo más de medio metro. El dueño de la tienda le habría seguido la corriente hasta encontrar un pretexto para agacharse y sacar la escopeta. Al hacerlo, el muchacho se había sobresaltado y había tenido una reacción equivocada. Primero había retrocedido un paso para escapar y sólo entonces se había acordado de disparar la pistola. Cuando lo hizo, fue demasiado tarde. Se había alejado en exceso y estaba demasiado nervioso para poder alcanzar al tendero. La bala había dado en el estante de los botellines y lo había derribado. El tendero, al ver que el atracador disparaba, había apretado el gatillo de su escopeta con un efecto letal. Quizás había disparado más de una vez, a juzgar por los destrozos que había producido en el local. Luego, al advertir los resultados de su acción —la cabeza del chico parecía haber reventado dentro del fino nailon—, se había desmayado, perdiendo el control de su vejiga urinaria al caer.

El tendero estaba sano y salvo; el asaltante, muerto. Lo único que me quedaba por hacer era no alterar la escena del crimen más de lo que ya había hecho. Tenía que salir y comunicar a Lockhart que todo estaba bien.

Fue entonces cuando vi la pierna.

Asomaba detrás del segundo pasillo. El pie iba calzado con una sandalia y las uñas de un color escarlata intenso, demasiado liso y regular para que se tratase de sangre. Era esmalte. Pero el pequeño tentáculo rojo que se extendía despacio desde detrás del estante... Aquello era sangre, sin lugar a dudas. Parecía que el tendero había efectuado más de un disparo antes de perder el sentido.

Rodeando el mostrador, me dirigí al extremo del pasillo y observé la imagen completa. Ghislaine Morris yacía boca arriba, con los ojos cerrados y una pierna doblada. La sangre que manaba de su cuerpo procedía del pecho.

Lisette me había contado que Ghislaine prestaba su coche a Marc para que pudiera ir a unas fiestas a las que él jamás la llevaba. Era el vehículo azul del aparcamiento. En esta ocasión, lo había tomado prestado otra vez, pero se había llevado a la chica consigo. La había llevado a un atraco. Observé que en el pecho de Ghislaine había un orificio irregular del que escapaba un ruidoso silbido. La tela que lo rodeaba se movía, al tiempo que se iba empapando. Un neumotórax abierto. Era preciso que la atendieran enseguida, pero aún no se oía ninguna sirena en la distancia.

Ghislaine se había metido en aquel aprieto ella sola. Había tenido más opciones de las que ella había ofrecido a Cicero.

«No, señor —le dije a un futuro inquisidor imaginario—. No la vi. Me ocupé del dueño de la licorería. No sabía que hubiese una tercera víctima.»

De la herida de Ghislaine escapó un nuevo silbido. Sus labios empezaban a amoratarse. No llegaría viva a la ambulancia.

«Sí, señor —imaginé que decía—. Una terrible tragedia.»

Pero en incluso entonces, ya sabía que no podía dejarla en aquel estado.

—¡Oh, Cicero, maldita sea! —dije en voz alta, y luego corrí al otro lado del mostrador a buscar una bolsa de plástico para taponar la herida.

Había conseguido que el pulmón volviera a llenarse de aire cuando unas manos se posaron en mis hombros y tiraron de mí. Levanté la vista y descubrí las facciones atractivas y serenas de Nate Shigawa.

—Nosotros nos ocuparemos de ella, detective Pribeck —dijo.

Complacida de que se acordara de mí, hice un gesto de asentimiento, me incorporé y me quité de en medio. Y como ya estaba en marcha, seguí caminando hacia el almacén. Schiller, el compañero de Shigawa, atendía ya al dueño de la tienda. Todo estaba bajo control.

Me alejé, salí por la puerta trasera y vi el coche de Ghislaine. En esta ocasión me fijé en algo que antes se me había escapado. En los asientos traseros había una sillita de seguridad infantil. Me agaché y miré por la ventanilla. No podía ser. Seguro que no...

Pero sí, Shadrick estaba dentro, con la cabecita caída de lado. Había estado dormido durante todo el suceso.

La puerta trasera no estaba cerrada con llave y el niño despertó en cuanto la abrí. Mientras desabrochaba el cinturón y lo levantaba de la silla, permaneció en silencio.

Con Shad en brazos, me dirigí a la entrada principal de la tienda y una vez más me encontré en medio del circo de los servicios de emergencias. Una radio crepitaba y carraspeaba mientras las luces de las ambulancias se reflejaban en el asfalto y en la pared delantera de la licorería. El personal de la ambulancia pasó corriendo junto a mí, cada cual concentrado en su trabajo, pero nadie parecía necesitarme. En realidad, ni siquiera me miraron, a excepción de una persona que, desde el límite mismo de la escena del crimen, me observaba de una manera que me resultó familiar de cuando hacía la calle en mis misiones encubiertas antivicio, mucho tiempo atrás. Era Gray Diaz.

Presentaba un aspecto un tanto desaliñado, en mangas de camisa, y advertí unas profundas ojeras. Parecía cansado, pensé, como si hubiera estado trabajando en exceso. No vi que llevara una orden de detención en las manos, aunque eso no significaba que no la hubiera obtenido.

—Detective Pribek —dijo Diaz, viniendo a mi encuentro—. Me han dicho que la encontraría aquí. —Me observó con atención—. ¿Qué le ha ocurrido en la cara?

—Me caí —respondí—. En el incendio de una casa.

Ahora le tocaba hablar a él.

—Sólo he venido a despedirme —dijo—. Regreso a Blue Earth.

—¿Ah, sí?

—Mi investigación aquí ha concluido —explicó—. El caso Stewart seguirá abierto oficialmente, pero inactivo.

Miró a su alrededor, a nuestros compañeros, pero ninguno de ellos parecía prestarnos atención. Luego, se volvió de nuevo hacia mí.

—Sé que mataste a Royce Stewart, Sarah, pero no puedo demostrarlo —declaró Diaz llanamente—. Supongo que pensaste que una vida como la de Stewart carecía de importancia y, desde el punto de vista del sistema, tienes razón.

No esperó a que yo respondiera ni añadió nada más. Aquéllas fueron sus palabras de despedida. Shadrick eligió ese preciso momento para llevar sus suaves manitas, un poco frías, a mi rostro, y con su gesto desvió mi atención de la silueta de Diaz, que ya se alejaba. Shad me miró a la cara, como si esperara recibir instrucciones o consejos.

—No me mires así, pequeño —le dije.

Treinta y siete

Cuando duermes bien, se abre una trampilla en el fondo de la mente y tienes sueños profundos y extraños: psicodramas llenos de imágenes simbólicas que rara vez recuerdas al despertar y que, cuando las recuerdas, te llevan a comentar a tus amigos: «Anoche tuve un sueño de lo más raro». Y es que cuando estás nervioso y no duermes bien, tus sueños están tan cerca de la superficie de la mente que se parecen más a los pensamientos que al acto de soñar.

En otras palabras, los detalles del sueño que voy a narrar a continuación sólo fueron especulaciones, nada más.

Volvía a estar en la sala el tribunal. Hugh Hennessy iba a ser juzgado pero, en esta ocasión, yo no ejercía de fiscal. No era más que una observadora, o al menos eso creía, hasta que Kilander me apoyó la mano en el hombro.

«Hugh no puede hablar —señaló—. Cualquier juez desestimará el caso.»

«Eso ya lo has dicho.»

«Pero han encontrado a alguien que hable por él —prosiguió Kilander—. Quieren que lo hagas tú.»

Yo respondí que no podía.

«No hagas esperar al juez», dijo Kilander.

La empatía es una herramienta útil para los detectives. Por mucho que detestes a un sospechoso, es provechoso adoptar su punto de vista, comprender sus motivos. Lo tuve en cuenta mientras me acomodaba detrás del estrado.

«Cuando esté usted preparada», dijo el juez.

Me incliné hacia delante y hablé en nombre de Hugh: «Ya sé que todo esto parece algo horrible.»

«Un poco más alto, señora Pribek», dijo el juez.

«Ya sé que todo esto parece algo horrible —repetí—. Pero, por regla general, mi escritorio está cerrado con llave y, aunque estuviera abierto, los niños nunca entran en el estudio. No tengo allí nada que los atraiga, ni juguetes ni chucherías. Guardaba las pistolas en un cajón porque en nuestro dormitorio no había ningún mueble que cerrase con llave. Si las necesitaba, las armas estarían allí, al otro lado del pasillo. Las tenía cargadas porque, en aquella época, la zona del lago no estaba tan urbanizada como ahora. La casa quedaba muy aislada y quería proteger a Lis y a los niños de posibles robos. No sé por qué ese día se me olvidó cerrar el escritorio, pero así fue.

»¿Cómo pudo ser que la única vez que olvidé cerrar, Aidan entrara y encontrase el arma? Y que no disparase al aire, o al suelo y se alcanzara el pie, sino al pecho. ¡Al pecho, nada menos!

»No es que me diera miedo llamar a la ambulancia y que quedara registro del accidente. No fue por eso por lo que llevé a Aidan yo mismo al hospital. Sé que es lo que parece, pero la razón no fue ésa. Lo que me dio miedo fue esperar a que llegara. Por eso lo tomé en brazos y corrí al garaje. Si hubiese habido controles de velocidad en la carretera, la policía habría tenido que perseguirme hasta el hospital, porque no me habría detenido. Deseaba con toda mi alma salvarlo... Pero no había controles ni me vio ningún agente de tráfico. Llegué hasta el hospital, pero nadie pareció advertir mi llegada. Y entonces volví la cabeza y vi que Aidan, en el asiento trasero, no respiraba. Estaba amoratado. Había fallecido.

»Permanecí sentado en el coche y lloré, y siguió sin acercarse nadie. Cuando ya no pude llorar más, pensé en avisar a los del servicio de urgencias para que se hicieran cargo del cuerpo, pero no quería que me lo quitaran y lo llevaran al depósito de cadáveres, así que puse el coche de nuevo en marcha y regresé a casa. No sé en qué estaría pensando. Supongo que en realidad no pensaba en nada.

»Cuando llegué a casa, Lis estaba durmiendo; tenía a Marli en la cama y no quise despertarlas. Amaneció una mañana espléndida y decidí enterrar a Aidan bajo el magnolio. Antes, muchas familias americanas tenían sepulturas en sus fincas. Es una tradición, por lo que enterré a Aidan bajo el árbol y recé una plegaria.

»Marli despertó y le dije que su madre se encontraba mal y que Aidan estaría fuera un tiempo. "Pero volverá, ¿verdad?", preguntó, y no tuve el coraje de decirle que no, y por eso le aseguré que todo se arreglaría. Más tarde, bajé al magnolio con Lis y le dije que me había parecido mejor enterrarlo allí que mandarlo a una funeraria para que lo embalsamaran y cosieran. De ese modo, estaría siempre con nosotros. Lis lloró y asintió. Después, se quedó prácticamente catatónica. No llamó a nadie, ni a los amigos ni a su hermana.

»Aquello me dio que pensar. Se habían producido tantas coincidencias... nadie había visto a Aidan en mi coche a la puerta del hospital, nadie se había enterado todavía de lo ocurrido. Me pareció cosa del destino. Tal vez conseguiría ocultar que Aidan se había matado con la pistola. Quizá podría echar la culpa a los cazadores, pero ¿qué bien nos haría que los periódicos publicaran con grandes titulares la muerte de Aidan? La gente sospecharía de Elisabeth y de mí. A ella también la culparían. ¿Y si Servicios Sociales nos incapacitaba para cuidar de nuestros hijos? ¿Y si también se llevaban a Marli y a Liam? Eso habría destrozado a Lis. En aquella época, además, estaba embarazada de Colm. La vi tan frágil...

433

»Fue entonces cuando me acordé de Brigitte y de su hijito, Jacob. Parecía imposible, pero en realidad era perfecto. Jacob tenía prácticamente la misma edad que los gemelos. Y como eran tan pequeños, el tiempo estaba de mi parte. Los dos olvidarían el pasado y, pasados unos años, Jacob llegaría a ser Aidan.

»Cuando se lo expuse a Lis, se puso histérica y me calificó de enfermo, pero yo capeé el temporal. Le dije que nada podría devolvernos a Aidan pero le expliqué todas las razones. Le hice notar lo que ella misma me había contado: que desde la muerte de su novio, la vida de Brigitte había sido un desastre. Bebía y se drogaba mucho y, por un descuido suyo, un perro le había arrancado un dedo al niño. Jacob estaría mejor con nosotros. Le dije que podíamos darle al chico una vida maravillosa, aunque nunca, nunca olvidaríamos a Aidan. Podríamos visitar su tumba todos los días.

»No me costó convencer a Brigitte. Ella sabía que era una mala madre y que su hermana acogería con cariño a Jacob. Un cuantioso cheque fue lo único que necesité para que se decidiera. Y una vez lo cobrara, no podría denunciar al caso a las autoridades, porque ella también estaría implicada.

»El día que trajimos a Jacob a casa también fue un desastre. Yo le había dicho a Marli que a Aidan lo había mordido un perro y que se quedaría en el hospital hasta que se curase. Ella me creyó pero, cuando llegué con Jacob, lo miró y se echó a llorar. Sabía que no era Aidan, pero cuando yo insistía en que sí lo era, se sintió confusa y se asustó. Le dije: "Marli, aunque parezca distinto, es Aidan, por dentro es Aidan, en serio", pero ella siguió llorando y diciendo: "Quiero a Aidan, quiero a Aidan". Y Lis estaba tan abatida que se sentó en la mecedora y también lloró. Marli se quedó en un rincón, llorando, y Lis en la mecedora, llorando, y Jacob de pie en medio de la habitación, también con ganas de llorar. Pensé que el monstruo allí era yo. ¿Cómo había podido su-

434

ceder todo aquello? Lo único que había querido siempre era ser un buen marido y un buen padre, y ahora era un maldito monstruo que no alcanzaba a comprender qué demonios había ocurrido.

»En ese momento Jacob miró alrededor y vio a Lis. Se parecía un poco a su hermana Gitte; era más hermosa, por supuesto, pero el muchacho advirtió el parecido. Se acercó a ella y le preguntó por qué lloraba y se subió a la mecedora y se sentó en su regazo. Entonces Marli vio que su madre no tenía miedo del nuevo Aidan y fue a sentarse con ellos. Allí estaban los tres y, al verlos, pensé que todo saldría bien. Me habría gustado participar en aquel abrazo, pero en la mecedora ya no cabía nadie más. Me quedé a un lado y pensé que me quedaba aislado de ellos, pero no me importó. Podría soportarlo. Probablemente, lo merecía. Siempre y cuando Lis fuera feliz...

»Pero, como es natural, las cosas no salieron de ese modo. Marli y el chico intimaron enseguida y, al cabo de seis meses, habría jurado que no recordaban que Jacob Candeleur hubiese existido siquiera. Sin embargo, yo sí me acordaba. Me di a la bebida y sufrí una úlcera y esperé que algo saliese mal. Lis quería al muchacho como si fuera su propio hijo, aunque también pasaba tiempo junto a la tumba de Aidan, y advertí que había sido una mala idea enterrarlo allí porque siempre se acordaría de cómo había muerto. Se me ocurrió que tal vez nos convenía mudarnos de casa, pero me daba demasiado miedo. ¿Qué ocurriría si los nuevos dueños levantaban la moqueta del estudio y descubrían la gran mancha de sangre? ¿Y si cavaban bajo el magnolio y encontraban los huesos de Aidan? ¿Y qué iba a hacer con el maldito BMW? Nos habíamos quedado varados en la casa y en todos los rincones de ésta se agazapaban los recordatorios de lo ocurrido.

»No obstante, nunca pudimos pasar el duelo por la muerte de Aidan, y creo que eso fue lo que al final acabó matando a Lis. Así, ella también se fue y, cuando volví a casa después del funeral, caí en la cuenta de que mi esposa, a quien quería más que a nadie en el mundo, se había ido y, en cambio, tenía en casa al hijo ilegítimo de su hermana. El chico estaba llorando bajo el maldito magnolio, justo encima de la tumba de Aidan; en ese momento salí y le pegué por primera vez. No fue la última, pero, ¿a quién le importaba ya? Yo era el monstruo, hacía años que lo sabía.

»Empecé a imaginar que lograría borrar de su mente los recuerdos de ser Aidan Hennessy de la misma manera que años atrás le había hecho olvidar que era Jacob Candeleur. Tardé demasiado tiempo en comprender que lo mejor que podía hacer era enviarlo de vuelta con Brigitte. Cuando llamé para sugerírselo, accedió enseguida. Y me alivió tanto no tenerlo en casa que, cuando Brigitte murió, pedí a un viejo amigo que se hiciera cargo de él.

»Marlinchen no lo comprendió y yo no soportaba hacerle daño. En una ocasión, estuve a punto de confesarle todo lo ocurrido. La llevé a la tumba de Aidan, pero cuando llegué allí, no me atreví y sólo le hablé de lo mucho que echaba de menos a su madre y le conté que allí, una vez, nos habíamos jurado amor eterno.

»Deseaba contárselo. Marlinchen se parece mucho a su madre y hace mucho tiempo que quiero contárselo a alguien que me diga que lo comprende. Eso es todo. "Lo comprendo."

»Ahora sé que eso nunca ocurrirá. He pagado hasta la saciedad por mi error y no sé si esto terminará alguna vez. Conseguí borrar los recuerdos de Marlinchen y también los de Jacob, pero no puedo borrar los que más me gustaría: los míos.»

Epílogo

*L*os primeros titulares sobre Hugh Hennessy fueron concisos y respetuosos: «Famoso escritor fallece en el incendio de su casa». Los medios de comunicación se mostraron considerados en la cobertura del funeral, durante el cual, sentados en el primer banco de la catedral, los cuatro hijos de Hugh lloraron abrazados los unos a los otros, incluso Colm, sin avergonzarse de sus lágrimas.

No obstante, después del entierro, las preguntas comenzaron a hacerse más insistentes. ¿Por qué no se había hecho pública la enfermedad del escritor? ¿Quién era el joven que había muerto antes, aquel mismo día, y cuya partida de defunción lo identificaba como Aidan Hennessy? Los periodistas empezaron a investigar y, al cabo de un tiempo, se destapó toda la historia. El día en que los técnicos de la policía del condado de Hennepin cavaron bajo el magnolio, a la prensa se le prohibió la entrada en la finca de los Hennessy. Los periodistas, sin embargo, se congregaron en el extremo de la larga calzada de acceso y sus objetivos captaron imágenes de los técnicos que sacaban los huesos de un niño muy pequeño al que no le faltaba ningún dedo y con el esternón destrozado.

Los hermanos Hennessy se negaron a hacer declaraciones y Campion actuó como portavoz, si bien muy conciso, de la familia. Durante aquellas semanas llenas de tensión, telefoneé varias veces a Marlinchen. Ella me aseguró que todo estaba bajo control y yo la creí, sobre todo porque, aunque la notaba muy serena y a veces cansada, no advertí en su voz aquella nota tensa y penetrante que la había caracterizado en los peores momentos. Pensé que quizá podía deberse a la presencia continuada de J. D. Campion. El hombre no tenía planes para marcharse de las Ciudades Gemelas, algo de lo que me alegré. No era el supervisor que los Servicios Sociales habrían elegido para cuidar de los Hennessy, pero tal vez era la única persona adecuada para tratar con aquella intelectual e idiosincrásica familia de jóvenes.

En agosto, el trabajo me llevó al campus de la Universidad de Minnesota, donde había de realizar una breve entrevista. Era un día caluroso y húmedo pero no desagradable y, teniendo en cuenta que era verano, había bastantes jóvenes en el gran patio cuadrangular que se extendía a los pies del auditorio Northrop. Estaba cruzándolo por un sendero de piedras que discurría entre la hierba, cuando una voz masculina me llamó.

—¡Detective Pribek!

Tardé un momento en reconocer al estudiante que había gritado mi nombre. Liam Hennessy no había cambiado tanto en las ocho semanas transcurridas desde la última vez que lo había visto, pero parecía más mayor, todo un estudiante universitario, sobre todo porque su atuendo era muy informal: vestía pantalón corto, una camiseta rojo pálido y sandalias. Sus cabellos, que nunca había llevado cortos, habían seguido creciendo y la exposición al sol los había aclarado, sobre todo en las puntas. Llevaba colgado en la garganta el familiar cordón de cuero con los tres ojos de tigre. Sólo las gafas de montura metálica eran las mismas.

—¡Hola! —lo saludé, contenta de verlo, y me acerqué al árbol bajo cuya sombra estaba sentado—. ¿Te has saltado el último curso en el instituto?

—No —respondió Liam, sacudiendo la cabeza—. He venido para asistir a un seminario sobre la tragedia griega y romana.

—Vaya, un tema sumamente ameno —observé.

—Sí.

Permanecimos en silencio unos instantes. Luego, comenté:

—Me gusta el collar. Te queda muy bien. A él también le quedaba muy bien. —Por extraño que pareciera, era cierto. Físicamente, Liam Hennessy y su primo no se asemejaban en nada.

—Gracias —susurró Liam—. Hablamos sobre si debíamos enterrarlos a él y a Aidan con papá, pero pensamos que era mejor llevarlos con mamá —me contó—. Jacob la quería mucho.

—Lo sé —asentí—. ¿Cómo está Donal?

—Recibe tratamiento psicológico. —Una sombra cruzó el rostro delgado de Liam—. El incendio fue un accidente y él lo sabe, pero tardará un tiempo en aceptar lo que ha ocurrido.

—Me habría gustado más que nada en el mundo que las cosas salieran de otra manera.

Había expresado mal mis sentimientos. Las muertes de la primavera anterior eran terribles, pero el dolor que Jacob y Hugh habían sentido había terminado enseguida. Son los vivos los que sufren. Y afrontar una pregunta sin respuesta, como «¿qué habría sucedido si hubiese actuado diferente», eso es lo que duele más.

—J. D. todavía está por aquí, lo sabías, ¿verdad? —dijo Liam, cambiando de tema—. Nos ayudará a vender la finca. Demolerán la casa, pero el terreno nos supondrá una buena suma. Y también vamos a vender la cabaña del lago Tait.

—De ese modo, no tendréis problemas económicos durante una buena temporada —comenté.

439

—No —admitió Liam—. J. D. y yo estamos tratando de convencer a Marlinchen para que solicite plaza en alguna universidad. Dice que ahora mismo tiene demasiadas responsabilidades, pero le hemos aconsejado que estudie en una universidad local y así podremos seguir juntos. Creo que al final la persuadiremos.

—Eso espero —dije.

—Hola, Liam. —La muchacha que nos interrumpió tendría la edad de Marlinchen. Llevaba el cabello negro en una larga melena y, con su pantalón corto, lucía unas bonitas piernas. Se situó más cerca de Liam que de mí y su expresión indicaba que esperaba con toda cortesía que nuestra conversación terminara. Me di por aludida y me despedí:

—Ha sido un placer encontrarte.

—Lo mismo digo —asintió Aidan y, cuando ya me alejaba, me llamó de nuevo—: ¡Detective Pribek!

Me volví.

—Si alguna vez quiero escribir una novela policíaca, ¿podré hablar contigo para documentarme?

—Será todo un placer —le sonreí.

Al final, Aidan Hennessy y Jacob Candeleur, primos en la vida y hermanos en la muerte, yacerían bajo la misma lápida, en el umbroso y elegante cementerio donde había conocido a Campion.

Para Cicero Ruiz, las cosas fueron algo distintas. Mineápolis no tiene cementerio municipal para las personas sin recursos, pero varios cementerios reservan espacio para esas ceremonias y Cicero fue inhumado en uno de ellos, al otro lado de la arboleda septentrional, en una zona donde las sepulturas están señaladas con cruces de madera e incluso con pedazos de papel.

Transcurridos unos días de su entierro, Soleil y yo vaciamos el apartamento. Como no tenía herederos, separamos todos los objetos según la institución benéfica a la que íbamos a destinarlos. El contenido de las estanterías de la cocina fue a parar a una iglesia que preparaba comida para indigentes; los muebles, a una tienda de segunda mano, y los textos de medicina, a una biblioteca. A última hora de la tarde, una mujer alta y de pelo canoso llamó a la puerta. Se identificó como funcionaria del Departamento de Vivienda Pública y nos dio la llave del buzón de Cicero, pidiéndonos que lo vaciáramos. Le dijimos que lo haríamos.

Aquella noche, Soleil y yo trabajamos hasta muy tarde; ninguna de las dos quería dedicar un día más a aquella tétrica tarea. Lo último que hice fue bajar al buzón.

Como era de esperar, estaba lleno hasta los topes, y poca parte de la correspondencia era personal, por lo que metí casi todo el contenido en una bolsa de basura verde que Soleil y yo habíamos ido llenando a lo largo del día.

Entre todos los papeles, sólo destacaba un estilizado sobre con la dirección pulcramente escrita a máquina. Era de un bufete de abogados de Colorado.

La carta informaba a Cicero Ruiz de que los mineros habían ganado el pleito que habían interpuesto a su antigua empresa en el asunto del derrumbamiento de la mina. Como personado en la demanda colectiva, a Cicero le correspondían 820.000 dólares en concepto de indemnización.

Reí hasta que se me saltaron las lágrimas. Soleil sólo lloró.

Kilander, que tenía contactos para todo, me ofreció información privilegiada sobre Gray Diaz y los resultados de los análisis que había realizado al Nova. Era cierto que los técnicos habían encontrado sangre en la alfombra, pero estaba tan degradada por el paso del tiempo y la exposición al calor y a la luz que resultaba imposible practicar un análisis completo. Las pruebas confirmaron que se trataba de sangre, de sangre humana, pero más allá de eso no podía extraerse más información. Aquélla era la verdad que se ocultaba tras el último esfuerzo que había hecho Diaz para conseguir que confesara.

Como investigadora que soy, debería haberlo adivinado. En nuestra última entrevista, Diaz me había tuteado para crear una atmósfera de intimidad. Había insinuado que contaba con más pruebas de las que realmente tenía. Luego había subrayado nuestras similitudes como profesionales del cumplimiento de la ley y había asegurado que quería ayudarme. Había tenido en la mano cartas inútiles durante toda la partida, pero merecía la pena intentarlo.

Descubrí que lo admiraba. Como él había dicho, en otras circunstancias tal vez nos habríamos hecho amigos.

También lamenté que las últimas palabras que me había dirigido fuesen tan amargas. Lo que había dado a entender era obvio: creía que él había perdido y que yo había ganado. No tuve ocasión de explicarle que habíamos perdido los dos. Así, poco tiempo después, vi que Jason Stone hablaba con un novato y, con un gesto de inteligencia, me señalaba y comentaba algo. Enseguida adiviné qué chismorreo le estaba contando a su amigo.

Llegó el Día del Trabajo con su anuncio del otoño y terminé el verano más o menos como lo había comenzado: haciendo turnos extras o quedándome en el trabajo hasta muy tarde para mantenerme ocupada. Una tarde de principios de septiembre, Prewitt se detuvo junto a mi mesa y me dijo que la joven madre a la que yo había salvado en la licorería se había recuperado por completo y que iban a incluir una mención de honor en mi expediente por la acción que había emprendido para salvarla. Le di las gracias y, cuando se marchó, volví a bajar la vista para concentrarme en lo que tenía delante.

Transcurridas unas horas, ya en casa, la puerta mosquitera de la cocina se negó a abrirse lo suficiente para dejarme pasar y la arranqué de las bisagras.

Hasta ese momento, hubiera jurado que había superado la muerte de Cicero Ruiz.

Me sorprendió descubrir el auténtico blanco de mi enojo. No estaba enfadada con Ghislaine, ni conmigo misma, aunque tenía motivos para estarlo. La verdad es que estaba enfadada con Cicero. Era él quien me había puesto en una situación insostenible: o lo entregaba a mi teniente, o le dejaba continuar la actividad que había conducido a su muerte violenta y prematura.

He apuntado que el error fatal de Cicero fue la compasión, pero en realidad fue el orgullo. Me habría dado cuenta antes si no hubiera tenido tanta necesidad de una figura en cuya sabiduría e incorruptibilidad creer tácitamente. Tanto había querido convencerme a mí misma de que Cicero sólo era un buen hombre destruido por las circunstancias, tanto lo había deseado, que no había sabido ver que la suya, desde que perdiera la licencia, había sido una existencia altruista en el sentido más literal del término. Estaba claro que, incluso después de su descrédito profesional, Cicero debía de haber tenido mejores alternativas de trabajo que bajar a una mina, pero no las había aprovechado. El reverso del orgullo es la vergüenza y, después de su desliz ético, Cicero se había castigado a sí mismo más de lo que habría hecho el propio sistema. Era esto, junto con su necesidad de continuar con la profesión de su vida, aunque fuera desde un bloque de viviendas sociales, lo que había desencadenado su muerte.

Por supuesto, ésta no se habría producido si yo lo hubiera detenido, como era mi deber, o si Ghislaine no hubiera estado desesperada por seguir junto a un joven venal y brutal al que, inexplicablemente, seguía queriendo; ¿quién puede explicar con certeza por qué una persona encuentra una muerte prematura y otra se salva? Si Cicero hubiera estado en el piso del fondo del pasillo con sus amigos cuando Mark había llamado a su puerta, ¿habría regresado su asesino cualquier otro día? ¿O se habría marchado, frustrado, a dar otro golpe y lo habría abatido a tiros el dueño de la tienda atracada, sin que Cicero llegara a enterarse nunca de lo cerca que había estado de acabar en el depósito de cadáveres? Los factores que habían intervenido en su muerte eran, tomados uno por uno, tan impredecibles como las corrientes en aguas abiertas y mi culpabilidad era apenas una pequeña cantidad de sangre derramada en esas aguas. Los átomos individuales de esta sangre no desaparecerían nunca, pero se diluirían, igual que mi responsabilidad quedaba rebajada ante la constatación de cuántas circunstancias menores confluyen en una muerte.

A esta constatación siguió una sensación de fría paz. No hice el menor gesto para recoger la puerta caída, ni pasé al interior; me limité a sentarme en el escalón.

Un tren de mercancías retumbó al otro lado del pequeño patio trasero y la quietud que dejó a su paso fue tan rígida como el silencio.

Allí estaba la soledad de la que había huido todo el verano llenando mis horas con los Hennessy, con Cicero, incluso con desconocidos como Special K. Había buscado cien problemas para distraerme de los que me acosaban desde que Shiloh fuera a Blue Earth. No había sido selectiva. Me había valido de los de cualquiera, siempre que no fueran los míos, con tal de que me permitieran mantener ocultos y aherrojados mis propios sentimientos.

Que hubiera permanecido ciega al orgullo y al sentimiento de culpa que movían a Cicero Ruiz se debía, probablemente, a mi mucha práctica en resistirme a ver las cosas.

Los impulsos de Cicero eran idénticos a los que motivaban a mi marido. Era el orgullo lo que había impulsado a Shiloh en su intento de vengar la muerte de Kamareia, cuando los tribunales habían sido incapaces de hacer justicia. No sólo eso, sino que había creído que podría llevar a cabo su acción protegiéndome a mí de cualquier complicidad, o incluso de cualquier conocimiento de sus planes. Frustrado su empeño, se había negado a alegar atenuantes que le valieran una sentencia menor y esto lo había llevado a la cárcel. Ahora, me parecía entender mejor por qué seguía guardando silencio tras los muros de aquella prisión. Lo hacía por vergüenza; Shiloh consideraba sus actos como una lacra en la existencia recta y honrada que yo trataba de llevar en Mineápolis.

Tampoco en esto me hallaba yo libre de culpa. No había intentado acercarme a Shiloh, pues temía ser la primera en romper nuestro mutuo silencio y, posiblemente, ser rechazada. No había sido capaz de reconocer cuánto me irritaba la pérdida obligada de mi marido, una pérdida que yo había tenido tantísimo cuidado en considerar meramente circunstancial, y no un abandono o una traición.

Aquella noche me acosté temprano y eran cerca de las dos de la madrugada cuando me desperté de golpe y con la cabeza muy despejada. Supe que no volvería a dormir y me levanté. Me lavé la cara, me vestí y eché unas piezas de ropa y algo de dinero en mi bolsa de viaje. Por último, abrí la mesilla de noche, saqué el anillo de bodas de cobre y me lo puse.

De camino hacia el este, rumbo a Wisconsin, el aire era cálido como en verano y olía a clorofila. No me sentía cansada en absoluto. Al amanecer, llegaría a la prisión. Delante de mí, al sudeste, a poca altura y sobrenaturalmente grande y pálido por su proximidad con el horizonte, Orión se extendía sobre mi destino como un santo patrón.

Este libro utiliza el tipo Aldus, que toma su nombre
del vanguardista impresor del Renacimiento
italiano Aldus Manutius. Hermann Zapf
diseñó el tipo Aldus para la imprenta
Stempel en 1954, como una réplica
más ligera y elegante del
popular tipo
Palatino

* * *

* *

*

Indicio de culpa se acabó de imprimir
en un día de invierno de 2005,
en los talleres de Puresa,
calle Girona, 206
Sabadell
(Barcelona)

⁋ ⁋ ⁋

* *

*